AMANDA HOCKING

LOKROEP

Watersong — boek 1

UITGEVERIJ LUITINGH-SIJTHOFF

Uitgeverij Luitingh Sijthoff en Drukkerij HooibergHaasbeek vinden het belangrijk om op milieuvriendelijke en verantwoorde wijze met natuurlijke bronnen om te gaan.

© 2012 Amanda Hocking
All rights reserved
© 2012 Nederlandse vertaling
Uitgeverij Luitingh ~ Sijthoff B.V., Amsterdam
Alle rechten voorbehouden
Oorspronkelijke titel: *Wake*
Vertaling: Karien Gommers
Omslagontwerp: Marlies Visser
Omslagbeeld: Danielle Kwaaitaal, Whispering Waters – Tyche
2009/Courtesy: Flatland Gallery Utrecht

ISBN 978 90 218 0737 9
NUR 302

www.lsamsterdam.nl
www.boekenwereld.com
www.watleesjij.nu

Voor mijn moeder en Eric, die me ongelofelijk veel liefde
en steun geven.
En voor Jeff Bryan, op wie ik altijd al mijn ideeën mag loslaten.

Van ons

Door de zilte geur van de zee rook Thea het bloed. Normaal kreeg ze er honger van; een hongergevoel dat haar vaak tot in haar dromen achtervolgde. Maar nu walgde ze ervan. Het gaf haar een vieze smaak in de mond, omdat ze wist waar de geur vandaan kwam.

'Is het gebeurd?' vroeg Thea. Ze stond met de rug naar Penn op het rotsachtige strand.

'Dat weet je best,' zei Penn. Ook al was ze boos, haar stem bleef iets verleidelijks houden. 'Ja, het is gebeurd, maar dat is niet aan jou te danken.'

Het vage schijnsel van de maan gaf glans aan Penns zwarte haren en haar gebruinde huid. Als ze net had gegeten, was ze nog mooier dan anders.

Terwijl er op Thea's kleren een paar donkerrode bloedspatten zaten, was Penns kleding schoon gebleven. Alleen Penns rechterarm zat van de hand tot aan de elleboog onder het bloed.

Thea's maag rammelde, zowel van honger als van weerzin. Ze wendde haar gezicht af.

'Thea,' zei Penn met een zucht en liep naar haar toe. 'Het moest gebeuren. Dat wist je.'

Thea zei niets. Ze luisterde naar het lied van de zee. Het waterlied riep haar. 'Dat weet ik wel,' zei ze ten slotte, in de hoop dat de woorden haar ware gevoelens niet verraadden. 'Maar de timing kon niet slechter. We hadden moeten wachten.'

'Ik kon niet meer wachten,' beweerde Penn. Of dat waar was, viel achteraf niet te zeggen. Maar als Penn iets in haar hoofd had, gebeurde het gewoon. Ze kreeg nu eenmaal altijd haar zin.

'We hebben niet veel tijd.' Thea gebaarde omhoog, naar de maan die bijna vol was.

'Nee,' reageerde Penn, 'maar, zoals ik al eerder zei, ik heb mijn oog op iemand laten vallen.' Ze keek haar met een brede glimlach aan, zodat haar vlijmscherpe tanden zichtbaar werden. 'En het zal niet lang duren voordat ze van ons is.'

I

Zwemmen in het donker

De motor maakte een vreemd pruttelend geluid dat deed denken aan een stervende robotlama, gevolgd door een onheilspellend getik. Stilte. Gemma draaide het sleuteltje nog eens om, in de hoop dat ze op die manier de oude Chevy aan de praat zou krijgen, maar hij pruttelde niet eens meer. De lama was dood.

'Heb ik dat,' zei Gemma. Ze onderdrukte een vloek.

Ze had keihard gewerkt om deze auto te kunnen kopen. Met de lange uren die ze in het zwembad doorbracht en aan haar huiswerk besteedde, had ze weinig tijd over voor een vast bijbaantje. Er bleef niets anders over dan op die rotjochies van Tennenmeyer te passen. Ze smeerden kauwgom in haar haren en goten bleekmiddel op haar favoriete trui. Maar ze had doorgezet. Ze moest en zou een auto hebben als ze zestien werd, ook al zat ze daarvoor met die ettertjes van Tennenmeyer opgescheept. Haar oudere zus Harper had de oude auto van hun vader gekregen, als afdankertje. Gemma mocht hem best af en toe lenen, maar dat wilde ze niet.

De belangrijkste reden dat Gemma een eigen auto nodig had waren haar nachtelijke zwempartijen in de baai van Anthemusa. Harper en vader waren niet blij met deze uitstapjes. Ze woonden niet ver van de baai af, maar de afstand was het probleem dan ook niet. Het ging erom dat ze in het donker ging zwemmen, en dat was nu nét wat het zo bijzonder maakte.

Als ze onder de sterrenhemel aan het zwemmen was, leek het water zich eindeloos uit te strekken. De baai liep over in de zee die weer overging in de lucht. Alles leek samen te vallen waardoor ze het gevoel had alsof ze in een eeuwige cirkel ronddreef. Zwemmen in het donker had iets betoverends, maar dat kon haar familie op de een of andere manier niet begrijpen.

Gemma probeerde de auto nog een keer te starten, maar wist er alleen maar hetzelfde lege getik aan te ontlokken. Zuchtend boog ze zich naar voren en staarde door de voorruit naar de door de maan verlichte hemel. Het werd al laat en zelfs wanneer ze nu te voet zou vertrekken, was ze misschien net voor middernacht thuis van haar zwempartij.

Het probleem was dat ze om elf uur thuis moest zijn. Behalve een kapotte auto was huisarrest het laatste waar ze aan het begin van de zomervakantie zin in had. Dus besloot ze het zwemmen maar een keer over te slaan.

Ze stapte uit de auto. Toen ze het portier met een boze klap probeerde dicht te slaan, hoorde ze hem alleen maar even licht kreunen. Een stukje verroest metaal viel van de onderkant van de auto.

'Driehonderd dollar, weggegooid geld,' mompelde Gemma.

'Autopech?' klonk een stem achter haar. Het was Alex.

Gemma onderdrukte een kreet.

'Sorry, ik wou je niet aan het schrikken maken.'

Ze draaide zich om en keek hem aan. 'O, dat geeft niet,' wuifde ze zijn verontschuldiging weg. 'Ik had je alleen niet horen aankomen.'

Alex was al tien jaar haar buurjongen en eigenlijk was er niets angstaanjagends aan hem. Nu hij ouder werd, probeerde hij zijn warrige donkere haren in toom te houden, maar wat hij ook deed, een pluk boven zijn voorhoofd bleef altijd rechtovereind staan.

Daardoor leek hij jonger dan de achttien jaar die hij telde. En als hij glimlachte, leek hij nog jonger.

Hij had iets onschuldigs, en om die reden had Harper waarschijnlijk nooit meer in hem gezien dan een vriend. Zelfs Gemma had hem tot voor kort afgedaan als een jongen op wie ze onmogelijk verliefd kon worden. Totdat ze hem heel subtiel zag veranderen. Het jongetje kreeg gespierde armen en brede schouders.

Sinds zijn prille mannelijkheid haar begon op te vallen, voelde ze steeds vaker vlinders in haar buik als hij naar haar glimlachte. Dat had ze nooit eerder gehad bij hem in de buurt. Ze onderdrukte die gevoelens en probeerde er niet bij stil te staan.

'Ik krijg dat oude lijk niet aan de praat.' Gemma gebaarde naar de roestbak en deed een stap naar Alex toe. 'Ik heb hem pas drie maanden en nu stopt hij er al mee.'

'Balen,' zei Alex. 'Kan ik iets voor je doen?'

'Heb jij verstand van auto's dan?' Gemma keek hem verbaasd aan. Ze had hem vaak genoeg computerspelletjes zien spelen of met zijn neus in de boeken zien zitten, maar nog nooit met zijn hoofd onder een motorkap.

Alex glimlachte schaapachtig en sloeg zijn ogen neer. Op zijn zongebruinde gezicht was zijn blos niet te zien, maar Gemma kende hem goed genoeg om te weten dat hij rood werd.

'Nee,' gaf hij met een klein lachje toe en gebaarde vervolgens naar de oprit waar zijn blauwe Cougar stond. 'Maar ik heb wel een auto die het doet.'

Hij haalde zijn sleutels uit zijn zak en draaide ze in het rond om zijn vinger. Heel even zag hij er stoer uit, totdat de sleutels uit zijn hand vlogen en zijn kin raakten. Haastig raapte hij ze op.

Gemma onderdrukte een proestbui. 'Gaat 't?'

'Eh... ja, hoor.' Hij wreef over zijn kin. 'Nou, wil je een lift of niet?'

'Weet je 't zeker? Het is al laat. Is het niet te veel moeite voor je?'

'Welnee. Geen probleem.' Hij zette een stap in de richting van zijn auto en wachtte tot Gemma hem volgde. 'Waar wou je naartoe?'

'Alleen maar even naar de baai.'

'Dacht ik het niet.' Hij grijnsde. 'Je nachtelijke zwemuurtje.'

'Het is nog niet eens nacht,' zei Gemma, hoewel dat niet lang meer zou duren.

'Kom,' zei Alex. Hij liep naar zijn Cougar en opende het portier. 'Stap in.'

'Oké. Omdat je zo aandringt.'

Gemma deed liever geen beroep op andere mensen, maar een kans om te kunnen zwemmen liet ze niet snel aan haar neus voorbijgaan. Bovendien was een autoritje samen met Alex ook niet te versmaden. Meestal trok hij met haar zus op en voelde zij zich het vijfde wiel aan de wagen.

'Wat is er nou zo betoverend aan dat zwemmen?' vroeg Alex nadat ze was ingestapt.

'Ik geloof niet dat ik het ooit betoverend heb genoemd.' Ze gespte de veiligheidsgordel vast en leunde achterover. 'Ik weet niet wat het precies is. Het is... eh... gewoon anders dan anders.'

'Hoe bedoel je?' vroeg Alex. Hij startte de auto, maar bleef op de oprit staan en keek haar aan in afwachting van haar uitleg.

'Overdag zijn er altijd zoveel mensen in de baai, vooral 's zomers, maar 's nachts... 's nachts ben je alleen, alleen met het water en de sterren. En omdat het donker is, lijkt het of alles één geheel vormt waar jij dan deel van uitmaakt.' Er speelde een verlangende glimlach om haar lippen. 'Misschien is het ook wel betoverend,' gaf ze toe. Toen schudde ze haar hoofd. 'Ik weet het niet. Misschien ben ik wel een freak.'

Pas op dat moment drong het tot Gemma door dat Alex haar aanstaarde. Er lag een eigenaardige uitdrukking op zijn gezicht, alsof hij met stomheid geslagen was.

'Wat is er?' vroeg ze. Ze begon zich een beetje opgelaten te voelen door de manier waarop hij naar haar keek. Ze frunnikte aan haar haren, streek het achter haar oren en schoof heen en weer op haar stoel.

'Niets. Sorry.' Alex schakelde en reed weg. 'Je wilt waarschijnlijk snel het water in.'

'Ik heb geen haast, hoor,' zei Gemma, maar dat was eigenlijk gelogen. Ze wilde zo lang mogelijk in het water doorbrengen voordat ze weer thuis moest zijn.

'Ben je nog aan het trainen?' vroeg Alex. 'Of doe je dat niet in de vakantie?'

'Jawel, ik train in de zomer gewoon door.' Ze draaide het raampje open zodat de zilte lucht naar binnen waaide. 'Ik zwem elke dag in het zwembad met mijn trainer. Hij zegt dat mijn tijden steeds beter worden.'

'Dus je zwemt al de hele dag in het zwembad en dan ga je 's avonds nog eens,' schamperde Alex. 'Waarom doe je dat?'

'Het zijn twee totaal verschillende dingen.' Gemma stak haar arm als een vleugel van een vliegtuig door het geopende raampje. 'In het zwembad gaat het alleen maar om baantjes trekken en tijden. Dat is werk. In de baai zwem ik voor mijn plezier. Daar kan ik gewoon lekker in het rond spartelen.'

'Maar krijg je er niet genoeg van om altijd nat te zijn?' vroeg Alex.

Ze schudde haar hoofd. 'Nee. Het is hetzelfde als ademhalen. Krijg jij daar wel eens genoeg van?'

'Eigenlijk wel. Het lijkt me soms heerlijk om niet te hoeven ademhalen.'

'Wat is daar nou zo geweldig aan?' vroeg Gemma lachend.

'Weet ik niet.' Even keek hij een beetje ongemakkelijk en glimlachte nerveus. 'Ik vroeg het me vroeger wel eens af tijdens gymles. Als we bijvoorbeeld moesten hardlopen, was ik altijd zo buiten adem dat het pijn deed.' Hij keek haar onderzoekend aan. Vanwege die laatste opmerking zou ze hem wel eens een complete loser kunnen vinden. Maar gelukkig zag hij haar glimlachen.

'Je had vaker met me moeten gaan zwemmen,' zei Gemma. 'Dan had je nu een veel betere conditie gehad.'

'Je hebt gelijk, maar ik ben nu eenmaal een nerd,' verzuchtte hij. 'Ik ben blij dat ik eindelijk van al dat sporten af ben.'

'Binnenkort heb je het zo druk op de universiteit dat je alle ellende van de middelbare school bent vergeten,' zei Gemma. Haar stem had ineens een eigenaardig melancholieke klank.

'Gelukkig wel.' Alex fronste zijn wenkbrauwen.

Gemma schoof dichter naar het raampje, liet haar arm op de rand van het portier rusten en keek leunend met haar kin op haar hand naar de huizen en bomen die ze passeerden. In de buurt waar Alex en zij woonden stonden goedkope, vervallen huizen, maar toen ze Capri Lane voorbij waren, zag ze alleen nog maar keurige nieuwbouwhuizen.

Het toeristenseizoen was begonnen en de hele stad was feestelijk verlicht. Uit de cafés klonken muziek en vrolijke stemmen.

'Zie je er niet naar uit om dit allemaal achter je te laten?' vroeg Gemma met een spottend glimlachje. Ze wees naar een dronken stelletje dat op de boulevard liep te bekvechten.

'Sommige dingen zal ik zeker niet missen,' gaf hij toe. Ineens kreeg zijn blik iets zachts. 'Maar andere dingen wel,' voegde hij eraan toe.

Het strand was bijna helemaal verlaten, op een paar tieners na die een vuurtje stookten. Gemma instrueerde Alex om nog een stukje door te rijden. Het zandstrand liep over in een grillige rotskust en het asfalt van de parkeerterreinen maakte plaats voor een bos van moerascipressen. Alex parkeerde zijn auto op een zandweggetje zo dicht mogelijk bij het water.

Omdat er zo ver van de toeristische attracties bijna geen mensen kwamen, waren er ook geen paden die naar de zee leidden. Toen Alex de lichten van zijn auto doofde, was het, op de lichtjes van de stad verderop en het schijnsel van de maan na, aardedonker.

'Ga je hier altijd zwemmen?' vroeg Alex.

'Ja, een betere plek is er niet.' Ze opende het portier.

'Is dat niet gevaarlijk met al die rotsen?' Alex was uitgestapt en tuurde langs de met mos bedekte stenen langs de kant.

'Juist daarom komt hier niemand,' zei ze met een grijns.

Zodra ze de auto uit was, trok ze haar zonnejurk uit. Eronder droeg ze een bikini. Ze schudde haar donkere haar, dat ze in een paardenstaart had, los en schopte haar slippers uit, die ze samen met haar jurk in de auto legde.

Alex stond naast de auto. Hij stak zijn handen diep in zijn zakken en deed zijn best niet naar haar te kijken. Hij wist dat ze een bikini droeg, nota bene een bikini waarin hij haar al honderd keer eerder had gezien. Gemma woonde praktisch in haar zwemkleding, maar nu hij alleen met haar was, leek het alsof hij haar pas echt goed zag.

Van de twee zusjes Fisher was Gemma ontegenzeglijk de knapste. Ze had een sportief postuur en was klein en slank, maar met rondingen op de juiste plekken. Haar huid was bruin en haar donkere haren waren hier en daar gebleekt van het chloor en de zon. Haar ogen, die hij kon zien schitteren als ze naar hem glimlachte, hadden de kleur van honing.

'Ga je mee?' vroeg Gemma.

Hij schudde zijn hoofd. 'Eh... nee.' Met opzet wendde hij zijn blik van haar af en staarde over het water. 'Ik wacht wel in de auto tot je klaar bent.'

'Hè nee. Je gaat toch niet in de auto zitten wachten? Je hebt me helemaal hiernaartoe gebracht, dus nu moet je ook mee gaan zwemmen.'

'Liever niet.' Hij krabde op zijn arm en sloeg zijn ogen neer. 'Ga jij maar. Veel plezier.'

'Kom op, Alex.' Gemma deed alsof ze pruilde. 'Ik durf te wedden dat je nog nooit bij maanlicht hebt gezwommen. Bovendien ga je na de zomer naar de universiteit, dus dit is je laatste kans. Je moet dit een keer hebben gedaan, anders heb je niet echt geleefd.'

'Ik heb mijn zwembroek niet bij me,' stribbelde Alex tegen, maar zijn weerstand begon al af te brokkelen.

'Ga dan in je boxershort.'

Hij had nog willen protesteren, maar besefte dat Gemma gelijk had. Terwijl zij voortdurend dit soort avontuurlijke dingen deed, had hij het grootste deel van zijn middelbareschooltijd op zijn slaapkamer doorgebracht. Hij kon bovendien maar beter mee gaan zwemmen, want bij nader inzien leek hem dat minder griezelig dan haar vanaf de kant te moeten gadeslaan.

'Oké. Hopelijk haal ik mijn voeten niet open aan die rotsen,' zei Alex terwijl hij zijn schoenen uittrok.

'Ik zal zorgen dat je niets overkomt.' Ze legde haar hand op haar hart bij wijze van belofte.

'Daar houd ik je aan.'

Hij trok zijn shirt over zijn hoofd uit. Hij zag er precies zo uit als Gemma zich had voorgesteld. Het slungelachtige was verdwenen en zijn lijf was sterk en gespierd. Ze begreep niet waarom hij zichzelf altijd een nerd noemde, want zo zag hij er helemaal niet uit.

Toen hij zijn broek begon uit te trekken, wendde Gemma haar blik af. Hoewel ze hem een paar seconden later in zijn boxershort zou zien, voelde het vreemd om te blijven kijken. Alsof het niet hoorde.

'Hoe komen we bij het water?' vroeg Alex.

'Heel voorzichtig.'

Gemma ging eerst. Behoedzaam zette ze een voet op de rotsen. Alex zag meteen dat hij dat nooit zo elegant zou kunnen als zij. Ze bewoog zich als een ballerina. Op de bal van haar voet stapte ze van de ene gladde rots op de andere tot ze bij het water was.

'Kijk uit, want vlak vooraan zitten een paar scherpe rotsen,' zei Gemma.

'Bedankt voor de waarschuwing,' mompelde hij, zo voorzichtig mogelijk voortbewegend. Hij liep achter haar aan, maar zo gemakkelijk als zij het deed lijken, was het niet. Hij struikelde zelfs een paar keer.

'Niet te snel! Als je langzaam loopt, is er niks aan de hand.'

'Ik doe mijn best.'

Tot zijn verrassing lukte het hem bij het water te komen zonder zijn voeten te bezeren. Gemma glimlachte trots naar hem en waadde vervolgens de zee in.

'Ben je niet bang?' vroeg Alex.

'Waarvoor?' Ze was nu ver genoeg om zich op haar rug in het water te laten vallen en met haar benen te trappelen.

'Weet ik niet. Zeemonsters of zo. Het water is zo donker. Ik zie niks.' Alex stond intussen tot zijn middel in het water en had niet veel zin om dieper te gaan.

'Er zijn geen zeemonsters.' Lachend spetterde Gemma water naar hem. Om hem een beetje uit zijn tent te lokken zei ze: 'Zullen we doen wie het eerste bij die rots daarginds is?'

'Welke rots?'

'Die daar.' Ze wees naar een gigantische grijze punt die ongeveer vijftig meter van hen vandaan uit het water stak.

'Jij bent toch sneller,' zei hij.

'Ik geef je een voorsprong,' bood Gemma aan.

'Hoeveel?'

'Eh... vijf seconden.'

'Vijf seconden?' Alex dacht even na. 'Nou, dat zou wel eens...' In plaats van zijn zin af te maken dook hij in het water en zwom hard weg.

'Hé, niet smokkelen!' riep Gemma hem na. Ze lachte.

Alex zwom zo hard als hij kon, maar het duurde niet lang of Gemma schoot hem voorbij. In het water was ze niet te stuiten, en hij had nog nooit iemand sneller zien zwemmen dan zij. Vroeger had hij, net als Harper, wel eens meegedaan aan zwemwedstrijden op school en bijna altijd had Gemma gewonnen.

'Ik heb gewonnen!' riep Gemma toen ze bij de rots was.

'Nou, daar kijk ik van op.' Alex kwam naast haar zwemmen en

klampte zich aan de rots vast. Hij hijgde nog steeds en veegde het zilte water uit zijn ogen. 'Dat was geen eerlijke wedstrijd.'

'Sorry.' Ze glimlachte. Ze was lang niet zo buiten adem als hij, maar toch hield ook zij zich aan de rots vast.

'Daar meen je niks van,' zei Alex zogenaamd beledigd.

Zijn hand gleed van de rots en toen hij die weer wilde vastgrijpen, belandde zijn hand per ongeluk op die van Gemma. Net toen hij hem verlegen wilde wegtrekken, bedacht hij zich en liet zijn hand waar hij was. Hij zag haar glimlach zachter worden, liefdevoller. Ze zwegen allebei. Zo bleven ze nog even aan de rots hangen. Het enige geluid was het klotsen van het water.

Gemma zou het prima hebben gevonden om zo nog een tijdje dicht bij elkaar te zijn, maar plotseling werd haar aandacht getrokken door een fel licht achter hen. Vlak voor het punt waar de baai in de zee uitmondde bevond zich een kleine inham, ongeveer vierhonderd meter van hen vandaan.

Alex draaide zich om en volgde haar blik. Ook hij zag het licht. In de inham steeg gelach op. Er brandde een vuur. Haastig duwde hij haar hand weg.

In het licht waren drie dansende gestalten te zien. Wat ze precies deden was van deze afstand moeilijk te zien, maar aan de manier waarop ze zich bewogen was duidelijk wie het waren. Iedereen in de stad wist wie ze waren, ook al leek niemand hen persoonlijk te kennen.

'Het zijn die meisjes,' fluisterde Alex, alsof ze hem van die afstand konden horen.

De drie meisjes dansten alle drie even sierlijk en elegant. Zelfs hun schaduwen, die zich dreigend op de wanden van de rotsen aftekenden, bewogen zich bijna sensueel.

'Wat doen ze daar?' vroeg Alex.

Gemma haalde haar schouders op. 'Weet ik niet,' zei ze. 'Ik zie ze wel vaker. Kennelijk komen ze daar graag.'

'O,' zei Alex met een nadenkende frons.

'Ik heb geen flauw idee wat ze hier in de stad komen doen.'

'Ik ook niet.' Hij keek weer naar de meisjes. 'Ik hoorde van iemand dat het Canadese filmsterren zijn.'

'Dat zou kunnen, maar ze hebben geen accent.'

'Heb jij ze horen praten dan?' vroeg Alex. Hij leek onder de indruk.

'Ja, ik heb ze wel eens bij Pearl's Diner gezien. Ze bestellen altijd milkshakes.'

'Waren ze eerst niet met z'n vieren?'

'Volgens mij wel.' Gemma kneep haar ogen tot spleetjes alsof ze ze nog eens natelde. 'De laatste keer dat ik ze zag waren het er vier. Maar nu zie ik er maar drie.'

'Waar zou die vierde zijn gebleven?'

Ze waren te ver weg om ze te kunnen verstaan, maar hun gelach en gepraat waren duidelijk te horen. Hun stemmen zweefden over de baai. Een van de meisjes begon te zingen. Haar stem was helder als kristal en klonk zo mooi dat het bijna pijn deed. De melodie ontroerde Gemma.

Alex kon alleen maar als betoverd naar de inham staren. Langzaam zwom hij van de rots weg, richting de meisjes.

Gemma had het niet eens in de gaten, want ook zij kon alleen maar met open mond naar de meisjes staren. Of, om precies te zijn, naar het meisje dat niet zong. *Penn.* Ze was ervan overtuigd dat het Penn was, alleen al door de manier waarop ze zich bewoog. Haar lange zwarte haar werd door de wind naar achter geblazen. Haar bewegingen waren doelbewust en sierlijk en haar blik was strak naar voren gericht.

Vanwege de afstand en de duisternis kon Penn haar onmogelijk zien, maar op de een of andere manier voelde Gemma haar blik dwars door haar heen gaan. Ze huiverde en zwom terug naar de kant.

'Alex,' riep ze. Haar stem klonk anders dan normaal. 'Zullen we gaan?' Pas nu zag ze hoe ver hij was weggezwommen.

'Wat?' riep hij terug.

'Kom terug, Alex. We kunnen ze beter niet storen. We moeten gaan.'

'Hoezo?' riep hij.

'Kom nu maar!' Gemma schreeuwde nu bijna, maar het leek geen indruk op hem te maken. 'We moeten terug. Het is al laat.'

'Oké, ik kom al.' Met tegenzin zwom hij terug naar de kant.

Al vanaf het begin van het zomerseizoen waren Penn, Thea, Lexi en Arista in de stad. Ze waren de eerste toeristen van het seizoen, maar niemand wist precies wie ze waren en wat ze uitspookten.

Waar Gemma vooral van baalde was dat ze op haar plekje rondhingen. Ze verstoorden haar nachtelijke zwemuurtje. Ze voelde zich niet op haar gemak in het water als ze in de inham aan het dansen en zingen waren.

2

Capri

Harper schrok op van het geluid van een portier dat werd dichtgeslagen. Ze kwam overeind en legde haar *e-reader* opzij. Ze sprong uit bed en toen ze het gordijn openschoof, zag ze Gemma afscheid nemen van Alex en naar binnen gaan.

Op de wekker op haar nachtkastje was het pas halfelf. Ze had geen enkele reden om Gemma wat te verwijten, maar toch zat haar iets dwars.

Harper ging op de rand van haar bed zitten en wachtte tot Gemma naar boven kwam. Brian zat beneden tv te kijken. Meestal bleef hij op totdat zijn jongste dochter thuis was, iets waar Gemma zich niet veel van aantrok. Aan die onverschilligheid kon Harper zich groen en geel ergeren. Het kon Gemma niets schelen dat haar vader om vijf uur 's morgens voor zijn werk moest opstaan, als zíj maar 's nachts kon zwemmen.

Harper had besloten haar ergernis niet te laten merken en er geen woord meer aan vuil te maken. Haar vader had tenslotte de tijd vastgesteld waarop Gemma binnen moest zijn, dus als het hem niet beviel, moest hij het uur maar vervroegen.

Harper hoorde Brian en Gemma beneden even op gedempte toon praten. Vervolgens hoorde ze voetstappen op de trap en voordat Gemma haar eigen kamer binnen kon glippen, opende Harper de deur.

'Gemma,' fluisterde ze.

Gemma stond met haar rug naar Harper toe in de gang. Ze had haar hand op de klink van haar slaapkamerdeur. Haar zonnejurk kleefde aan haar klamme huid en door de stof heen kon Harper de contouren van haar bikini zien.

Met tegenzin draaide Gemma zich om naar haar oudere zus. 'Je hoeft echt niet voor me op te blijven, hoor. Dat doet papa al.'

'Ik ben niet voor je opgebleven,' loog Harper. 'Ik was nog aan het lezen.'

'Tuurlijk.' Gemma rolde met haar ogen en sloeg haar armen over elkaar. 'Nou, zeg het maar. Wat heb ik verkeerd gedaan?'

'Je hebt niets verkeerd gedaan,' zei Harper. Haar stem klonk iets zachter. Het was echt niet zo dat ze het leuk vond om altijd maar op Gemma te mopperen, maar helaas had Gemma nu eenmaal de gewoonte om de stomste streken uit te halen.

'Wat is er dan?' vroeg Gemma.

'Ik wou alleen...' Harper liet haar vingers langs de rand van haar slaapkamerdeur glijden en durfde haar zusje niet aan te kijken. 'Wat deed je daarnet met Alex?'

'Mijn auto startte niet, dus heeft hij me naar de baai gebracht om te zwemmen.'

'En waarom zou hij dat doen, denk je?'

Gemma schokschouderde. 'Weet ik veel. Omdat hij aardig is.'

'Gemma,' kreunde Harper.

'Wat is er?' vroeg Gemma. 'Er is niks gebeurd, hoor.'

'Hij is te oud voor je,' verzuchtte Harper. 'Ik weet...'

'Hou op, Harper!' Gemma's wangen werden rood en ze sloeg haar ogen neer. 'Alex is... eh... meer als een broer of zoiets. Ik moet er niet aan denken. En trouwens, hij is jóuw beste vriend.'

Harper schudde haar hoofd. 'Ik zie heus wel hoe jullie de afgelopen maanden om elkaar heen draaien. Mij kan het niets schelen, hoor, maar vergeet niet dat hij binnenkort naar de universiteit gaat. Ik wil niet dat je wordt gekwetst.'

'Dat gaat niet gebeuren. Trouwens, er is helemaal niks aan de hand,' hield Gemma vol. 'Ik dacht dat je blij zou zijn. Je zit altijd te zeuren dat ik 's avonds niet alleen moet gaan zwemmen en nu heb ik eens iemand meegenomen, is het weer niet goed.'

Toen Harper haar wenkbrauwen optrok, besefte ook Gemma dat Alex als bodyguard niet echt een geloofwaardige indruk maakte. 'En dat nachtelijke zwemmen blijft gevaarlijk. Je zou het eigenlijk helemaal niet moeten doen.'

'Er is toch niets gebeurd?'

'Er is nóg niets gebeurd,' wierp Harper tegen. 'De afgelopen twee maanden zijn er drie mensen vermist, Gemma. Je moet echt voorzichtig zijn.'

'Ik ben ook voorzichtig.' Gemma balde haar handen tot vuisten en zette ze in haar zij. 'En trouwens, het maakt niet uit wat je zegt want papa heeft er geen problemen mee zolang ik om elf uur thuis ben, en dat ben ik.'

'Papa zou je eigenlijk niet moeten laten gaan, vind ik.'

'Wat is er aan de hand, meiden?' vroeg Brian, die onder aan de trap was verschenen.

'Niks,' mompelde Harper.

'Ik ga nog even douchen en dan naar bed, als Harper het tenminste goedvindt,' zei Gemma.

Harper hief haar handen omhoog. 'Het kan mij niet schelen wat je doet.'

'Fijn.' Gemma draaide zich op haar hakken om en sloeg de deur van haar slaapkamer achter zich dicht.

Terwijl haar vader de trap opkwam, bleef Harper tegen de deurpost geleund staan. Brian was een forse man met grote, sterke handen, verweerd door het jarenlange werken in de haven. Hoewel hij al in de veertig was, was hij nog behoorlijk fit en behalve een paar grijze strepen in zijn haar zag hij er jong uit voor zijn leeftijd.

Voor de deur van Harpers kamer bleef hij staan en sloeg zijn armen over elkaar. 'Wat was er nou allemaal aan de hand?' vroeg hij.

'Ach, niks.' Ze haalde haar schouders op en staarde naar haar tenen. Ze zag dat de felblauwe nagellak begon af te bladderen.

'Je moet haar niet zo op de huid zitten,' zei Brian op kalme toon.

'Dat doe ik helemaal niet!'

'Ze zal heus wel eens een fout maken, net als jij, maar het komt vanzelf weer goed, net als met jou.'

'Waarom heb ík het altijd gedaan?' Eindelijk durfde Harper haar ogen op te slaan om haar vader aan te kijken. 'Alex is veel te oud voor haar en het is gevaarlijk daarginds in de baai. Ik mag haar toch wel waarschuwen?'

'Jawel, maar je bent niet verantwoordelijk voor haar,' zei Brian.

'Dat ben ik. Bemoei jij je nou maar met je eigen zaken. Je gaat na de zomer studeren. Hou je daar maar mee bezig. Laat Gemma aan mij over, oké? Ik kan heus wel voor haar zorgen.'

'Dat weet ik ook wel,' verzuchtte ze.

'Meen je dat?' vroeg Brian. Hij keek haar aandachtig aan. 'Ik heb veel te veel aan je overgelaten sinds mama... eh...' Zijn stem stierf weg. 'Maar,' vervolgde hij na een korte stilte, 'dat betekent niet dat we het zonder jou niet zullen redden.'

'Je hebt gelijk, pap. Sorry.' Ze deed haar best om te glimlachen en keek hem aan. 'Ik maak me alleen maar zorgen.'

'Probeer dat nou eens niet te doen en ga lekker slapen. Oké?'

Ze knikte. 'Oké.'

Hij boog zich naar haar toe en kuste haar op haar voorhoofd. 'Welterusten, liefje.'

'Welterusten, pap.'

Harper ging haar kamer in en sloot de deur achter zich. Haar vader had misschien gelijk, maar toch dacht zij er anders over. Hoe je het ook wendde of keerde, de afgelopen negen jaar was zij verantwoordelijk voor Gemma geweest. Of liever, had ze zich verantwoordelijk gevóéld.

Met een diepe zucht plofte ze op haar bed neer. Ze moest er nog niet aan denken om Brian en Gemma achter te laten. Eigenlijk zou ze zich erop moeten verheugen om eindelijk het huis uit te gaan. Ze had er zo hard voor gewerkt. Zelfs met een parttimebaantje bij de bibliotheek en vrijwilligerswerk voor het dierenasiel was Harper met schitterende cijfers geslaagd voor de middelbare school.

De studiebeurs die ze had gekregen opende deuren die haar vaders budget ver te boven gingen. Elke universiteit waarvoor ze zich had aangemeld wilde haar dolgraag hebben. Ze kon overal naartoe, maar uiteindelijk had ze gekozen voor een universiteit op slechts veertig minuten rijden van Capri.

Toen Harper door een spleet tussen de gordijnen keek, zag ze licht op Alex' slaapkamer. Ze griste haar telefoon van het nachtkastje om hem een sms'je te sturen, maar ineens bedacht ze zich. Alex was al jaren haar beste vriend en ondanks het feit dat ze nooit enige romantische gevoelens voor hem had gekoesterd, had ze er toch moeite mee dat hij steeds duidelijker met haar zusje aan het flirten was.

Harper hoorde de leidingen kreunen toen Gemma de warmwaterkraan in de badkamer openzette. Ze pakte het potje blauwe nagellak om haar teennagels bij te werken. Intussen luisterde ze naar Gemma, die onder de douche met zachte stem aan het zingen was. Het leek wel een slaapliedje.

Nadat ze de tenen van één voet had bijgewerkt, had ze er genoeg van en nestelde ze zich in bed. Een paar seconden nadat haar hoofd het kussen had geraakt viel ze in een diepe slaap.

Toen ze de volgende morgen wakker werd, was haar vader al naar zijn werk en hoorde ze Gemma rondrennen in de keuken. Ze bleef zich erover verbazen dat zij, hoewel ze elke ochtend om zeven uur wakker was, toch de langslaper in de familie was.

'Ik heb een paar eieren gekookt,' zei Gemma met volle mond. Aan de gele kruimels op haar kin te zien was ze zelf net een ei aan het wegwerken. 'Ik heb ze alle twaalf gekookt, dus neem jij er ook maar een paar.'

'Dank je.' Geeuwend ging Harper aan de keukentafel zitten.

Gemma stond naast de geopende vaatwasser en sloeg haastig een glas sinaasappelsap achterover. Toen ze klaar was, zette ze het glas in de vaatwasser, naast haar vuile bord. Ze was al aangekleed – ze droeg een vale jeans en een t-shirt – en haar haren waren samengebonden in een paardenstaart.

'Ik moet naar de zwemtraining,' zei Gemma terwijl ze de keuken uit liep.

'Waarom zo vroeg?' Harper leunde achterover in haar stoel zodat ze door de geopende deur kon zien hoe Gemma haar schoenen aantrok. 'De training begint toch pas om acht uur?'

'Klopt, maar mijn auto is kapot, dus moet ik op de fiets.'

'Je kunt wel met mij meerijden,' bood Harper aan.

'Ach nee, laat maar.' Gemma pakte haar sporttas en controleerde of ze alles bij zich had. Vervolgens pakte ze haar iPod en stopte die in haar broekzak.

'Je mag niet naar muziek luisteren als je op de fiets zit,' hielp Harper haar herinneren. 'Dan hoor je het verkeer niet aankomen.'

'Laat me toch,' zei Gemma terwijl ze het snoer met de oordopjes om haar hals deed.

'Het gaat regenen vandaag,' zei Harper.

Gemma griste een grijze sweater van de kapstok en hield hem omhoog zodat haar zus hem kon zien. 'Ik heb mijn *hoodie* bij me, oké?' Zonder Harpers reactie af te wachten draaide Gemma zich om en opende de voordeur. 'Tot ziens!'

'Fijne dag!' riep Harper haar na, maar Gemma had de deur al achter zich dichtgeslagen.

Harper bleef nog even in de keuken zitten om langzaam wakker te worden totdat de stilte haar begon te storen. Ze sprong op en zette de radio aan. Haar vader had hem altijd afgestemd op de zender met *classic* rock, zodat 's morgens regelmatig de stem van Bruce Springsteen door de keuken schalde.

Toen ze de koelkast openmaakte om iets eetbaars te pakken, viel haar oog op het verfrommelde papieren zakje met haar vaders lunch. Voor de zoveelste keer was hij zijn lunch vergeten. Nu zou ze in haar eigen lunchpauze naar de haven moeten gaan om hem zijn brood te brengen.

Nadat ze had ontbeten, werkte Harper snel de ochtendklusjes af. Ze maakte de koelkast schoon, gooide restjes weg, zette de vaatwasser aan en nam het afval mee naar buiten. Het was dinsdag vandaag en op de felgekleurde klusjeskalender die ze zelf had gemaakt stond in grote blokletters WASSEN en BADKAMER SCHOONMAKEN geschreven.

Harper begon met de was, omdat die de meeste tijd kostte. Terwijl ze bezig was, ontdekte ze dat Gemma een van haar topjes geleend moest hebben en er chilisaus op had geknoeid. Ze moest niet vergeten om haar daar vanavond op aan te spreken.

De badkamer was een ramp om schoon te maken. In het doucheputje vond ze altijd onevenredig veel goudbruine haren. Haar eigen haar was donkerder, ruwer en langer, dus het waren duidelijk Gemma's haren die voor verstopping in de leidingen zorgden.

Toen Harper klaar was met de klusjes, friste ze zich op en ging naar haar werk. Inmiddels was het, zoals ze die ochtend al had voorspeld, gaan regenen. Een pittige bui, waardoor ze naar haar auto moest rennen om niet helemaal doorweekt te raken.

Vanwege de regen was het iets drukker dan normaal in de bibliotheek waar Harper werkte. Haar collega Marcy wilde het liefst de boeken terugzetten en de kasten opruimen, zodat Harper de klanten moest helpen met het innemen en uitlenen van boeken.

Hoewel de bibliotheek over een automatisch systeem beschikte en de mensen zonder hulp van de medewerkers hun boeken konden terugbrengen en meenemen, waren er altijd een paar mensen die hulp nodig hadden. Of er waren mensen met vragen over boetes en reserveringen, en een aardig oud vrouwtje vroeg hulp bij het zoeken naar dat ene boek 'met die vis – of was het een walvis? – en dat meisje dat verliefd werd'.

Tegen lunchtijd was het opgehouden met regenen, en meteen

was ook het spitsuur in de bibliotheek voorbij. Marcy was tot die tijd met opzet in de achterste rijen bezig geweest met boeken opruimen, maar kwam nu uit haar schuilplaats tevoorschijn en ging naast Harper achter de balie zitten.

Hoewel Marcy zeven jaar ouder was en officieel haar baas, was Harper toch de meest verantwoordelijke van de twee. Marcy was dol op boeken. Om die reden was ze bij deze baan beland. Maar ze zou het prima hebben gevonden om de rest van haar leven met niemand meer te hoeven praten. Er zat ter hoogte van haar knie een gat in haar jeans en op haar T-shirt stond de uitspraak IK LUISTER NAAR BANDS DIE NOG OPGERICHT MOETEN WORDEN.

'Gelukkig is de drukte voorbij,' zei Marcy terwijl ze aan een elastiekje van de elastiekbal trok.

'Als er geen mensen naar de bibliotheek kwamen, had jij geen werk,' wees Harper haar terecht.

Ze haalde haar schouders op en streek haar sluike pony uit haar ogen. 'Weet ik. Soms denk ik wel eens dat ik op die vent uit *The Twilight Zone* lijk.'

'Wie?'

'Je weet wel, die ene. Burgess Meredith heet hij volgens mij.' Marcy leunde achterover in haar stoel en liet de bal met elastiekjes tussen haar handen stuiteren. 'Het enige wat hij wilde was boeken lezen en toen het eindelijk zover was, gingen alle mensen dood in een soort nucleaire holocaust.'

'Wilde hij dat iedereen eraan ging?' vroeg Harper terwijl ze haar college ernstig aankeek. 'Wil jíj dat iedereen eraan gaat?'

Marcy schudde haar hoofd. 'Nee, dat wilde hij niet. En ik wil het ook niet,' zei ze. 'Hij wilde alleen maar met rust gelaten worden zodat hij kon lezen, en uiteindelijk krijgt hij wat hij wil. Maar de ironie wil dat zijn bril kapotgaat en hij dus niet meer kan lezen. Dan is hij totaal van streek. Daarom eet ik zoveel worteltjes.'

'Hoezo?' vroeg Harper.

'Dat is goed voor mijn ogen,' zei Marcy simpelweg. 'Als er ooit een bom valt, hoef ik me geen zorgen te maken om mijn bril en kan ik de fall-out of een zombie-apocalypse overleven.'

'Wauw. Daar heb je volgens mij goed over nagedacht.'

'Ja,' gaf Marcy toe. 'Eigenlijk zou iedereen dat moeten doen. Dat is heel belangrijk.'

'Dat denk ik ook.' Harper schoof haar stoel naar achter. 'Vind je het erg als ik iets eerder ga lunchen? Het is nu even niet zo druk en ik moet mijn vader zijn lunchpakketje brengen.'

'Oké, ga je gang,' zei Marcy. 'Maar hij moet onderhand eens leren zelf aan zijn brood te denken.'

'Ja, dat is waar,' verzuchtte Harper. 'In elk geval bedankt.'

Ze stond op en ging terug naar het kantoortje achter de balie om het lunchpakketje uit de minikoelkast te pakken. Het kantoortje was eigenlijk voor de bibliothecaresse, maar die was op huwelijksreis en trok een maand lang de hele wereld over. Dus nu had Marcy de leiding, wat er eigenlijk op neerkwam dat Harper de leiding had.

'Daar heb je ze weer,' zei Marcy.

'Wie?' vroeg Harper toen ze het kantoortje uit kwam en Marcy voor het grote raam aan de voorkant zag staan.

'Zíj daar.' Marcy knikte naar het raam.

Nu het was opgehouden met regenen, waren de straten weer volgestroomd met toeristen, maar Harper zag meteen wie Marcy bedoelde.

Penn, Thea en Lexi paradeerden door de straat. Penn liep voorop, met haar eindeloos lange, bruine benen onder haar shorts en haar zwarte haren die over haar rug golfden. Lexi en Thea liepen vlak achter haar, maar wie wie was wist Harper niet. De een was goudblond, de ander had vuurrode krullen.

Harper had haar zusje Gemma tot nu toe altijd als het mooiste meisje van Capri beschouwd, maar sinds Penn en haar vriendinnen in de stad waren gearriveerd, kon ze dat met de beste wil van de wereld niet meer volhouden.

Toen Penn Bernie McAllister in het voorbijgaan een knipoogje gaf, moest hij zich aan een bankje vastgrijpen om niet uit zijn evenwicht te raken. Bernie was een wat oudere man, die zelden het kleine eilandje in de baai van Anthemusa, waar hij woonde, verliet. Harper kende hem omdat hij voor zijn pensionering een collega van haar vader was geweest. Bernie was dol op Gemma en Harper en gaf de meisjes altijd snoepjes als ze in de haven kwamen.

'Nou, dat is niet aardig van ze,' zei Marcy met een frons. 'Ze jagen hem de stuipen op het lijf.'

Harper stond op het punt naar buiten te rennen om hem te helpen, maar hij liep alweer verder, waarschijnlijk op weg naar de hengelsportzaak iets verderop.

'Waren ze eerst niet met z'n vieren?' vroeg Marcy, die haar aandacht weer op de meisjes richtte.

'Volgens mij wel.' Stiekem voelde Harper zich een klein beetje opgelucht nu er eentje minder was. Hoewel ze zichzelf niet beschouwde als iemand met vooroordelen, zelfs niet over mooie meisjes, had ze het gevoel dat de stad en iedereen die er woonde beter af was wanneer Penn en haar vriendinnen van het toneel verdwenen.

'Ik vraag me af wat ze hier komen doen,' zei Marcy terwijl ze de meisjes Pearl's Diner aan de overkant van de bibliotheek zag binnenlopen.

'Hetzelfde wat iedereen hier komt doen,' antwoordde Harper. 'Vakantie vieren.'

'Maar het lijken wel filmsterren of zoiets.' Marcy draaide zich naar Harper toe.

'Ook filmsterren gaan op vakantie.' Ze pakte haar tas vanonder de balie. 'Ik ga even snel naar mijn vader toe. Ik ben zo terug.'

Ze haastte zich naar haar oude Mercury Sable. Het was gelukkig droog nu. Ze stapte in de auto en startte hem. Toen ze opkeek, zag ze Penn, Lexi en Thea aan een tafeltje voor het raam van Pearl's zitten. Terwijl Lexi en Thea een slokje van hun drankje namen, staarde Penn door het raam naar buiten. Haar donkere ogen richtten zich op Harper en haar volle lippen plooiden zich

tot een glimlach. Een jongen had dat misschien verleidelijk gevonden, maar Harper vond het vreemd en zelfs een beetje griezelig.

Ze zette de auto in de versnelling en reed zo hard weg dat ze
bijna op een auto voor haar botste, iets wat haar zelden over-
kwam. Onderweg naar de haven kalmeerde ze een beetje en bedacht dat het echt veel beter zou zijn wanneer Penn en haar
vriendinnen de stad zouden verlaten.

3

Achtervolgd

Harper had gehoopt dat ze hem niet zou zien, maar de laatste tijd leek het of ze geen enkel bezoekje aan de haven kon brengen zonder Daniel tegen het lijf te lopen. Hij woonde op een boot die in de haven lag. Het was maar een klein motorjacht, dat niet echt was bedoeld om op te wonen.

Brian werkte aan de andere kant van de baai waar hij de schepen loste die binnenkwamen. Dat deel was niet bedoeld voor de pleziervaart, dus was het minder aantrekkelijk voor toeristen. De meeste plezierjachten lagen dichter bij het strand voor anker. Maar er waren ook een paar plaatselijke bewoners, zoals Daniel, die hun boot wel aan deze kant van de haven hadden liggen.

Toen Harper hem de eerste keer zag, was ze ook op weg naar haar vader in de haven geweest. Kennelijk was Daniel toen net wakker, want hij stond over de rand van zijn boot te plassen. Precies op dat moment had Harper opgekeken. Daniel had onmiddellijk zijn broek opgetrokken en was van de boot gesprongen om zich aan haar voor te stellen en zich vervolgens uit te putten in verontschuldigingen. Als hij er niet voortdurend bij gelachen had, zou ze zijn excuses ook nog hebben aanvaard.

Terwijl Harper langs zijn boot liep die – heel toepasselijk – *De Flierefluiter* heette, stond Daniel ondanks de frisse wind met ontbloot bovenlijf aan dek.

Hij stond met zijn rug naar haar toe de was op te hangen, zodat ze de tatoeage kon zien die zich over zijn hele rug uitstrekte. Net boven de rand van zijn broek begon de wortel die over zijn ruggengraat naar boven uitgroeide tot een stam en vervolgens over zijn rechterschouder en -arm in dikke, zwarte takken afboog.

Daniel riep 'kijk uit!' en meteen kreeg ze een kletsnat T-shirt in haar gezicht. Ze verloor haar evenwicht en viel languit op de grond.

Hij sprong over de reling op de kade.

Harper had geen idee wat ze precies in haar gezicht had gekregen, behalve dat het nat was en van Daniel afkomstig was, dus het moest wel iets onsmakelijks zijn.

'Sorry, hoor,' zei Daniel, maar hij lachte toen hij het shirt oppakte. 'Gaat 't?'

'Ja, hoor,' snauwde Harper. Ze sloeg zijn uitgestoken hand weg en kwam overeind. 'Je wordt bedankt.'

'Het spijt me echt,' zei Daniel weer. Hij bleef haar glimlachend aankijken.

Pas toen ze de beteuterde blik in zijn ogen zag, zakte haar boosheid een beetje. Een klein beetje maar. 'Wat was dat eigenlijk?' vroeg ze terwijl ze haar gezicht met haar mouw droogwreef.

'Gewoon, een T-shirt.' Hij haalde het uit de prop en hield een doodgewoon wit shirt omhoog. 'Pasgewassen. Ik was net de was aan het ophangen toen de wind het uit mijn handen rukte.'

'Hang je nú de was buiten?' Harper maakte een gebaar naar de bewolkte lucht. 'Je bent niet goed wijs.'

'Ik had bijna geen schone kleren meer,' zei Daniel schouderophalend. Hij streek een hand door zijn warrige haren, waarvan Harper niet kon zeggen of ze vaalblond of alleen maar vaal waren. 'Ik weet dat er vrouwen zijn die het niet erg vinden als ik naakt rondloop, maar...'

'Oké. Laat maar.' Harper maakte een afkeurend keelgeluid.

'Het spijt me echt,' zei hij, onverstoorbaar glimlachend. 'Ik weet dat je me niet gelooft, maar ik zal het goedmaken met je.'

'Je kunt het goedmaken door ervoor te zorgen dat ik niet telkens een trauma oploop als ik hier voorbijkom,' stelde Harper voor.

'Trauma?' schamperde Daniel en hij trok zijn wenkbrauwen op. 'Van een T-shirt? Kom op, Harper.'

Ze keek hem boos aan. 'Eigenlijk mag je hier niet eens wonen. Waarom zoek je geen gewoon huis? Dan zijn we in één keer van alle problemen af.'

Hij zuchtte. 'Dat is gemakkelijker gezegd dan gedaan.' Hij wendde zijn blik van haar af en staarde over de baai. 'Maar je hebt gelijk. Ik zal voortaan beter opletten.'

'Meer vraag ik niet van je,' zei ze.

'Hé,' zei hij toen ze aanstalten maakte om weg te lopen.

Tegen beter weten in bleef ze staan en keek hem aan.

'Zullen we een keer ergens koffie gaan drinken?'

'Nee, dank je,' antwoordde Harper haastig, misschien wel te haastig, te oordelen naar de gekwetste uitdrukking die over zijn gezicht flitste.

'Oké.' Hij knikte. 'Tot ziens dan maar.'

Zonder iets te zeggen draaide ze zich om en liet hem alleen achter op de kade. Zijn uitnodiging had haar verbaasd, maar ze had geen moment overwogen om erop in te gaan. Geen seconde.

Daniel was een paar jaar ouder dan zij en best een leuke jongen, tenminste als je op het type grungy rockster viel. Maar Daniel had zijn leven totaal niet op orde. Bovendien had Harper met zichzelf afgesproken dat ze zich niet met jongens zou inlaten tot ze ging studeren. Al haar aandacht was gericht op haar toekomst en ze wilde geen tijd verspillen aan relaties. Zo had ze er altijd al over gedacht, maar na haar laatste dip op het gebied van de liefde, was ze er nog meer van overtuigd geraakt.

Afgelopen herfst was ze door Alex gekoppeld aan zijn vriend Luke Benfield. Alex vond dat ze perfect bij elkaar pasten. Hoewel

Harper bij hem op school zat, kende ze hem eigenlijk nauwelijks. De enige keer dat ze Luke bij Alex thuis had gezien was tijdens een of ander gameavondje. Meestal deed Harper niet mee met dergelijke evenementen, dus had ze niet veel met Luke te maken gehad voordat ze gingen daten.

De allereerste date was zo goed bevallen dat ze nog een paar keer iets afspraken. Luke was aardig en grappig, zelfs al maakte hij er geen geheim van dat hij een nerd was. Ze vond hem echt leuk maar toen ze het zoenstadium hadden bereikt, ging het bergafwaarts.

Harper had één keer eerder met een jongen gezoend. Dat was na een weddenschap op een pyjamafeestje. Ze had dus weinig ervaring, maar genoeg om te weten dat zoenen anders zou moeten voelen dan zoals Luke het deed.

Luke zoende kwijlerig en veel te gretig. Hij lebberde haar hele gezicht af, terwijl zijn handen een eigen leven leken te gaan leiden. Het leek wel of hij een stuipaanval kreeg. Op het moment dat Harper in de gaten kreeg dat hij haar wilde betasten, had ze het onmiddellijk uitgemaakt.

Lichamelijk klikte het gewoonweg niet. Als reden voor de breuk had ze aangegeven dat ze geen tijd voor een relatie had. Haar studie en haar familie slokten al haar tijd op. Toen ze elkaar daarna nog eens tegenkwamen, bleven ze zich allebei een beetje ongemakkelijk voelen.

Sindsdien was ze er nog meer van overtuigd dat romantiek voor haar voorlopig niet hoefde. Ze had er geen tijd voor en geen zin in. Het was te veel gedoe.

Gemma leunde tegen de rand van het zwembad en zette haar goggles af. Levi, de trainer, torende boven haar uit en aan zijn gezicht kon ze zien dat ze haar tijd had verbeterd.

'En?' vroeg ze, met een glimlach naar hem opkijkend.

'Het is je gelukt,' zei de trainer.

'Ik wist het!' Ze hees zich aan de rand van het bad omhoog en kwam uit het water. 'Ik voelde het gewoon.'

De trainer knikte. 'Je hebt het geweldig gedaan. Je zou nog beter kunnen worden als je eens ophield met dat nacht-zwemmen. Dat is allemaal energieverspilling.'

Gemma trok haar badmuts van haar hoofd en schudde haar haren los. Ze keek naar het lege zwembad. Niemand van het zwemteam trainde in de zomervakantie. Niemand trainde zo hard als zij.

Hoewel ze er zelden over spraken, althans niet concreet, was de training voor zowel Gemma als haar trainer gericht op deelname aan de Olympische Spelen. Het duurde nog jaren voor het zover was, maar Gemma was vastbesloten om tegen die tijd in topvorm te zijn. Levi schreef haar zo vaak hij kon in voor wedstrijden, en bijna altijd won ze.

'Het is geen energieverspilling.' Gemma staarde naar de druppels van haar badpak op de grond. 'Ik vind het leuk om te doen. Ik moet me toch ook ontspannen?'

'Dat is waar,' stemde de trainer met haar in. Hij drukte het klembord tegen zijn borst. 'Je moet ook plezier maken en je kunnen afreageren. Je bent tenslotte nog jong. Maar 's avonds zwemmen is niet echt nodig.'

'Als Harper me niet had verraden, had je het niet eens geweten,' mopperde Gemma.

'Je zus maakt zich zorgen over je,' zei de trainer vriendelijk. 'En ik ook. Het gaat niet alleen om het zwemmen. De baai is gevaarlijk 's nachts. Vorige week is er nog een jongen vermist geraakt.'

'Weet ik,' zei Gemma met een zucht.

Ze had het al tientallen keren van Harper gehoord. Een zeventienjarige jongen had in het strandhuis van zijn ouders gelogeerd en zou zijn vrienden bij een kampvuur op het strand ontmoeten. Hij was nooit komen opdagen.

Dat verhaal stond niet op zichzelf. Harper had vlak daarna verteld dat er de afgelopen maand nog twee andere jongens vermist werden. Ze waren 's avonds van huis gegaan en niet meer teruggekomen.

Na dit soort nieuwtjes ging Harper meestal snel naar Brian toe om te eisen dat hij Gemma binnen zou houden. Maar dat deed hij niet. Na – of misschien wel vanwege – alles wat er met hun moeder was gebeurd vond hij het belangrijk dat zijn dochters de kans kregen om van het leven te genieten.

'Wees alsjeblieft voorzichtig,' zei de trainer. 'Er hoeft maar iets te gebeuren en al je inspanningen zijn voor niets geweest.'

'Oké,' zei Gemma, deze keer met iets meer overtuiging. Na al het harde werken en de opofferingen was ze niet van plan om ook maar iets aan het toeval over te laten.

'Mooi,' zei de trainer. 'Trouwens, Gemma, je hebt vandaag echt een fantastische tijd gezwommen. Je mag trots op jezelf zijn.'

'Bedankt. Morgen ga ik nog sneller.'

'Pas op dat je niet overdrijft,' zei de trainer, maar hij glimlachte naar haar.

'Doe ik.' Ze glimlachte terug en wees naar de kleedkamer achter haar. 'Ik ga douchen.'

'Ga vanavond iets leuks doen waar geen water aan te pas komt, oké? Je moet je horizon verbreden buiten de zwemsport. Dat is goed voor je.'

'Ja, baas.' Gemma salueerde en liep achterwaarts naar de kleedkamer. De trainer moest lachen.

Ze douchte zich snel. Eigenlijk spoelde ze alleen maar het chloor uit haar haren. Ieder ander zou van al dat zwemmen een kurkdroge huid krijgen, maar Gemma was zo verstandig om zich elke keer na het afdrogen in te smeren met babyolie. Dat was de enige manier om een krokodillenhuid te voorkomen.

Nadat ze zich had aangekleed, liep ze naar haar fiets en maakte het slot open. Het was weer gaan regenen, twee keer zo hard als eerder die dag. Gemma trok de capuchon van haar trui over haar hoofd en had spijt van haar besluit om met de fiets naar de training te gaan. Op dat moment werd er achter haar getoeterd.

'Wil je een lift?' riep Harper die het raampje van haar auto opendraaide.

'En mijn fiets dan?' vroeg Gemma.

'Die kun je morgen ophalen.'

Gemma dacht even na en rende vervolgens naar de auto en stapte in. Nadat ze haar sporttas op de achterbank had gegooid, maakte ze de gordel vast.

'Ik kom net van mijn werk,' zei Harper. 'Ik dacht, laat ik even langsrijden om te kijken of ik je een lift kan geven.'

'Bedankt.' Terwijl ze wegreden, zette Gemma de ventilator aan zodat de warme lucht in haar richting werd geblazen. 'Het is best fris in de regen.'

'Hoe ging je training?'

'Goed,' zei Gemma. 'Ik heb mijn persoonlijk record verbroken.'

'Meen je dat?' riep Harper uit. Ze klonk oprecht blij. 'Wat geweldig! Gefeliciteerd!'

'Dank je.' Ze leunde achterover in de stoel. 'Wat staat er op het programma vanavond?'

'Ik geloof dat papa pizza's gaat bakken en ik ga misschien bij Marcy een film kijken. Wat ga jij doen?'

'Weet ik nog niet. Niets. Misschien blijf ik wel thuis.'

'Thuis? Je bedoelt dat je niet gaat zwemmen?' vroeg Harper.

'Nee.'

Harper was verrast en zweeg even. 'Mooi. Dat zal papa fijn vinden.'

'Dat denk ik ook.'

'Ik wil ook wel thuisblijven vanavond,' bood Harper aan. 'Dan kunnen we samen een film kijken.'

'Nee, dat hoeft niet.' Gemma staarde uit het raampje. 'Misschien vraag ik Alex om na het eten te komen gamen.'

'O.' Harper zuchtte, maar zei verder niets.

Ze was niet gelukkig met de vriendschap tussen Alex en Gemma, maar ze had haar mening daarover al gegeven. Bovendien had ze liever dat Gemma 's avonds thuis met de buurjongen aan het gamen was dan dat ze door de stad zwierf.

'Ze zijn nog maar met z'n drieën,' zei Gemma.

Harper schrok op uit haar gedachten. 'Wat?' zei ze, maar toen ze opzij keek, zag ze Penn, Thea en Lexi over straat lopen.

Hoewel de regen met bakken uit de hemel kwam, liepen ze zonder jas. Met dit beestenweer zou Harper ieder ander een lift hebben aangeboden, maar nu gaf ze een extra dot gas.

'Ze zijn nog maar met z'n drieën,' herhaalde Gemma. 'Waar is de vierde gebleven?'

'Weet ik niet,' zei Harper. 'Misschien is ze ziek.'

'Dat denk ik niet.' Gemma leunde met haar hoofd tegen de rugleuning van haar stoel. 'Hoe heette ze ook weer?'

'Arista, dacht ik,' zei Harper peinzend. Ze wist hun namen van Marcy, die ze weer van Pearl had gehoord. Pearl was altijd goed op de hoogte van de laatste roddels.

'Arista,' herhaalde Gemma. 'Wat een stomme naam.'

'Daar kan zij toch niets aan doen,' wees Harper haar terecht. 'Ik weet zeker dat heel veel mensen onze namen ook belachelijk zullen vinden.'

'Ik bedoel er verder niets mee, hoor.' Gemma draaide zich om. De drie meisjes waren bijna niet meer te zien. 'Zouden ze haar hebben vermoord?'

'Zeg niet zulke vreselijke dingen,' zei Harper, hoewel ze daar zelf ook aan had gedacht. 'Zo komen de geruchten de wereld in.'

Gemma rolde met haar ogen. 'Het is geen gerucht. Ik vraag alleen wat jij ervan denkt.'

'Natuurlijk hebben ze haar niet vermoord,' zei Harper, hoewel ze er diep vanbinnen anders over dacht. 'Waarschijnlijk is ze ziek geworden en naar huis gegaan of zo.'

'Toch is er iets niet in de haak met die meiden,' zei Gemma, meer tegen zichzelf dan tegen Harper.

'Het zijn gewoon knappe meisjes, meer niet.'

'Maar niemand weet waar ze vandaan komen,' hield Gemma vol.

'Het is het toeristenseizoen. Niemand weet waar al die mensen vandaan komen.' Harper draaide een bocht om en precies op dat moment slaakte Gemma een ijselijke kreet.

'Kijk uit!' riep ze.

Harper trapte net op tijd op de rem, anders had ze Penn, Thea en Lexi geschept.

Even was het stil. Harpers hart bonsde in haar keel. Vlak voor haar auto stonden Penn en Thea en staarden hen door de voorruit aan.

Toen Lexi op het raam aan Gemma's kant klopte, slaakten ze allebei een kreet van schrik. Gemma keek haar zus vragend aan.

'Draai het raampje omlaag,' zei Harper haastig.

Gemma deed wat ze vroeg. 'Sorry, hoor. We zagen jullie niet.'

'Geen punt,' zei Lexi met een brede grijns. De regen die op haar blonde haren neerkletterde leek haar niet te deren. 'We zijn de weg kwijt.'

'Waar moeten jullie naartoe?' vroeg Harper.

'Terug naar de baai.' Lexi leunde met haar slanke armen op het portier en keek Gemma aan. 'Jij weet wel hoe je daar moet komen, toch? We hebben jou daar al zo vaak gezien.'

'Eh... ja.' Gemma wees voor zich uit. 'Neem de derde straat rechts naar Seaside Avenue. Als je die volgt, kom je er vanzelf.'

'Bedankt,' zei Lexi. 'Kom je vanavond weer?'

'Nee,' zeiden Gemma en Harper uit één mond. Gemma wierp haar zus een veelbetekenende blik toe en voegde er snel aan toe: 'Er is niks aan om in de regen te zwemmen.'

'Hoezo? Je bent dan toch al nat.' Lexi lachte om haar eigen grapje, maar Gemma reageerde niet. 'Nou ja, we zien je heus nog wel een keer. We kijken naar je uit.'

Ze knipoogde naar Gemma, rechtte haar rug en zette een stap van de auto vandaan.

Gemma draaide het raampje dicht, maar Penn en Thea maakten geen haast om opzij te gaan. Even was Harper bang dat ze achteruit moest rijden om van hen af te komen.

Toen ze eindelijk in beweging kwamen, moest Harper zich bedwingen om niet plankgas weg te rijden. Ze kon het nog net opbrengen om haar hand naar hen op te steken. Gemma bleef echter roerloos zitten en weigerde de meisjes te groeten.

'Tjonge!' verzuchtte Harper even later. Haar hart klopte weer een beetje normaal. 'Wat bizar, zeg.'

'Ja,' beaamde Gemma. 'Maar ook wel griezelig,' voegde ze eraan toe. Toen haar zus niet reageerde, keek ze haar boos aan. 'Kom op, Harper. Je vond het toch ook eng? Anders zou je ze wel een lift naar huis hebben gegeven.'

Harper klemde het stuur steviger vast. 'Zag je dat ze zich niets aantrokken van de regen? Ze genoten ervan, volgens mij.' Gemma rolde met haar ogen. 'Jij vond het ook eng, Harper. Geef het maar toe. Ze kwamen uit het niets. Zag je dat? Het ene moment waren ze nog achter ons en ineens stonden ze voor ons. Zouden ze paranormaal begaafd zijn?'

'Dat denk ik niet. Misschien hadden ze een kortere weg genomen,' voerde Harper zwakjes aan. Ze reed de oprit op en parkeerde de auto naast haar vaders oude gedeukte Ford F-150.

Gemma kreunde. 'Probeer nu eens niet alles logisch te beredeneren, Harper. Waarom geef je niet toe dat die meiden je de stuipen op het lijf hebben gejaagd?'

'Er valt niets toe te geven,' loog Harper. Ze schakelde de motor uit en veranderde van onderwerp. 'Laat je papa nog naar je auto kijken?'

'Ja, morgen, als het tenminste droog is.' Gemma griste haar sporttas van de achterbank. Ze sprong de auto uit en rende naar binnen.

Harper volgde haar. Vanaf het moment dat ze de oprit waren opgereden, had ze het vreemde gevoel dat ze werden gevolgd. Het liet haar niet los. Toen ze binnen was, sloot ze de voordeur achter zich en luisterde naar Gemma en Brian die elkaar over hun dag vertelden.

Terwijl de heerlijke geur van Brians zelfgemaakte pizza's zich door het huis verspreidde, kon Harper het niet laten om af en toe door het raam de straat af te turen. Er was niets te zien. Het duurde nog een hele tijd voordat ze zich een beetje op haar gemak voelde, maar ze bleef ervan overtuigd dat ze in de gaten werden gehouden.

4

Moeder

'Sorry, schat, maar hier ben ik de hele dag mee bezig.' Brian stond met zijn hoofd onder de motorkap van Gemma's Chevy. Zijn oude werkshirt en armen zaten vol met smeervlekken.

'Dat snap ik,' zei Harper. Ze had geen ander antwoord verwacht op haar vraag of hij meeging.

'Volgende keer weer. Goed?' Brian keek niet op. Al zijn aandacht was gericht op de auto. Meestal had hij op zaterdag wel een klusje te doen, zodat hij niet met Harper en Gemma mee hoefde te gaan.

'Oké,' zei Harper met een zucht. Ze zwaaide met haar autosleutels. 'Dan gaan wij wel.'

De hordeur werd dichtgeslagen en Gemma kwam naar buiten. Ze droeg een supergrote zonnebril, maar Harper kon alleen al aan haar op elkaar geperste lippen zien dat ze boos was.

'Hij gaat zeker niet mee, hè?' vroeg Gemma.

'Deze keer niet,' zei Harper zacht.

'Sorry, liefje.' Brian kwam met zijn hoofd onder de motorkap vandaan en gebaarde naar de zon die stralend aan de hemel stond. 'Nu het droog is, kan ik mooi even naar je auto kijken.'

'Zoals je wilt,' zei Gemma schamper en liep met grote passen naar Harpers auto.

'Gemma!' riep Harper bestraffend.

'Laat haar maar,' zei Brain.

Gemma stapte in de auto en sloeg het portier met een harde klap dicht.

Hoewel Harper best begrip had voor Gemma's boosheid, vond ze dat haar zusje zich nog niet zo brutaal hoefde te gedragen. 'Sorry, pap.' Harper wierp hem een vermoeide glimlach toe. 'Ze is...' Ze hief haar handen in de lucht, niet wetend wat ze ervan moest zeggen.

'Ach, het geeft niet.' Brain kneep zijn ogen dicht tegen de zon. Hij had een moersleutel in zijn hand, waarmee hij afwezig op de auto tikte. 'Eigenlijk heeft ze gelijk. Dat weten we allebei, maar ik...' Hij liet zijn schouders hangen en zei niets meer.

Harper zag dat hij zijn emoties probeerde te onderdrukken. Ze vond het vreselijk om haar vader zo te zien, maar ze wist niet goed hoe ze hem moest opbeuren.

'Ik begrijp het wel, pap,' zei ze ten slotte. 'Echt waar.' Ze klopte hem op de schouder. Het volgende moment werd er hard getoeterd.

'Ze wacht op ons, Harper!' riep Gemma vanuit de auto.

'Ik moet gaan, pap,' zei Harper. 'Tot straks.'

'Rij voorzichtig,' zei Brian. Hij boog zich weer over de motor. 'En veel plezier.'

Harper had nog iets willen zeggen, maar nu Gemma zich zo idioot gedroeg, wilde ze het niet erger maken. Gemma had sowieso weinig geduld en nu ze ook nog boos was, was ze helemaal niet te genieten.

'Je bent wel erg brutaal, zeg,' zei Harper zodra ze in de auto zat.

'Ik? Brutaal?' vroeg Gemma vol ongeloof. 'Ben ik soms degene die mama laat zitten?'

'Sst.' Harper startte de auto. 'Hij blijft hier om jóúw auto te repareren, hoor.'

'Echt niet.' Gemma schudde haar hoofd. Ze leunde achterover in de stoel en sloeg haar armen over elkaar heen. 'Hij kan best op een andere dag aan mijn auto sleutelen. Hij blijft thuis om dezelfde reden dat hij altijd op zaterdag thuisblijft.'

'Je snapt niet hoe het voor hem is.'

Terwijl ze wegreden, keek Harper nog een keer door de achteruitkijkspiegel. Brian stond op de oprit. Hij zag er een beetje verloren uit.

'En hij snapt niet hoe het voor ons is,' wierp Gemma tegen. 'Het is voor iedereen moeilijk, maar wíj doen er tenminste iets aan.'

'Ieder verwerkt het op zijn eigen manier,' zei Harper. 'We kunnen hem niet dwingen om bij haar op bezoek te gaan. Ik snap trouwens niet waarom je je daar nu ineens zo aan stoort. Hij is al een jaar niet bij haar op visite geweest.'

'Weet ik,' gaf Gemma toe. 'Maar soms kan het me ineens aanvliegen. Misschien omdat hij míj nu als smoes gebruikt om niet mee naar mama te gaan.'

'Omdat hij je auto wil repareren, bedoel je?'

'Ja.'

'Mama is altijd blij om ons te zien.' Harper wierp een zijdelingse blik op Gemma, die uit het raam staarde. 'Het maakt niet uit wie er wel of niet komt. We doen ons best en dat weet ze.'

Sinds Harper haar rijbewijs had, maakte ze elke zaterdag samen met Gemma het ritje van twintig minuten naar de woongemeenschap in Briar Ridge, waar hun moeder nu al zeven jaar verbleef. Het was de dichtstbijzijnde woongemeenschap met speciale zorg voor mensen met traumatisch hersenletsel.

Op een dag, nu negen jaar geleden, was Nathalie met Harper op weg naar een pizzafeestje toen ze werden geschept door een dronken automobilist. Harper had er een groot litteken op haar dijbeen aan overgehouden, maar Nathalie was er veel ernstiger aan toe. Ze had bijna een halfjaar in coma gelegen.

Harper was ervan overtuigd geweest dat ze zou overlijden, maar Gemma had de hoop nooit opgegeven. Toen Nathalie uiteindelijk bijkwam, kon ze amper praten, laat staan voor zichzelf zorgen. Ze bleef nog lang in het ziekenhuis, waar ze alles opnieuw moest leren, maar werd nooit meer de oude.

Haar motoriek was ronduit slecht en ook haar verstandelijke vermogens waren ernstig beschadigd. Nathalie was altijd een zorgzame, liefhebbende vrouw geweest. Na het ongeluk had ze echter de grootste moeite om zich in anderen in te leven.

Na een kort, chaotisch verblijf thuis had Brian haar uiteindelijk naar de woongemeenschap in Briar Bridge moeten brengen.

Vanbuiten zag het huis eruit als een gewone boerderij. Vanbinnen ook. Gezellig, maar niet op een overdreven manier. Nathalie deelde het huis met twee andere mensen en er was vierentwintig uur per dag toezicht.

Zodra Harper de oprit opreed, stormde Nathalie door de voordeur naar buiten en rende naar hen toe. Dat was een goed teken want soms bleef ze op haar kamer zitten en kon ze de hele middag alleen maar zachtjes huilen.

'Mijn meiden zijn er!' Nathalie klapte in haar handen en kon bijna niet wachten tot ze uitstapten. 'Ik heb iedereen verteld dat jullie vandaag zouden komen!' Ze sloeg haar armen om Harper heen en drukte haar zo dicht tegen zich aan dat het pijn deed. Toen Gemma naar haar toe kwam, betrok ze haar ook in de omhelzing.

'Ik ben zo blij dat jullie er zijn,' mompelde Nathalie. 'Het is zo lang geleden dat ik jullie heb gezien.'

'Wij zijn ook blij om jou weer te zien,' zei Gemma toen ze zich had losgemaakt uit Nathalies omhelzing. 'Maar vorige week waren we hier ook, hoor.'

'O ja?' Nathalie kneep haar ogen tot spleetjes en keek de meisjes aan alsof ze hen niet geloofde.

'Ja, we komen elke zaterdag bij je op bezoek,' hielp Harper haar herinneren.

Verbaasd fronste Nathalie haar voorhoofd, en Harper hield haar adem in, zich afvragend of ze er wel goed aan gedaan had om haar moeder te corrigeren. Nathalie kon af en toe vreselijk uit haar slof schieten als ze in de war of gefrustreerd was.

'Wat zie je er leuk uit,' gooide Gemma het gesprek snel over een andere boeg.

'Vind je?' Nathalie keek omlaag naar haar T-shirt van Justin Bieber. 'Ik ben gek op Justin Bieber.'

Terwijl Harper qua uiterlijk meer op hun vader leek, had Gemma veel weg van Nathalie. Met haar knappe gezicht en slanke figuurtje leek Nathalie meer op een fotomodel dan op een moeder. Haar lange bruine haren bedekten de littekens op haar schedel. Van een paar lokken had ze dunne vlechtjes gemaakt en in een plukje van haar pony had ze knalroze kraaltjes gevlochten.

'Jullie zien er allebei ook zo goed uit!' Nathalie keek haar dochters bewonderend aan en raakte even Gemma's blote arm aan. 'Wat ben je bruin? Hoe kom je zo bruin?'

'Ik zwem veel,' zei Gemma.

'O ja. Dat is waar ook.' Nathalie sloot haar ogen en wreef over haar slaap. 'Je zwemt.'

'Klopt.' Gemma glimlachte. Ze was trots op haar moeder omdat ze zich iets herinnerde wat ze haar al honderden keren had verteld.

'Kom mee naar binnen!' De gepijnigde uitdrukking was van Nathalies gezicht verdwenen. 'Ik heb tegen ze gezegd dat jullie vandaag zouden komen, dus mocht ik koekjes bakken. Ze zijn nog warm, dus laten we ze snel opeten.'

Ze legde haar arm om Gemma's schouders en liep met haar naar het huis. Ze werden verwelkomd door het personeel, dat inmiddels beter op de hoogte was van het reilen en zeilen van de meisjes dan Nathalie zelf.

Niet dat Nathalie niet haar best deed om het leven van haar dochters te volgen, maar ze kon het gewoonweg niet onthouden.

Hoewel ze had beweerd dat ze koekjes had gebakken, lag de wikkel van een rol chocoladekoekjes naast de schaal waar koekjes in lagen. Dat deed ze wel vaker. Niemand begreep waarom. Nathalie loog over kleine dingetjes en beweerde dingen waarvan iedereen wist dat ze niet waar waren.

Aanvankelijk hadden haar dochters haar erop aangesproken. Harper legde dan rustig uit wat er niet klopte, maar als Nathalie op een leugen betrapt werd, kreeg ze vaak een woedeaanval. Ze had zelfs een keer een glas naar Gemma gegooid. Het was tegen de muur aan scherven gevallen, maar Gemma had er wel een snee aan haar enkel door opgelopen.

Dus nu zeiden ze er niets van. Ze namen een koekje terwijl Nathalie vertelde hoe ze ze had gebakken. Ze pakte de schaal op en nam de meisjes mee naar haar slaapkamer.

'Hier is het veel fijner,' zei Nathalie nadat ze de deur achter zich had dichtgedaan. 'Hier zijn geen pottenkijkers.'

Nathalie ging op haar smalle bed zitten. Gemma nam naast haar plaats. Harper bleef staan. Ze voelde zich nooit helemaal op haar gemak in haar moeders slaapkamer.

De muren waren bedekt met posters, voornamelijk van Justin Bieber, Nathalies huidige favoriet. Maar er hing ook een affiche van de meest recente Harry Potter-film en een poster van een puppy die een eend knuffelt. Het bed lag bezaaid met knuffelbeesten en de kleren die uit de overvolle wasmand puilden hadden meer kleur en glitters dan de gemiddelde garderobe van een volwassen vrouw.

'Zullen we wat muziek opzetten?' vroeg Nathalie. Voordat een van beiden antwoord kon geven, sprong ze van het bed en liep naar haar stereo. 'Ik heb net een paar nieuwe cd's gekregen. Wat willen jullie graag horen? Ik heb van alles wat.'

'Kies jij maar,' zei Gemma.

'Nee, kiezen jullie maar iets uit,' zei Nathalie. De glimlach op haar gezicht had iets treurigs. 'Ik mag de muziek niet te hard zetten, maar we kunnen er wel heel zachtjes naar luisteren.'

'Justin Bieber?' stelde Harper voor, niet omdat het haar keuze was maar omdat ze wist dat Nathalie ervan hield.

'Hij is goed, hè?' zei Nathalie. Toen de muziek even later uit de speakers kwam, gilde Nathalie het uit van plezier. Ze plofte op het bed naast Gemma, zodat de koekjes uit de schaal vlogen. Gemma raapte ze op en schikte ze weer op precies dezelfde manier op de schaal, maar Nathalie had het niet eens in de gaten.

'Hoe gaat het nu met je, mam?' vroeg Harper.

'Zijn gangetje,' zei Nathalie schouderophalend. 'Kon ik maar weer bij jullie wonen.'

'Dat begrijp ik,' zei Harper. 'Maar hier wordt wel heel goed voor je gezorgd.'

'Misschien kun je een keer bij ons op bezoek komen,' zei Gemma. Ze had dit wel vaker voorgesteld, maar Nathalie was er nooit op ingegaan. Ze was al jaren niet meer thuis geweest.

'Ik wil niet op bezoek komen,' zei ze met een pruilend gezicht. Ze frunnikte aan de zoom van haar T-shirt. 'Jullie hebben het vast heel gezellig met elkaar en er is niemand die de baas over jullie speelt.'

'Nou, Harper speelt altijd de baas over mij, hoor,' zei Gemma lachend. 'En papa, niet te vergeten.'

'O ja. Papa,' zei Nathalie. 'Daar had ik niet aan gedacht.' Ze fronste nadenkend haar voorhoofd. 'Hoe heet hij ook weer?'

'Brian.' Harper slikte moeizaam, maar wist toch een glimlach op haar gezicht te toveren. 'Papa heet Brian.'

'Ik dacht dat hij Justin heette.' Ze maakte een wegwuivend gebaar met haar hand. 'Als ik kaartjes kan krijgen, zouden jullie dan mee willen naar een concert van hem?'

'Ik denk het niet,' zei Harper. 'We hebben het erg druk.'

Zo ging het gesprek een tijdje verder. Nathalie vroeg naar wat de meisjes hadden meegemaakt en ze vertelden de dingen die ze haar al honderden keren hadden verteld. Toen ze wegingen, voelde Harper zich zoals ze zich altijd voelde als ze wegging: uitgeput maar opgelucht.

Net als Gemma hield ze van haar moeder, en allebei waren ze blij om haar te zien, maar altijd vroeg Harper zich naderhand af of hun bezoek wel zin had, en voor wie.

5

Sterren kijken

Uit de vuilniszak steeg een kadavergeur op. Gemma kneep haar neus dicht en moest haar best doen om niet te kokhalzen toen ze de zak in de container achter het huis gooide. Ze had geen idee wat haar vader of Harper erin had gedaan, maar ranzig was het zeker.

Met haar hand wapperend voor haar gezicht liep ze weg en toen ze op veilige afstand van de container was, ademde ze de frisse lucht zo diep mogelijk in.

Ze wierp een blik op het huis van de buren. Dat deed ze de laatste tijd wel vaker, alsof ze onbewust op zoek was naar Alex. Deze keer had ze geluk. In het schijnsel van de tuinverlichting zag ze hem languit in het gras liggen. Hij staarde naar de lucht.

'Wat ben je aan het doen?' vroeg Gemma terwijl ze de tuin van de buren in liep.

'Ik kijk naar de sterren,' zei Alex.

Gemma had de vraag niet hoeven stellen, want ze wist het antwoord allang. Zolang als ze hem kende, had hij al vaker naar de sterren gekeken dan dat hij met zijn beide voeten op de grond stond.

Hij lag op een oude deken, met zijn vingers ineengestrengeld achter zijn hoofd. Het Batman-t-shirt was hem eigenlijk iets te klein, waarschijnlijk een overblijfsel uit de tijd vóór zijn laatste groeispurt. De stof spande over zijn gespierde armen en brede schouders, zodat vlak boven de rand van zijn jeans een stukje buik te zien was.

'Mag ik erbij komen liggen?' vroeg ze.

'Eh... ja, natuurlijk.' Alex schoof opzij om plaats voor haar te maken.

'Dank je.'

De deken was niet erg groot, dus Gemma zat bijna tegen hem aan en toen ze ging liggen, stootte ze met haar hoofd tegen zijn elleboog. Haastig legde Alex zijn arm gestrekt naast zich.

Gemma voelde de warme huid van zijn arm tegen de hare, maar ze probeerde er geen aandacht aan te schenken. 'Eh... waar kijk je precies naar?' vroeg ze.

'Naar de sterren. Ik heb je de sterrenbeelden toch al eens aangewezen?' zei Alex.

Dat klopte. Heel vaak zelfs. Maar toen was ze nog heel jong geweest en had ze niet zo aan zijn lippen gehangen als nu.

'Jawel, maar ben je naar iets speciaals op zoek?'

'Nee, niet echt. Ik vind alle sterren gewoon fantastisch om naar te kijken.'

'Ga je daarom naar de universiteit? Wil je er meer over weten?'

'Over de sterren?' zei Alex. 'Ja, dat ook. Niet dat ik astronaut wil worden, hoor.'

'Waarom eigenlijk niet?' Ze hield haar hoofd een beetje schuin zodat ze hem kon aankijken.

'Ach,' zei hij peinzend. Hij schoof heen en weer op de deken en zijn hand raakte heel even die van Gemma aan. 'Het zou fantastisch zijn om de ruimte in te gaan, maar toch blijf ik liever op aarde om daar iets te betekenen. Ik wil alles weten over het weer en de atmosfeer. Er zouden bijvoorbeeld heel wat mensenlevens gespaard kunnen worden als we stormen eerder kunnen voorspellen.'

'Dus je blijft liever op aarde om mensen te helpen in plaats van dat je de ruimte in gaat?' Ze staarde hem verbaasd aan. Alex was echt volwassen geworden. En dan niet alleen wat zijn kaaklijn en de donkere haartjes op zijn buik betrof, maar ook vanbinnen was hij veranderd. Hij was ineens niet meer de jongen die de hele dag zat te gamen. Hij was een man die zich betrokken voelde bij de wereld om hem heen.

'Ja.' Hij draaide zich naar haar toe. Even keken ze elkaar aan en toen zei hij: 'Is er iets? Je kijkt me zo vreemd aan.'

'Hoe dan?' zei Gemma. Terwijl ze het zei, wendde ze haar blik af, uit angst dat haar ogen haar ware gedachten zouden verraden.

'Je vindt het zeker gek, hè?' vroeg Alex terwijl hij haar nog steeds aankeek. 'Je vindt me zeker een nerd omdat ik weerpatronen wil onderzoeken.'

'Nee hoor, dat vind ik helemaal niet.' Ze glimlachte verlegen. 'Ik bedoel, je bent natuurlijk wel een nerd, maar dat wist ik toch al.'

'Oké, ik ben een nerd,' zei Alex. Het klonk gelaten, waardoor Gemma in de lach schoot. Zonder erbij na te denken voegde hij eraan toe: 'En jij bent mooi.' Meteen wendde hij zijn blik van haar af. 'Sorry,' mompelde hij. 'Dat had ik nooit moeten zeggen. Wat ben ik toch een sukkel. Het spijt me.'

Gemma bleef een ogenblik doodstil liggen. Ze staarde omhoog naar de sterren terwijl Alex zich naast haar lag op te vreten van schaamte. Ze zei niets omdat ze niet wist wat ze moest zeggen, laat staan wat ze moest denken van zijn spontane uitbarsting. 'Zei je... eh... dat je me mooi vond?' zei ze na een lange stilte.

'Ja, maar... eh... ik...' Alex ging met de rug naar haar toe overeind zitten alsof hij afstand tussen hen wilde scheppen. 'Ik weet niet waarom ik dat zei. Het floepte er zomaar ineens uit.'

'Zomaar ineens?' herhaalde Gemma plagerig. Ze ging ook overeind zitten.

Alex boog zich voorover en leunde met zijn armen op zijn knieën. 'Ja,' zei hij met een zucht. 'Toen je daarnet lachte, was je echt heel mooi. Ik weet het niet... maar ik kon het gewoon niet voor me houden. Alsof ik mezelf niet onder controle had of zo.'

'Hé.' Ze glimlachte. 'Vind je me echt mooi?'

'Eh... ja.' Weer zuchtte hij en wreef over zijn arm. 'Dat is gewoon zo. Je bent een knap meisje. Dat weet je zelf ook wel.' Hij keek omhoog naar de lucht en vloekte binnensmonds. 'Waarom moest ik dat nou hardop zeggen?'

'Het geeft niet.' Gemma bewoog zich dichter naar hem toe zodat ze vlak achter hem zat. Hun schouders raakten elkaar. 'Ik vind jou ook mooi.'

'Wat?' Alex draaide zijn gezicht naar haar toe.

'Yep,' verzekerde ze hem met een grijns.

'Ik ben een jongen, hoor. Jongens zijn niet mooi.'

'Toch is het zo.' Haar glimlach verdween en ze trok nerveus met haar mond.

Alex' donkere ogen keken haar onderzoekend aan. Zijn gezicht was bleek en in zijn ogen lag een angstige blik, alsof hij heel goed wist wat er ging gebeuren en er tegelijkertijd bang voor was. Toen boog hij zich naar haar toe en drukte zijn lippen zachtjes op haar mond. Het was een lief, onschuldig kusje, maar bij Gemma sloegen vanbinnen de vlammen uit.

'Het spijt me,' zei Alex toen hij zich van haar had losgemaakt.

'Waarom zeg je dat?' vroeg Gemma.

'Weet ik niet.' Hij lachte en schudde even met zijn hoofd. 'Het spijt me eigenlijk helemaal niet.'

'Mij ook niet.' Ze glimlachte.

Net toen Alex zich weer naar haar toe boog, klonk Brians stem vanuit het huis.

'Gemma!'

Meteen was de betovering verbroken. Alex sprong op alsof hij een elektrische schok had gekregen.

Gemma deed er iets langzamer over. 'Sorry,' verontschuldigde ze zich voor haar vader.

'Geeft niet, joh. Niets aan de hand.' Alex wreef over zijn achterhoofd en staarde voor zich uit.

'Zie ik je gauw weer?' vroeg Gemma.

'Ja, ja, natuurlijk,' zei hij knikkend.

Haastig rende Gemma terug naar haar eigen huis. Haar vader hield de achterdeur al voor haar open. Toen ze naar binnen glipte, bleef Brian nog even staan om te zien hoe Alex met onhandige gebaren de deken opvouwde.

'Pap! Kijk niet zo!' riep Gemma.

Brian wachtte nog een seconde voor hij naar binnen kwam. Hij deed de achterdeur achter zich op slot en knipte de buitenlamp aan. Toen hij de keuken binnenliep, liep Gemma nerveus te ijsberen.

'Je hoeft me niet zo te controleren, hoor.'

'Je deed er een halfuur over om de vuilniszak weg te brengen,' zei Brian, leunend tegen het aanrecht. 'Ik wilde alleen maar weten of je niet gekidnapt was of door wilde eekhoorns was aangevallen.'

'Niet dus.' Gemma bleef staan en haalde diep adem.

'Wil je me vertellen waar je mee bezig was?'

'Nee.' Ze keek hem strak aan.

'Luister, Gemma. Je bent zestien en ik begrijp heus wel dat je met jongens wilt omgaan.' Hij wipte van zijn ene voet op de andere. 'En Alex is echt geen kwaaie jongen, maar ik vind hem wel iets te oud voor je. Bovendien gaat hij binnenkort het huis uit.'

'Toe nou, pap. We hebben alleen maar gezoend, hoor.' Gemma schrok ervan dat ze dit er zomaar tegen haar vader uitflapte.

'Dus... eh... jullie hebben wat samen?' vroeg Brian voorzichtig.

'Weet ik veel.' Ze haalde haar schouders op. 'We hebben alleen maar gezoend, zei ik toch.'

'Nou, laat het daar ook maar bij,' zei Brian. 'Je bent nog veel te jong om je aan iemand te binden. Richt je aandacht maar op je zwemtraining.'

'Pap,' zei Gemma. 'Mag ik dat alsjeblieft zelf weten?'

'Oké,' zei hij met tegenzin. 'Maar als hij aan je zit, vermoord ik hem. En als hij je pijn doet, vermoord ik hem ook.'

'Dat weet ik toch.'

'Maar weet hij het ook?' Hij gebaarde naar het huis van de buren. 'Ik wil ook wel naar hem toe gaan om het hem te zeggen.'

Gemma hief haar handen omhoog. 'Niet doen, pap,' zei ze. 'Het is duidelijk wat je bedoelt. En als je het niet erg vindt, ga ik nu naar bed want morgen moet ik vroeg op om te zwemmen.'

'Morgen is het zondag. Het zwembad is dicht.'

'Ik ga naar de baai. Vanavond ben ik niet geweest en ik moet nu eenmaal het water in.'

Brian knikte en liet het erbij. Gemma rende de trap op naar haar kamer. Vanonder Harpers slaapkamerdeur zag ze licht. Ze was dus nog wakker. Waarschijnlijk lag ze te lezen. Gemma glipte zachtjes haar eigen kamer in, hopend dat haar zus haar niet hoorde.

Stel je voor dat Harper vanuit haar slaapkamerraam had gezien dat ze met Alex had gezoend. Of misschien had ze haar gesprek met Brian van zo-even afgeluisterd. Het laatste waar Gemma zin in had was alles opnieuw met Harper te moeten bespreken, vooral omdat ze zelf niet eens wist wat ze ervan moest denken.

Ze liet zich op haar bed vallen. Aan het plafond zaten lichtgevende plastic sterren geplakt, waarvan er nog maar een paar zwak licht gaven. Met een glimlach staarde ze ernaar. Ze deden haar aan Alex denken.

Toen ze acht jaar was en 's nachts vaak last had van angstaanvallen, had Harper de sterren voor haar op het plafond geplakt. En Alex had daarbij geholpen om de sterrenbeelden waarheidsgetrouw in kaart te brengen.

Het was vreemd om nu aan hem te denken. Ze had hem altijd als de *nerdy* vriend van haar zus beschouwd. Ineens was er iets veranderd. Als ze aan hem dacht, begon haar hart sneller te kloppen en kreeg ze een warm gevoel in haar buik.

Toen ze onder de dekens kroop, vroeg ze zich af wanneer ze weer de kans zou krijgen om met hem te zoenen. Die vraag hield haar nog lange tijd wakker en in gedachten beleefde ze de avond telkens opnieuw. Toen ze eindelijk in slaap viel, lag er een glimlach op haar gezicht.

De volgende morgen werd ze met een schok wakker van de wekker die naast haar bed stond. De zon kwam net op en wierp een oranje gloed door haar gordijnen. Het was verleidelijk de *snooze*-knop aan te zetten, maar omdat ze gisteren al niet had gezwommen, kon ze niet weer een dag overslaan.

Tegen de tijd dat ze klaar was om te vertrekken, lag heel Capri te baden in de zon. Omdat zowel Harper als Brian nog lag te slapen, liet Gemma een briefje achter op de koelkast om hun te laten weten dat ze naar de baai van Anthemusa was.

Ze zette Lady Gaga op haar iPod keihard aan en sprong op haar fiets. Het was nog vroeg. De stad was nog in diepe rust. Gemma vond dat veel fijner dan wanneer de straten afgeladen waren met toeristen.

Het leek of ze sneller bij de baai was dan normaal. Ze fietste harder dan anders. Ze had het gevoel alsof ze op een wolk zat. Eén kus van Alex en de hele wereld zag er zonniger uit.

Deze keer ging ze niet zoals gebruikelijk via het cipressenbos naar de zee. Het pad ernaartoe was met de fiets niet begaanbaar en bovendien kon ze hem daar niet zomaar laten staan. In plaats daarvan fietste ze naar de haven, vlak bij de plek waar haar vader werkte.

Ze zette haar fiets tegen een paal. Nadat ze zich tot op haar badpak had uitgekleed, stopte ze haar afgeknipte jeans, topje en slippers in haar rugzak. Ze haalde haar kettingslot door de riemen van de rugzak en maakte hem aan de fiets vast en sloot hem af.

Toen rende ze naar de rand van de kade en dook in het water. Hoewel er officieel niet in de haven gezwommen mocht worden, was er niemand die haar zou kunnen betrappen. Het water was fris zo vroeg in de ochtend, maar dat kon haar niets schelen. In het water voelde ze zich altijd in haar element, of het nu koud was of niet.

Ze bleef de hele ochtend zwemmen. Het werd steeds drukker op het strand, want het beloofde een prachtige, warme dag te worden. Vanuit de haven zag Gemma de ene boot na de andere de zee op gaan. Als ze geen klap van een propeller wilde krijgen, kon ze maar beter teruggaan.

Omdat er een paar treden ontbraken aan de trap aan de kademuur, moest ze zich aan de leuning omhooghijsen. Net toen ze druipend boven de rand van de kade uit kwam, stak iemand een hand uit, vlak voor haar gezicht. Het was een hand met lange, bloedrood gelakte nagels, die naar kokosnoten rook.

Gemma keek op en zag Penn boven haar uittorenen.

'Zal ik je een handje helpen?' vroeg Penn. Ze glimlachte op een manier die Gemma aan een hongerig dier deed denken.

6

In het nauw gedreven

Penn stond het dichtst bij Gemma. De andere twee meisjes stonden vlak achter haar. Nooit eerder was Gemma zo dicht bij hen geweest. Hun schoonheid was overweldigend. Penn was een beauty. Ze leek op een airbrush-model op de cover van *Maxim*. Gemma staarde haar bewonderend aan.

'Heb je hulp nodig?' vroeg Penn iets harder, alsof Gemma doof was.

Gemma schudde haar hoofd. 'Nee, dat hoeft niet.'

'Dan moet je het zelf maar weten.' Penn ging een paar stappen achteruit zodat Gemma op de kade kon klimmen.

Gemma had gehoopt dat ze iets sierlijker aan wal kon komen, maar helaas kwam ze met een onhandige plof op de kade terecht. Ze was zich er pijnlijk van bewust dat ze er als een vis op het droge bij lag. Zo snel als ze kon kwam ze overeind.

'We hebben je hier heel vaak zien zwemmen,' zei Penn.

Ook al had Gemma haar een keer eerder horen praten, toch wist Penns stem haar weer te verrassen. Hij klonk babyachtig en sexy tegelijk. Het was het soort stem waar Gemma normaal niet tegen kon, maar door de vleiende ondertoon werd ze er op een vreemde manier door aangetrokken.

Alleen al door het horen van die stem verdwenen de negatieve gevoelens die ze voor de meisjes had. Ze was in elk geval veel minder bang voor hen.

'Sorry,' zei Penn met een glimlach. Haar tanden waren stralend wit en leken abnormaal scherp. 'Je hebt waarschijnlijk geen idee wie we zijn. Ik ben Penn en dit zijn mijn vriendinnen, Lexi en Thea.'

'Hoi.' Lexi stak haar hand op en bewoog haar vingers een beetje. Haar blonde haren glinsterden als goud in de zon en haar ogen hadden dezelfde blauwgroene kleur als de zee.

'Hoi,' zei Thea. Ze glimlachte, hoewel ze tegenzin uitstraalde. Ze wendde haar blik af naar de zee en streek door haar rode, golvende haren.

'Jij bent Gemma, ja toch?' vroeg Penn toen Gemma bleef zwijgen.

Gemma knikte. 'Yep.'

'We hebben je al vaker gezien en je stijl spreekt ons aan,' vervolgde Penn.

'O ja?' reageerde Gemma op vragende toon, niet wetend hoe ze dat moest opvatten. Ineens voelde ze zich naakt in het bijzijn van de meisjes en sloeg haar armen om zich heen. Gemma wist wel dat ze er goed uitzag. Soms, als ze zich had opgetut, vond ze zichzelf bijna knap. Maar naast Penn, Lexi en Thea voelde ze zich lomp en onaantrekkelijk.

Terwijl het water van haar lijf op de houten planken druppelde, was het enige waar ze aan kon denken hoe ze zo snel mogelijk bij haar kleren kon komen.

'Wij vinden het heerlijk om 's avonds te zwemmen,' zei Penn. 'Dat geeft echt een kick.'

'Fántástisch is dat,' viel Lexi haar bij. Het klonk een beetje overdreven. Penn wierp haar een veelbetekenende blik toe, waarop ze haastig haar ogen neersloeg.

'Eh... ja.' Hoewel Gemma het helemaal met hen eens was, durfde ze dat niet toe te geven. Ze had het gevoel dat Penn haar in een soort val wilde lokken. Ze wist niet waar ze aan toe was.

Penn wendde zich met een brede glimlach tot Gemma. 'Heb je zin een keer met ons mee te gaan zwemmen?'

'Eh... ik denk het niet.' Eigenlijk kon Gemma geen smoes bedenken, maar ze was in geen geval van plan de uitnodiging aan te nemen.

'En 's middags dan?' vroeg Penn. 'Toevallig gaan we nu zwemmen. Ja toch, meiden?'

'Ik heb mijn bikini onder mijn jurk aan,' zei Lexi met een gebaar naar haar nauwsluitende zomerjurk.

'Ik kom er net uit,' zei Gemma. 'En ik wilde net mijn kleren weer aandoen.' Ze wees naar haar fiets. Dit was haar kans om te ontsnappen. Ze liep weg, maar helaas gaven de meisjes niet op. Penn kwam achter haar aan.

'Ik weet dat je dol op zwemmen bent en ik zou het heel leuk vinden als je een keer met ons meegaat,' zei Penn. 'Als het vandaag niet kan, laat me dan weten wanneer het je wel uitkomt.'

'Dat weet ik niet.' Gemma hurkte naast haar fiets en terwijl ze aan haar fietsslot frunnikte, stond Penn als een schaduw achter haar. 'Ik moet heel veel trainen.'

'Trainen kun je altijd nog,' zei Penn. 'Je moet ook tijd vrij maken voor leuke dingen.'

'Dat doe ik ook,' wierp Gemma tegen.

Toen ze eindelijk haar tas van het slot had losgemaakt, kwam ze overeind. Ze vond het niet meer zo nodig om zich aan te kleden. Wat ze het liefst wilde, was haar tas over haar schouder hangen, op de fiets springen en heel hard van Penn met haar hongerige glimlach wegfietsen.

'Je moet echt een keer met ons gaan zwemmen.' Penns stem klonk mierzoet en tegelijk gebiedend. Haar donkere ogen keken Gemma zo doordringend aan dat Gemma heel even haar adem inhield. Achter hen klonk gespetter, waardoor Penn werd afgeleid, lang genoeg voor Gemma om weer normaal adem te halen en haar blik af te wenden.

Niet ver van hen vandaan stond Daniel op de kade. Het water

drupte van zijn blote borst en zijn lange zwembroek. Gemma kende hem van de keren dat ze haar vader in de haven had opgezocht, maar in tegenstelling tot Harper had ze geen enkele reden om een hekel aan hem te hebben.

'Is er iets?' vroeg Daniel terwijl hij het water van zijn gezicht veegde. Zonder op antwoord te wachten liep hij naar Gemma toe, die door Penn, Lexi en Thea werd omsingeld.

'Er is niks aan de hand, hoor,' zei Lexi opgewekt. Ze glimlachte naar hem. 'Bemoei je met je eigen zaken.'

'Dat dacht ik niet.' Zonder acht te slaan op Lexi kwam Daniel dichterbij. Met zijn schouder duwde hij Lexi opzij en keek Gemma aan. 'Alles oké?'

'Er is niks aan de hand. Dat zeiden we toch al,' zei Penn ijzig.

'Ik vroeg jou niks.' Daniel keek haar boos aan en toen hij zich naar Gemma wendde, verzachtte zijn blik. Ze was nog steeds druipnat en klemde haar tas tegen haar borst. 'Kom maar even mee naar mijn boot. Dan kun je je daar afdrogen.'

'Bemoei je met je eigen zaken,' zei Lexi nogmaals. Het klonk eerder verward dan boos. Alsof ze niet begreep hoe hij haar durfde te negeren.

Daniel gebaarde naar Gemma dat ze mee moest komen. Terwijl Gemma zich naar hem toe haastte, had ze het gevoel dat Penn het liefst Daniels hoofd van zijn romp had gescheurd. Letterlijk. Toen ze wegliepen, sloeg Daniel zijn arm om haar schouders. Niet als een romantisch gebaar, maar omdat hij haar wilde beschermen.

Gemma voelde Penns ogen in haar rug branden en terwijl ze met Daniel naar zijn boot liep, riep Lexi haar nog iets na over dat ze haar binnenkort wel weer zouden zien. Haar stem had iets zangerigs.

Bijna had Gemma zich omgedraaid om terug te gaan, maar Daniels arm hield haar tegen.

Even later hielp Daniel haar op de boot. Omdat Penn, Lexi en Thea nog steeds toekeken vanaf de kade, stelde hij voor dat ze de kajuit in gingen. Het was niet Gemma's gewoonte om met jongens die ze amper kende op een boot te stappen, maar gezien de omstandigheden leek het haar een veilige keuze.

De boot was vrij klein, dus het woongedeelte was ook aan de krappe kant. Tegenover het tweepersoonsbed was een tafeltje met aan weerszijden banken met kussens erop. Er was een kitchenette met een minikoelkast en een piepklein aanrechtje. Aan de andere kant was de badkamer met hier en daar een hoekje om spullen op te slaan. Dat was alles.

Het bed was onopgemaakt en lag bezaaid met kleren. In de gootsteen stond de vuile vaat en op het aanrecht en de tafel lagen een paar lege limonadeblikjes en bierflesjes. Naast het bed lag een stapel boeken en tijdschriften.

'Ga zitten.' Omdat er kleren en boeken op de banken lagen, gebaarde Daniel naar het bed.

'Weet je het zeker?' vroeg Gemma. 'Ik ben kletsnat.'

'Geeft niet. Dit is een boot, hè. Alles is hier altijd nat.' Hij pakte een paar handdoeken en gooide er een naar haar toe. 'Ga je gang.'

'Dank je.' Ze wreef met de handdoek door haar haren en leunde tegen de wand. 'En niet alleen hiervoor, maar ook... eh... omdat je me gered hebt.'

'Geen dank.' Daniel haalde zijn schouders op en leunde tegen de keukentafel. Hij droogde zijn borst af met een handdoek en haalde zijn hand door zijn korte haar, waardoor de druppels er vanaf spatten en het rechtovereind ging staan. 'Je keek zo bang.'

'Ik was niet bang,' verdedigde Gemma zich.

'Daar zou ik me anders best iets bij kunnen voorstellen.' Hij leunde nog iets naar achter zodat hij door een van de kajuitraampjes kon kijken. 'Die meiden werken op mijn zenuwen.'

'Nou, mij ook!' riep Gemma uit, blij dat iemand het met haar eens was. 'Toen ik dat tegen mijn zus zei, vond ze dat niet aardig van me.'

'O ja?' Daniel keek Gemma aan. 'Mag Harper die meiden dan wel?'

'Mogen is te sterk uitgedrukt,' zei Gemma. 'Maar Harper vindt dat je voor iedereen respect moet hebben.'

'Nou, dat is een nobel streven.' Hij boog zich naar voren en opende de minikoelkast. 'Wil je misschien iets drinken?'

'Graag.'

Daniel haalde twee blikjes frisdrank tevoorschijn, waarvan hij er een aan Gemma gaf. Hij ging in kleermakerszit op tafel zitten.

Nadat Gemma de handdoek om haar schouders had geslagen, maakte ze het blikje open. Ze liet haar blik over de sobere meubels in de kajuit glijden. 'Hoe lang woon je hier al?'

'Te lang,' zei hij nadat hij een grote slok had genomen.

'Ik zou later ook wel op een boot willen wonen. Maar dan wel op een woonboot.'

'Als ik jou was, zou ik een grotere boot kiezen dan deze.' Hij gebaarde naar de kleine ruimte om zich heen. 'Als de zee tekeergaat, is het hier trouwens niet zo'n pretje. Maar ach, ik zit hier nu al zo lang dat ik aan de wal waarschijnlijk niet eens meer kan slapen. Ik heb het water nodig om me in slaap te wiegen.'

'Dat lijkt me fijn.' Ze glimlachte verlangend terwijl ze zich voorstelde hoe het zou zijn om in de baai te slapen. 'Ben je altijd al gek op de zee geweest?'

'Hm... dat weet ik eigenlijk niet.' Daniel rimpelde zijn voorhoofd alsof hij er nog nooit eerder over nagedacht had. 'Ik denk het wel.'

'Hoe ben je op deze boot terechtgekomen?'

'Dat is niet zo'n romantisch verhaal, hoor,' waarschuwde hij. 'Toen mijn grootvader overleed, liet hij mij zijn boot na. Ik werd uit mijn appartement gezet en moest snel een dak boven mijn hoofd vinden. Vandaar.'

'Gemma!' klonk een stem van buiten. Daniel en Gemma keken elkaar verbaasd aan. 'Gemma!'

'Is dat je zus?' vroeg Daniel.

'Ik denk het wel.' Gemma zette haar blikje op de grond en ging aan dek.

Harper stond op de kade naast Gemma's fiets met het ketting-slot in haar hand. Haar donkere haren had ze in een paarden-staart gebonden die heen en weer zwiepte terwijl ze links en rechts de kade af tuurde.

'Gemma,' riep ze weer. Haar stem klonk schril van ongerust-heid.

Gemma liep naar de reling en keek omlaag naar haar zus. 'Har-per?'

Harper draaide zich om. Toen ze haar zusje zag staan, ging er een golf van opluchting door haar heen. Totdat ze Daniel in het oog kreeg, die achter Gemma aan dek kwam. 'Wat doe je daar?'

'Ik ben me alleen maar aan het afdrogen,' zei Gemma. 'Waarom schreeuw je zo?'

'Ik wilde vragen of je thuis kwam lunchen en toen ik je fiets hier niet op slot zag staan, was ik bang dat er iets gebeurd was. Ik zag je nergens en nu sta je verdorie op zíjn boot.' Harper stevende op Daniels boot af met het fietsslot nog steeds in haar handen geklemd. 'Wat zei je dat je aan het doen was?' wilde ze weten.

'Afdrogen,' herhaalde Gemma geërgerd omdat haar zus zo'n scène maakte.

'Waarom?' Harper wees naar Daniel. 'Bij hem kun je beter uit de buurt blijven. Hij deugt niet.'

'Bedankt,' reageerde Daniel droogjes, wat hem op een boze blik van Harper kwam te staan.

'Luister, ik pak zo mijn fiets en ga naar huis, dan kun je daar lekker verder gaan met je achterlijke gedrag,' zei Gemma.

'Wie is hier achterlijk?' schreeuwde Harper, maar het volgende moment zweeg ze en haalde diep adem. 'Oké, je hebt gelijk. We hebben het er thuis verder over.'

'Oké,' zei Gemma. Zuchtend haalde ze de handdoek van haar schouders en gaf hem terug aan Daniel. 'Bedankt.'

'Graag gedaan. En het spijt me als je door mij in de problemen bent gekomen.'

'Ik schaam me voor mijn zus,' zei Gemma met een verontschuldigend glimlachje. Ze gooide haar rugzak op de kade en sprong over de reling. Vervolgens griste ze het kettingslot uit Harpers handen, raapte haar tas op en liep naar haar fiets. Daar trok ze haar kleren aan.

'Wat ben je toch een smeerlap,' snauwde Harper, met haar vinger naar Daniel wijzend. 'Gemma is pas zestien en jij bent toevallig wel een man van twintig, ook al gedraag je je daar niet naar. Je bent veel te oud om met haar te rotzooien.'

Daniel rolde met zijn ogen. 'O, hou alsjeblieft op. Je zus is nog een kind. Ik probeerde haar echt niet te versieren, hoor.'

'Zo zag het er anders wel naar uit.' Harper sloeg haar armen over elkaar. 'Ik zou je eigenlijk moeten aangeven omdat je illegaal op die stomme boot woont en met minderjarige meisjes rommelt.'

'Doe wat je niet laten kunt. Als je maar weet dat ik niets van je zusje wilde. Ik zag toevallig dat die meiden vervelend tegen haar deden en toen ben ik tussenbeide gekomen.'

'Welke meiden?'

'Je weet wel,' zei Daniel met een vaag wuivend gebaar. 'De aanvoerster heet volgens mij Penn.'

'Die drie knappe meiden?' Eigenlijk had Harper geen moment gedacht dat Daniel Gemma iets had aangedaan – niet echt, tenminste – maar bij het horen van de naam Penn kromp haar maag ineen.

'Ja, die.'

'Hoezo vervelend?' Ze draaide zich om naar Gemma, die net haar topje aantrok. Zo te zien mankeerde ze niets. 'Wat deden ze dan?'

'Dat weet ik niet precies, maar ze stonden om haar heen en volgens mij voelde Gemma zich bedreigd. Ik vertrouw die meiden gewoon niet. Ik nodigde Gemma op mijn boot uit totdat ze weg waren en zo'n tien minuten later verscheen jij ineens op het toneel. Meer is er niet gebeurd.'

'O.' Harper voelde zich schuldig omdat ze zo tegen hem had geschreeuwd maar dat liet ze niet merken. 'Nou, bedankt dat je mijn zusje hebt geholpen, maar je had haar niet op je boot hoeven vragen.'

'Ik was niet van plan er een gewoonte van te maken.'

'Mooi.' Harper wipte van haar ene op haar andere voet. De verontwaardiging was nog niet helemaal van haar gezicht verdwenen. 'Trouwens, Gemma heeft al iets met een andere jongen.'

'Ik zei net al dat ik niet in je zus geïnteresseerd ben.' Daniels stem klonk schamper. 'Maar als ik niet beter wist, zou ik bijna denken dat je jaloers was.'

'Ja dag.' Harper trok rimpels in haar neus. 'Het idee alleen al.'

Daniel moest lachen om haar reactie en om de een of andere reden begon Harper te blozen.

Het volgende moment vloog Gemma op haar fiets voorbij. Ze schreeuwde een groet naar Daniel.

Nu haar zus weg was, had Harper eigenlijk geen reden meer om op de kade te blijven rondhangen, maar toch bleef ze nog even staan. Misschien was er nog iets wat ze Daniel kon verwijten. Toen haar niets te binnen schoot, draaide ze zich om en liep weg. Ze voelde dat hij haar nakeek.

7

Picknick

De stad Capri, gelegen in het noorden van Maryland, was op 14 juni 1802 door Thomas Thermopolis gesticht. Sindsdien werd elk jaar op die dag feestgevierd. De meeste winkels waren gesloten en hoewel het feest uiteindelijk niet meer om het lijf had dan een paar kermisattracties en hier en daar wat kraampjes, kwam er altijd veel publiek op af, zowel bewoners van Capri als toeristen.

Alex had Gemma gevraagd of ze zin had er samen met hem naartoe te gaan. Wat hij daar precies mee bedoelde, wist ze niet. Maar omdat hij alleen haar had uitgenodigd en Harper niet, had het waarschijnlijk wel iets te betekenen, al durfde ze hem niet te vragen wat.

De autorit ernaartoe verliep ongemakkelijk. Gemma moest bijna lachen toen Alex een paar keer iets stamelde over dat hij hoopte dat het leuk zou zijn. Voor de rest zeiden ze allebei niets. Toen hij de auto had geparkeerd, stapte hij snel uit om de deur voor haar open te maken. Voor Gemma was dat een historisch moment, want dat had ze hem nog nooit eerder zien doen. Toen pas kon ze zich een beetje ontspannen.

Het feest vond plaats in het park in het centrum van Capri. Er stonden een paar draaimolens en langs de weg die dwars door het centrum liep stonden de gebruikelijke tentjes waar je spelletjes kon doen en iets kon eten of drinken. Her en der waren picknicktafels neergezet en op het gras lagen dekens uitgespreid.

'Zullen we gaan ringwerpen?' vroeg Alex. Hij gebaarde naar het tentje. 'Dan kan ik een goudvis voor je winnen.'

'Dat zou niet leuk zijn voor de goudvis,' zei Gemma. 'Ik heb er een stuk of twaalf gehad en ze gingen allemaal binnen een paar dagen dood.'

'Ach ja,' herinnerde Alex zich met een scheve glimlach. 'Ik zie nog voor me hoe jij je vader dwong ze in de achtertuin te begraven.'

'Het waren mijn huisdieren. Ze verdienden een fatsoenlijke begrafenis.'

'Ik moet geloof ik een beetje oppassen bij jou in de buurt,' zei Alex terwijl hij veiligheidshalve een stap van haar vandaan zette. 'Je bent een goudvissenmoordenaar. Wie weet waar je nog meer toe in staat bent.'

'Hou op,' zei Gemma lachend. 'Ik heb ze niet met opzet doodgemaakt. Ik was nog klein. Ik denk dat ik ze te veel voer gaf. Uit liefde.'

'Nog erger,' plaagde hij. 'Straks ga je mij ook nog uit liefde vermoorden.'

'Wie weet.' Ze kneep haar ogen tot spleetjes en probeerde dreigend te kijken.

Alex schoot in de lach en kwam weer naast haar lopen. Toen zijn hand langs de hare streek, maakte Gemma van de gelegenheid gebruik om haar vingers door de zijne te vlechten. Hij zei niets maar gaf een kneepje in haar hand.

De simpele aanraking bracht bij Gemma een warm gevoel teweeg en ze moest zich bedwingen om niet te stralen.

'Geen goudvis dus,' zei Alex. 'Wat denk je van een teddybeer? Zijn knuffelbeesten wél veilig bij jou?'

'Waarschijnlijk wel,' gaf ze toe. 'Maar je hoeft niks voor me te winnen, hoor.'

'Zullen we gewoon wat rondlopen dan?' vroeg hij, op haar neerkijkend.

'Ja,' zei ze.

Hij glimlachte. 'Maar als je iets wilt hebben, moet je het zeggen. Dan win ik iets voor je.'

Gemma wilde helemaal niet dat hij een prijs voor haar won, want dat zou betekenen dat ze bij een tentje stil moesten staan en hij haar hand zou loslaten. Ze zou de hele dag wel hand in hand met hem kunnen rondlopen. Ze had nooit kunnen denken dat gewoon bij hem te zijn haar zo blij kon maken.

Iets verderop kwamen ze Bernie McAllister tegen. Hij stond bij een kraampje waar je moest proberen met een pijltje een ballon lek te gooien. Ondanks de warmte droeg Bernie een trui. Vanonder zijn grijze wenkbrauwen tuurde hij naar de ballonnen.

'Bernie?' zei Gemma met een glimlach. Ze bleef staan. 'Wat brengt jou naar het vasteland?'

'Ach,' zei hij. Hij sprak nog steeds met een licht Brits accent. Met zijn plastic pijltjes wees hij naar de ballonnen. 'Ik kom al vierenvijftig jaar naar de picknick en elk jaar win ik allerlei prullen met deze spelletjes. Ook dit jaar wilde ik er weer bij zijn.'

'Ik snap het,' zei Gemma lachend.

'En hoe is het met jou, Gemma?' vroeg Bernie. Hij keek naar Alex en toen weer naar haar. 'Weet je vader wel dat je met een jongen op stap bent?'

'Ja, hoor,' verzekerde Gemma hem en ze kneep in Alex' hand.

'Dat is maar beter ook.' Bernie keek hen zo streng aan dat Alex zijn ogen neersloeg. 'Ik weet nog goed dat je zo klein was' – hij hield zijn hand ter hoogte van zijn knie – 'en je jongens stom vond.' Hij zweeg even en nam haar glimlachend van top tot teen op. 'Kleine meisjes worden groot.'

'Ik kan er niks aan doen.'

'Ach ja, zo gaat het nu eenmaal.' Hij maakte een wegwuivend gebaar met zijn hand. 'Hoe is het met je vader? Is hij er ook bij vandaag?'

'Nee, hij is thuis.' Gemma glimlachte onzeker. Sinds het verkeersongeluk van haar moeder ging haar vader bijna nooit meer ergens naartoe. 'Maar het gaat goed met hem.'

'Mooi. Je vader is een prima vent. Een harde werker.' Bernie knikte om zijn woorden kracht bij te zetten. 'Het is veel te lang geleden dat ik hem voor het laatst heb gezien.'

'Ik zal het aan hem doorgeven,' zei Gemma. 'Misschien komt hij je weer eens op het eiland opzoeken.'

'Dat zou ik erg leuk vinden.' Met zijn troebele, door staar aangetaste ogen keek Bernie haar een beetje bedroefd aan. Toen schudde hij zijn hoofd en richtte zich weer op het spel. 'Nou, jongens, gaan jullie maar lekker je eigen gang.'

'Oké, en succes met het spel,' zei Gemma. 'Het was leuk om je weer eens te zien.'

Toen ze ver genoeg van hem verwijderd waren, vroeg Alex: 'Dat was toch Bernie, van Bernies Eiland?'

'Ja.'

Bernie woonde enkele kilometers van de kust op een klein eilandje in de baai van Anthemusa, waar alleen maar een blokhut en een boothuis stonden die Bernie ruim vijftig jaar geleden voor hemzelf en zijn vrouw had gebouwd. Kort daarna overleed zijn vrouw, maar hij was er altijd blijven wonen.

Omdat Bernie de enige bewoner was, werd het eiland door iedereen in Capri Bernies Eiland genoemd. Die naam was helemaal ingeburgerd, hoewel het natuurlijk niet de officiële naam was.

Na het verkeersongeluk van Gemma's moeder had Brian een zware tijd doorgemaakt. Vaak bracht hij Gemma en Harper naar Bernies Eiland en dan paste Bernie op de meisjes zodat Brian wat tijd voor zichzelf had. Bernie ging op een leuke manier met hen om. Hij was grappig en liet de meisjes vrij rondrennen op het eiland. Daar was Gemma's liefde voor het water ontstaan. Ze bracht lange zomermiddagen door in de baai, zwemmend rond het eiland. Sterker, als ze niet zo vaak naar Bernie op het eiland was gegaan, zou ze nu niet zo goed hebben kunnen zwemmen.

'Wat is er eigenlijk gaande tussen Alex en je zus?' vroeg Marcy. Ze stond met Harper naast een picknicktafel bonenzakjes te gooien.

Harper keek op en zag Gemma en Alex hand in hand langs de kraampjes lopen. 'Weet ik niet,' antwoordde ze schouderophalend.

'Weet je dat niet?' Marcy keek Harper aan.

'Nee. Gemma doet er heel vaag over.' Harper gooide haar bonenzak naar het doel, vastbesloten door te gaan met het spel ook al was Marcy afgeleid. 'Ze hebben laatst gezoend. Dat weet ik van mijn vader, want hij heeft het gezien. Toen ik Gemma ernaar vroeg, wilde ze er niets over zeggen.'

'Je zus heeft iets met je beste vriend en jij weet er het fijne niet van?' vroeg Marcy.

'Gemma vertelt me nooit iets over haar vriendjes,' verzuchtte Harper. 'En ik heb Alex er eigenlijk nog niet echt naar gevraagd. Ik vind het een beetje gek om erover te beginnen.'

'Omdat je hem zelf leuk vindt,' zei Marcy.

Harper rolde met haar ogen. 'Voor de miljoenste keer, Marcy. Ik vind Alex niet leuk. Jij moet trouwens gooien.'

'Niet van onderwerp veranderen.'

'Dat doe ik niet.' Harper ging aan de picknicktafel zitten, want ze begreep dat Marcy niet van plan was verder te spelen voordat ze de hele zaak hadden besproken. 'Ik heb altijd alleen maar vriendschappelijke gevoelens voor Alex gehad. Hij is een mafketel en een nerd, en verder gewoon een vriend.'

'Vriendschap tussen een meisje en een jongen bestaat niet,' hield Marcy vol. 'Kijk maar naar *When Harry Met Sally*.'

'Broers en zussen kunnen toch ook gewoon vrienden zijn. Alex is als een broer voor mij,' legde Harper uit. 'En dat maakt het juist zo bizar. Een jongen die als een broer voor me is heeft iets met mijn zus.'

'Gadver.'

'Dank je. Zullen we nu verder gaan met het spel?' vroeg Harper.

'Nee, ik vind er niks meer aan en ik rammel van de honger.' Marcy had een bonenzak in haar hand en gooide hem aan de kant. 'Laten we kaaswafels gaan eten.'

'Jij wilde dit spel doen,' zei Harper terwijl ze opstond.

'Klopt, maar ik wist niet dat het zo saai was.'

Marcy liep verder door het park. Iedereen die haar in de weg liep duwde ze opzij. Harper volgde haar, iets langzamer. Af en toe keek ze over haar schouder om te zien of ze een glimp kon opvangen van Gemma en Alex.

Oorspronkelijk zou Gemma met haar en Marcy naar de picknick gaan, maar vanochtend was Alex langsgekomen om Gemma mee te vragen. Toen had ze geprobeerd om met Gemma over hem te praten, maar ze wilde niks loslaten.

Ze was zo druk bezig om Gemma en Alex te zoeken dat ze niet goed keek waar ze liep en tegen iemand op botste, waarbij ze een ijsje uit zijn hand stootte.

'Jeetje! Sorry, hoor,' zei Harper haastig. Toen ze opkeek, zag ze tot haar ontzetting dat het Daniel was. Zijn T-shirt zat onder het chocolade-ijs. Ze probeerde het er af te vegen.

'Je hebt echt een hekel aan me, hè?' zei hij. 'Waarom zou je anders mijn ijsje uit mijn hand slaan? Gemeen, hoor!'

Harper bloosde. 'Ik zag je echt niet aankomen.' Ze veegde nog harder over zijn T-shirt, alsof ze daarmee kon voorkomen dat er vlekken op kwamen.

'O, nu snap ik het. Je bent nog slechter dan ik dacht,' schamperde Daniel. 'Je bent er alleen maar op uit om me te betasten.'

'Echt niet!' Onmiddellijk haalde Harper haar handen van hem af en deed een stap naar achter.

'Mooi zo, want eerst moet je me nog een keer mee uit eten vragen.'

'Ik wou alleen maar...' Ze gebaarde naar zijn shirt en zuchtte. 'Het spijt me.'

'Ik zit onder de chocola. Laten we een paar servetten gaan halen,' stelde Daniel voor.

Harper liep met hem naar een snackkraam, waar hij een stapel papieren servetten weggriste. Samen liepen ze naar een fonteintje.

'Het spijt me,' zei ze nogmaals. Ze pakte een servet van hem aan en hield het onder de kraan, waarna ze zijn shirt begon schoon te maken.

'Je hoeft je niet te blijven verontschuldigen. Het was een ongelukje. Dat zag ik ook wel.'

'Dat weet ik, maar...' Ze schudde haar hoofd. 'Ik heb je ook nog niet eens fatsoenlijk bedankt voor je hulp aan mijn zus en nu knoei ik een ijsje over je T-shirt.'

'Klopt. Je bent een gevaar dat moet worden afgestopt.'

'Plaag me niet. Ik voel me er rot over.'

'Ik ben bloedserieus, hoor. Ik zou je moeten aangeven voor je slechte gedrag,' zei Daniel, doelend op wat ze de vorige dag tegen hem had gezegd.

'Nu voel ik me nog rotter.' Harper staarde naar haar schoenen en maakte een prop van het natte servetje in haar hand.

'Dat is precies waar ik op uit ben,' zei Daniel. 'Mooie meisjes een schuldgevoel bezorgen zodat ze met me uitgaan.'

'Slim van je, hoor.' Harper kneep haar ogen tot spleetjes en keek hem aan. Ze wist niet of hij een grapje maakte of niet.

'Tja, ik ben een slimme jongen. Dat vinden wel meer dames.' Hij keek haar grijnzend aan en zijn lichtbruine ogen schitterden.

'Dat zal wel,' zei ze sceptisch.

'Je bent me in elk geval een ijsje verschuldigd.'

'O ja, natuurlijk.' Ze zocht in haar broekzak naar kleingeld. 'Hoeveel kostte het?'

'Nee, nee.' Hij maakte een wegwuivend gebaar en duwde haar hand met een paar verfrommelde dollarbiljetten van zich af. 'Ik wil geen geld van je. Laten we samen een ijsje gaan eten.'

'Ik... eh...' Harper zocht naar een uitvlucht.

'Ik snap het al.' Hoewel hij haastig zijn ogen neersloeg, meende

Harper een gekwetste uitdrukking op zijn gezicht te hebben gezien.

'Niet omdat ik het niet wil, hoor,' zei ze haastig, en tot haar eigen verrassing meende ze het nog ook.

Behalve dat Daniel op een charmante manier reageerde op haar verbale uitbarstingen en haar zus te hulp was geschoten, begon ze hem steeds leuker te vinden. En dat was precies de reden waarom ze niet op zijn uitnodiging kon ingaan.

Hoe charmant hij ook was, hij woonde nog steeds op een boot. Aan de stoppels op zijn kin kon ze zien dat hij zich al een paar dagen niet had geschoren. Hij was onvolwassen en vermoedelijk lui. Over een paar maanden zou ze Capri verlaten om te gaan studeren. Ze had geen zin om verliefd te worden op een nietsnut op een boot, alleen maar omdat hij grappig en woest aantrekkelijk was.

'Mijn vriendin staat verderop te wachten,' vervolgde Harper. Ze maakte een vaag gebaar naar de menigte waar Marcy waarschijnlijk kaaswafels stond te eten. 'Ik liep achter haar aan toen ik tegen jou op botste. Ze weet niet waar ik ben, dus... ik moet nu echt gaan.'

'Oké,' zei Daniel met een knikje. De glimlach was terug op zijn gezicht. 'Dan hou ik het wel te goed.'

'Dat ijsje, bedoel je?' vroeg ze.

'Ja, of iets anders eetbaars.' Hij keek peinzend voor zich uit, alsof hij zich voorstelde hoe dat zou zijn. 'Of een smoothie, of een koffie verkeerd. Ik bedoel geen echt etentje, met een salade en friet.' Ineens klikte hij met zijn vingers alsof hem iets te binnen schoot. 'Soep! Een kop soep zou ook kunnen.'

'Dus ik ben je een consumptie verschuldigd die vergelijkbaar is met een ijsje?'

'Ja, en jij mag zeggen wanneer het je uitkomt,' zei Daniel. 'Morgen of overmorgen of volgende week. Wat jij wilt.'

'Oké, dat is dan... eh... afgesproken.'

'Mooi,' zei hij, en toen ze aanstalten maakte om weg te lopen, voegde hij eraan toe: 'Ik hou je eraan, hoor. Als je dat maar weet.'

'Oké,' zei Harper, en diep vanbinnen hoopte ze dat hij het meende.

Ze baande zich een weg door de bezoekers en het duurde niet lang voordat ze Marcy had teruggevonden. Ze zat met Gemma en Alex aan een picknicktafel. Dat was heel gezellig geweest als Alex' vriend Luke Benfield niet ook was aangeschoven.

Harper vertraagde haar pas toen ze Luke zag zitten. Niet alleen omdat ze zich niet op hun gemak voelden in elkaars gezelschap, maar ook omdat Luke en Alex samen vaak in nerdy computertaal spraken waar Harper niets van begreep.

'Wees eens lief voor Gemma en win een prijs voor haar,' zei Marcy tegen Alex terwijl Harper bij de tafel was gekomen.

'Eh...' Alex bloosde een beetje en wreef nerveus in zijn handen.

'Hij hoeft helemaal geen prijs voor me te winnen. Dat heb ik hem al gezegd,' kwam Gemma tussenbeide. 'Ik ben een moderne meid. Ik win mijn eigen prijzen wel.'

'Als sportvrouw maak je er waarschijnlijk ook nog meer kans op ook,' zei Marcy, terwijl ze een kaaswafel in haar mond stak. 'Alex gooit vast als een meisje.'

Daar moest Luke om grinniken, alsof hij zelf een betere werper was dan Alex. Hij draaide de enorme Groene Lantaarn-ring om zijn vinger en lachte zo hard dat hij er een snuivend geluid bij maakte.

'Dat moet jij zeggen, Marcy,' zei Harper, die naast haar ging zitten zodat ze tegenover Luke zat. 'Ik heb je net nog een bonen-zak zien gooien. Ik denk dat Alex je moeiteloos verslaat.'

Gemma wierp haar een dankbare blik toe omdat ze partij koos voor Alex.

Harper zag dat Gemma haar hand op zijn been had gelegd en hem een geruststellend kneepje gaf.

'Waar heb jij uitgehangen?' vroeg Marcy die zich niet uit het veld liet slaan. 'Je was ineens verdwenen.'

'Ik kwam iemand tegen die ik kende.' Harper ging er verder

niet op in en richtte haar aandacht op Gemma en Alex. 'Amuseren jullie je een beetje?'

'Prima,' antwoordde Luke ongevraagd. 'Ik had me alleen wat beter moeten insmeren.' Zijn bleke huid leek het zonlicht te reflecteren en zijn rode krullen kroesden om zijn gezicht. 'Ik ben niet gewend aan zoveel zon.'

'Woon je soms in een kerker, Luke?' vroeg Marcy. 'Je bent zo mager en bleek. Het lijkt wel alsof je ouders je in de kelder aan een ketting leggen.'

'Echt niet,' snauwde Luke en wees vervolgens op de Canadese vlag op Marcy's shirt. 'Ik dacht dat Canadezen zulke aardige mensen waren.'

'Ik ben geen Canadees,' corrigeerde Marcy hem. 'Ik draag dit shirt alleen maar om te laten zien dat ik antinationalistisch ben.'

'Goh, Marcy, wat ben jij toch een aardige meid,' zei Alex.

'Ik doe mijn best,' zei Marcy schouderophalend.

Praktisch de hele stad was uitgelopen voor de picknick. Overal klonken stemmen en muziek, maar plotseling verstomde het lawaai en leek iedereen aan de picknicktafels op gedempte toon te praten.

Harper keek om zich heen om te zien wat er aan de hand was. Vrij snel was het haar duidelijk waarom het zo stil was. De menigte week uiteen zodat Penn, Lexi en Thea vrij baan hadden. De drie meisjes liepen rechtstreeks op Harper en Gemma af.

Penns jurk was zo laag uitgesneden dat haar borsten er uitpuilden. Vlak voor de picknicktafel bleef ze staan en zette haar handen in haar zij.

'Alles goed met jullie?' vroeg ze glimlachend.

'Ja, hoor,' zei Luke gretig. Hij was zich totaal niet bewust van de spanning die de meisjes veroorzaakten. 'Ik... eh... ik heb het prima naar mijn zin. Jullie zien er trouwens fantastisch uit. Ik bedoel... jullie zien eruit alsof jullie het ook naar je zin hebben.'

'Nou, bedankt.' Penn keek op hem neer en likte hongerig langs haar lippen.

'Je mag er zelf ook best zijn,' voegde Lexi eraan toe. Ze boog zich naar hem toe, trok aan een krul en liet hem terugspringen. Luke keek gemaakt verlegen en giechelde als een schooljongen.

'Kunnen we iets voor jullie doen?' vroeg Gemma.

Harper zag hoe Penn haar zus met haar donkere ogen aanstaarde. Gemma hief haar kin op en keek uitdagend terug. Maar toen zag Harper iets wat het bloed in haar aderen deed stollen: de kleur van Penns ogen veranderde van bijna zwart in een vreemde goudkleurige tint.

Met haar eigenaardige vogelogen keek ze Gemma langdurig aan, maar die weerstond haar blik, alsof ze de griezelige kleurverandering niet had gezien.

Net zo plotseling als ze waren verkleurd kregen Penns ogen weer hun normale zielloze kleur. Harper keek om zich heen, maar niemand anders leek iets te zijn opgevallen. Ze vroeg zich af of ze het zich had verbeeld.

'Nee, hoor.' Penn trok in een verleidelijk gebaar één schouder op. 'We komen alleen maar even hallo zeggen. We kennen nog niet zoveel mensen in de stad en willen graag nieuwe vrienden maken.'

Thea gedroeg zich niet alsof ze zo graag nieuwe vrienden wilde maken. Ze hield zich een beetje afzijdig, draaide haar lange, rode haren om haar vinger en keek niemand aan tafel aan.

'Je hebt toch al twee vriendinnen,' zei Harper, met een hoofdknikje naar Lexi en Thea.

'Hoe meer hoe beter, toch?' zei Penn, terwijl Lexi naar Luke knipoogde waarop hij weer in de lach schoot. 'En een vriendin als Gemma kunnen we zeer zeker gebruiken.'

Net toen Harper haar wilde vragen waarom ze hun oog op haar jongere zusje hadden laten vallen, nam Marcy het woord.

'Wacht eens,' zei ze met haar mond vol kaaswafel. 'Jullie waren eerst toch met z'n vieren?' Ze at haar mond leeg en keek de meisjes aan. 'Wat hebben jullie met haar gedaan? Hebben jullie haar opgegeten? En haar daarna uitgekotst? Want jullie hebben natuurlijk alle drie boulimie.'

Penn keek haar zo woedend aan dat Marcy ineenkromp. Ze sloeg haar ogen neer en hield haar zakje kaaswafels dichter bij zich alsof ze bang was dat Penn het van haar wilde afpakken.

'Zijn jullie al in de draaimolen geweest?' vroeg Harper om te voorkomen dat Penn haar collega zou vermorzelen. Ze durfde haar niet eens meer te vragen waarom ze zoveel belangstelling voor Gemma had. Vooral niet nadat ze die blik in haar vogelogen had gezien.

Maar op Penns gezicht verscheen nu haar gebruikelijke zoetsappige glimlach. Harper zag dat Penns tanden opvallend scherp waren. Als ze niet beter wist, zou ze bijna denken dat de snijtanden iets langer en puntiger waren dan een paar seconden geleden.

'Nee, we zijn er net,' zei Penn met haar mierzoete babystemmetje. 'We hebben nog niet eens rondgekeken.'

Nu de griezelige glimlach van Penn was verdwenen ontspande Harper zich een beetje en zelfs Marcy durfde weer naar Penn op te kijken.

'Ik zou zó graag een teddybeer winnen,' zei Lexi op zangerige toon.

Zowel Alex als Luke keek haar aan. Luke's mond viel open van bewondering. Ook Harper leunde naar voren. Ze kon het niet verklaren, maar ze hing aan Lexi's lippen, alsof ze de meest fascinerende dingen zei. Zelfs de mensen om hen heen kwamen iets dichterbij staan om naar Lexi te kijken.

'Wat denk je?' Lexi hield haar hoofd een beetje schuin en keek Luke aan. 'Zou je een beer voor mij kunnen winnen?'

'Tuurlijk!' riep Luke opgewonden en hij sprong zo snel op dat hij bijna over de bank struikelde. 'Ik bedoel... eh... Ja, ik wil heel graag een beer voor je winnen.'

'Hiep hoi!' zei Lexi, en ze stak haar arm door de zijne.

Weer maakten de mensen ruim baan, zodat Lexi met Luke naar de kraampjes kon lopen.

Thea kwam achter hen aan, maar Penn bleef bij de picknick tafel.

Alex staarde Lexi na totdat ze niet meer te zien was.

Gemma zou zijn starende blik vast en zeker zijn opgevallen als ze Lexi niet zelf ook had nagekeken.

'Nou, ik wens jullie nog een fijne middag,' zei Penn in het algemeen, maar haar blik was op Gemma gericht. 'We zien elkaar wel weer, denk ik.'

'Veel plezier,' mompelde Alex. De woorden kwamen er een beetje verdwaasd uit.

Penn lachte en liep weg.

'Wat bizar, zeg,' zei Harper toen Penn weg was. Ze schudde haar hoofd. Het was alsof ze had gedroomd en de meisjes er niet echt geweest waren.

'Volgens mij hebben ze haar vermoord,' zei Marcy. Haar ogen waren smalle spleetjes en ze knikte tegen zichzelf. 'Ik weet het niet, hoor. Ik vertrouw die meiden voor geen cent.'

8

De inham

Meteen na zonsondergang sprong Gemma op haar fiets en reed naar de baai. Haar laatste training was alweer drie dagen geleden en om Harper een plezier te doen was ze ook 's avonds niet gaan zwemmen. Ze had er nu dus extra veel zin in.

Hoewel ze een gezellige picknick met Alex achter de rug had, kon ze niet wachten om te gaan zwemmen. Trouwens, gezellig was te zwak uitgedrukt, het was in één woord fantastisch geweest.

Een deel van de middag hadden ze met Harper en Marcy doorgebracht en dat was verrassend goed gegaan. Gemma wist namelijk niet hoe Harper zou reageren op het feit dat Alex en zij iets hadden. Kennelijk kon Harper er wel mee leven.

Uiteindelijk waren Alex en Gemma hun eigen weg gegaan, en toen werd het pas echt leuk. Hij deed allerlei kleine dingetjes waarvan haar hart oversloeg. Hij struikelde over zijn eigen woorden als hij indruk op haar probeerde te maken en hij glimlachte zoals ze hem nog nooit had zien glimlachen. Ze dacht dat ze hem lang genoeg kende om al zijn glimlachjes te kennen, maar deze had ze nog nooit gezien. Het was een kleintje, bijna een grijns, maar zijn ogen deden net zo hard mee.

Om acht uur had hij haar thuis voor haar deur afgezet. Net als zij wist ook hij dat Harper en Brian binnen waren, dus ze ging ervan uit dat hij haar niet zou zoenen. Maar dat deed hij wel. Niet lang of diep, maar respectvol en voorzichtig. Dat was juist fijn.

Vóór Alex had Gemma met twee jongens gezoend. De ene keer was na een weddenschap toen ze net op de middelbare school zat en haar enige echte kus was met een vriendje met wie ze toen drie weken verkering had. Hij had haar zo woest gekust dat ze naderhand het gevoel had dat haar gezicht onder de blauwe plekken zat.

Alex' kussen waren het tegenovergestelde. Ze waren lief, volmaakt. Als ze eraan terugdacht, begon haar huid te tintelen.

Vreemd dat het haar niet eerder was opgevallen hoe geweldig Alex was. Had ze dat maar eerder gezien, dan hadden ze veel vaker zo fijn kunnen zoenen.

Zoals altijd reed Gemma over de kade naar de plek waar ze haar fiets het beste kon neerzetten. Toen ze Daniels boot *De Flie refluiter* passeerde, hoorde ze Led Zeppelin keihard uit de kajuit schallen. Als het stil was geweest, zou ze zijn afgestapt om hem nogmaals te bedanken voor zijn hulp, maar nu wilde ze hem niet storen.

Nog steeds begreep Gemma niet waarom Harper zo had staan schreeuwen tegen Daniel. Ze snapte niet wat ze tegen hem had. Oké, Daniel was dan misschien een nietsnut die zijn leven niet op orde had, maar dan kon hij toch nog wel een aardige jongen zijn?

Telkens wanneer Gemma naar de haven ging om haar vader zijn lunch te brengen, had Daniel haar vriendelijk gegroet. Toen de ketting een keer van haar fiets was gegaan, had hij geholpen hem er weer op te leggen.

Aan het einde van de kade zette ze haar fiets op slot en kleedde zich tot op haar badpak uit. Ze dook het water in en zwom de baai in.

Vanwege de festiviteiten van die middag waren er meer mensen op het strand en in de jachthaven dan normaal om deze tijd.

Om een beetje privacy te hebben moest Gemma een stuk verder zwemmen dan anders. Dat kwam eigenlijk heel goed uit, want zo kon ze haar trainingsachterstand een beetje inhalen.

Toen ze de mensen op het strand niet meer kon horen, liet ze zich op de rug uitdrijven, heen en weer dobberend op de lichte golfslag. Ze staarde omhoog naar de nachtelijke hemel, vol bewondering voor de schoonheid ervan. Ze begreep helemaal waarom Alex zo van sterren hield. Bijna net zoveel als zij van water hield.

Ze vroeg zich af of er iemand was die meer van zwemmen hield dan zij. Harper in elk geval niet. Ze durfde niet eens op haar rug te drijven, uit angst dat het getij haar mee zou voeren en ze voor altijd op zee zou moeten ronddobberen.

Die gedachte had Gemma nooit angst ingeboezemd. Integendeel. Voor haar was het eigenlijk meer een droom om op de golven te worden meegevoerd.

'*Gemma.*' Haar naam galmde door de lucht, als een lied.

Eerst dacht ze dat ze het zich verbeeldde en dat het een radio op het strand was, vermengd met het geluid van de golfslag. Maar toen hoorde ze het weer, alleen deze keer harder.

'*Gemma.*' Iemand zong haar naam.

Watertrappelend keek ze om zich heen waar de stem vandaan kwam. Dat was niet zo moeilijk, want nu zag ze pas dat ze zich door de stroming had laten meevoeren en nog maar een meter of zes van de inham verwijderd was. In het midden van de inham was een soort grot. Er brandde een vuur waar Penn, Lexi en Thea omheen zaten.

Hoewel ze er tijdens het zwemmen niet echt op had gelet, was ze er vrij zeker van dat er een paar minuten geleden nog geen vuur was geweest. En Penn, Lexi en Thea waren er al helemaal niet geweest.

De afgelopen dagen had Gemma hen iets te vaak gezien en als ze ook maar het vermoeden had gehad dat ze hier zouden zijn, was ze nooit zo ver de baai in gezwommen.

Thea zat op haar hurken naast het vuur. Haar schaduw tekende zich dreigend achter haar af. Penn danste sierlijk in het rond op muziek die alleen zij kon horen. Lexi stond zo dicht aan de kant dat het water tegen haar voeten opspatte.

Lexi was degene die haar naam riep. Het was eigenlijk geen roepen maar zingen. Ze zong op een manier zoals Gemma nog nooit iemand had horen zingen. Het was wonderschoon. Het klonk zoals Alex' kussen voelde, maar dan nog betoverender.

'Gemma,' zong Lexi weer. *'Kom, vermoeide reiziger. Ik leid je door de golven. Wees niet bang, arme reiziger, want mijn stem wijst je de weg.'*

Gemma bleef als verlamd in het water drijven. Lexi's lied hypnotiseerde haar. Het leek of ze was betoverd. Alle negatieve gevoelens die ze voor de meisjes had gehad verdwenen als sneeuw voor de zon. Het enige wat ze voelde was de schoonheid en de warmte van het lied, dat als kristalhelder water door haar heen stroomde.

'Gemma,' riep Penn. Haar stem klonk heel anders dan die van Lexi, maar had dezelfde verleidelijke toon. Ze hield op met dansen en ging naast Lexi staan. 'Waarom kom je niet naar ons toe? Het is hier zo leuk. Jij zult het vast ook leuk vinden.'

'Oké,' hoorde Gemma zichzelf zeggen.

In haar achterhoofd hoorde ze alarmbelletjes rinkelen, die direct overstemd werden toen Lexi weer begon te zingen. Gemma zwom naar hen toe. Het was geen keuze, ze werd naar de inham toe getrokken. Al haar angst was verdwenen.

Lexi strekte haar hand uit om haar op de rotsige kust te helpen. De inham was alleen via de baai te bereiken en toch waren alle drie de meisjes helemaal droog.

'Hier.' Penn had een shawl om zich heen, die van een goudkleurige, gaasachtige stof was gemaakt. Ze wikkelde hem om Gemma's schouders. 'Lekker warm.'

'Ik heb het helemaal niet koud,' zei Gemma, en dat was de waarheid. Het was sowieso een zwoele avond en het vuur zorgde ook voor warmte.

'Voelt het niet fijner als je iets om je heen hebt?' vroeg Lexi. Haar stem zoemde zacht in Gemma's oor.

Toen Lexi een arm om haar heen legde, liepen de rillingen over Gemma's rug. Ze wilde zich lostrekken, maar toen Lexi weer begon te zingen, smolt ze weg onder haar aanraking.

'Kom bij ons zitten.' Penn hield haar blik op Gemma gericht en liep achteruit in de richting van het vuur.

'Zijn jullie een feestje aan het vieren of zo?' vroeg Gemma. Omdat ze stokstijf bleef staan, pakte Lexi haar bij de hand en trok haar mee naar het vuur. Ze klommen over een grote rots naar Thea toe en daar duwde Lexi Gemma zachtjes omlaag zodat ze ging zitten.

Thea keek Gemma aan. In haar ogen weerkaatste het vuur, alsof het er rechtstreeks uit vlamde.

'Ja, we hebben iets te vieren,' zei Lexi lachend. Ze knielde naast Gemma neer.

'Wat dan?' vroeg Gemma.

'We houden een feestmaal,' antwoordde Penn, die aan de andere kant van het vuur stond. Zowel Lexi als Thea barstte in lachen uit, op een manier die Gemma deed denken aan een krassende kraai.

'Een feestmaal?' Gemma keek om zich heen maar zag nergens iets eetbaars. 'Waar dan?'

'Maak je geen zorgen,' stelde Lexi haar gerust.

'Straks is er nog genoeg tijd om te eten,' zei Thea met een glimlach.

Gemma had Thea nog niet eerder zoveel horen zeggen. Het viel haar op dat er iets mis was met haar stem. Thea maakte een raspend geluid, net zoals de actrice Kathleen Turner, die dezelfde schorre fluisterstem had. Het klonk niet onaantrekkelijk, maar tegelijkertijd was het ook niet helemaal in de haak.

Haar stem joeg angst aan en leek totaal niet op de honingzoete stemmetjes van Lexi en Penn.

'Nou, ik heb geen honger,' zei Gemma, waarop de meisjes weer in lachen uitbarstten.

'Wat ben je toch een mooie meid,' merkte Lexi ineens op toen ze uitgelachen was. Ze boog zich dichter naar haar toe en legde haar hand op haar been. 'Dat weet je zelf ook wel, hè?'

'Ik geloof het wel.' Gemma trok de shawl iets strakker om zich heen, dolblij dat ze iets had waarmee ze zich kon bedekken. Ze wist niet hoe ze Lexi's compliment moest opvatten, maar ze voelde zich zowel gevleid als verontrust.

'Je bent een dikke vis in een klein vijvertje, hè?' zei Penn die aan de andere kant van het vuur aan het ijsberen was. Ze hield haar blik strak op Gemma gericht.

'Hoe bedoel je?' vroeg Gemma.

'Je bent knap, slim, ambitieus en niet bang,' legde Penn uit. 'En dat allemaal in zo'n niksige badplaats als Capri. Een stadje dat van de kaart weggevaagd zou worden als er niet elke zomer een kudde luidruchtige toeristen op afkwam om de boel eens flink te verbouwen.'

'Buiten het seizoen is het hier best fijn wonen, hoor,' verdedigde Gemma haar woonplaats, maar zelfs in haar eigen oren klonk het zwakjes.

'Dat betwijfel ik,' schamperde Penn. 'Maar als het wel zo is, dan is deze baai veel te klein voor jou. Ik heb je in het water gezien. Je zwemt krachtig en sierlijk. Volgens mij ben je echt een doorzetter.'

'Dank je,' zei Gemma. 'Ik train heel veel. Ik wil graag naar de Olympische Spelen.'

'De Spelen stellen niets voor vergeleken bij wat jij kunt,' schimpte ze. 'Jij hebt een natuurlijke aanleg die zelden voorkomt. En geloof me, ik kan het weten. We hebben er lang naar gezocht.'

Gemma schrok zichtbaar van die eigenaardige opmerking. Om haar te sussen begon Lexi weer te zingen. Het was niet meer dan neuriën deze keer, maar het was genoeg om Gemma op haar plek op de rots te houden.

'Waarom hebben jullie me eigenlijk uitgenodigd?' vroeg Gemma nog steeds ongerust. 'En waarom wilden jullie laatst zo graag met me zwemmen?'

'Dat heb ik je daarnet verteld,' zei Penn. 'We vinden je bijzonder. Een geval apart.'

'Maar...' Gemma fronste haar voorhoofd. Er klopte iets niet, maar ze kon haar vinger er niet op leggen. 'Jullie zijn veel knapper dan ik. Jullie voldoen veel meer aan het beeld dat je daarnet van mij gaf. Waarom hebben jullie mij eigenlijk nodig?'

'Doe niet zo gek.' Penn wuifde met haar hand. 'Dat is echt grote onzin.'

'Maak je geen zorgen,' voegde Lexi eraan toe.

Terwijl Lexi sprak, verdween Gemma's ongerustheid als sneeuw voor de zon.

'We hebben je uitgenodigd om samen met jou lol te maken.' Penn glimlachte naar Gemma. 'We willen je graag leren kennen.'

'Wat wil je van me weten?' vroeg Gemma.

'Alles!' Penn spreidde haar armen uit. 'Vertel ons alles!'

'Alles?' Gemma wierp een onzekere blik op Lexi.

'Ja. Waarom zie je die sukkel bijvoorbeeld zo vaak?' vroeg Thea, die naast haar zat. 'Je kunt toch wel iets beters krijgen?'

Met een ruk draaide Gemma zich naar haar toe. 'Sukkel?' reageerde ze nijdig. 'Alex is een geweldige jongen. Hij is aardig en grappig en hij is lief voor me.'

'Als je er zo uitziet als wij, zijn alle jongens lief voor je,' wierp Thea tegen. Ze keek Gemma met een strakke blik aan. 'Je komt er vanzelf achter dat het niets te betekenen heeft. Jongens zijn gewoon oppervlakkig.'

'Dan ken je Alex nog niet,' zei Gemma. 'Hij is de meest oprechte jongen die ik ken.'

'Laten we het een andere keer over jongens hebben,' kwam Penn tussenbeide. 'Het is een veel te zwaar onderwerp voor vanavond. Lexi, zorg jij eens voor wat vrolijkheid.'

'Oké.' Lexi haalde een klein koperen flesje uit de zak van haar jurk. 'Laten we iets drinken.'

'Sorry, ik drink niet,' zei Gemma.

'We dachten dat je nergens bang voor was,' zei Thea om haar te provoceren. 'En nu durf je niet eens een klein borreltje te drinken?'

'Het is geen kwestie van durven,' snauwde Gemma. 'Maar ik word uit het zwemteam gegooid als ik betrapt word op het drinken van alcohol. Ik heb te hard getraind om dat te riskeren.'

'Je kunt hier toch niet betrapt worden,' stelde Penn haar gerust.

'Gaan jullie je gang maar,' zei Gemma. 'Het is meer iets voor jullie.'

'Gemma,' zei Lexi. Haar stem had weer dat zangerige. Ze hield haar het flesje voor. 'Drink.'

Gemma aarzelde even, maar had uiteindelijk geen keus. Haar lichaam boog zich automatisch naar Lexi. Ze nam de fles van haar aan, schroefde de dop eraf en zette hem aan haar mond. Het ging allemaal net zo vanzelf als ademhalen. Gedachteloze bewegingen waar ze geen controle over leek te hebben.

Het was een stroperig drankje met een bittere, zoute smaak. Het brandde bijna net zo erg in haar keel als de wasabi waarvan ze laatst te veel had gegeten. Ze moest er bijna van kokhalzen.

'Bah, wat smerig!' zei Gemma kuchend. Ze veegde haar mond af. 'Wat is het eigenlijk?'

'Mijn speciale cocktail,' zei Penn glimlachend.

Gemma hield de fles vol weerzin van zich af, waarop Thea hem uit haar handen griste. Ze gooide haar hoofd in haar nek en nam een paar flinke slokken. Alleen al Thea zo te zien drinken zorgde ervoor dat Gemma echt moest overgeven.

Penn slaakte een kreet en gaf Thea een klap in haar gezicht, waardoor de fles door de lucht vloog. De donkerrode vloeistof spatte tegen de wanden van de grot, maar Penn vond het kennelijk niet zonde van het drankje.

'Dat is niet voor jou! Dat weet je best.'

'Ik had het nodig!' beet Thea haar toe. Met haar hand veegde ze haar mond af en likte vervolgens haar hand af om geen druppel verloren te laten gaan. Even was Gemma bang dat Thea over de grond zou kruipen om elke druppel op te likken.

'Wat was het nou?' vroeg Gemma. Ze begon al een beetje te lallen. De inham leek ineens naar één kant over te hellen en ze moest Lexi vastgrijpen om niet om te vallen. Alles begon te draaien. Ze hoorde Penn praten, maar haar stem klonk alsof ze onder water was.

'Dat is niet...' bracht Gemma hortend uit. 'Wat heb je gedaan?'

'Het komt goed,' zei Lexi. Om haar te troosten sloeg ze een arm om haar heen.

Gemma kwam overeind, duwde Lexi's arm van zich af en viel bijna voorover in het vuur. Penn pakte haar net op tijd vast. Gemma probeerde haar van zich af te duwen, maar ze had de kracht er niet meer voor. Alle energie leek uit haar lichaam weggesijpeld en ze kon haar ogen niet openhouden. Alles om haar heen werd zwart.

'Later zal je ons hier dankbaar voor zijn,' fluisterde Penn in haar oor. Het was het laatste wat Gemma hoorde.

9

Vermist

'Waar is je zus?' Brian had Harpers slaapkamerdeur met zoveel kracht opengegooid dat de deurklink tegen de muur sloeg.

'Wat?' Harper draaide zich in bed om, wreef in haar ogen en keek haar vader aan. 'Waar heb je het over? Hoe laat is het?'

'Ik ben net op. Gemma is er niet.'

'Heb je op haar kamer gekeken?' vroeg Harper slaapdronken.

'Nee, Harper, het leek me beter om eerst op jouw kamer te kijken,' snauwde Brian.

'Sorry, pap. Ik ben ook net wakker.' Ze kwam overeind en zwaaide haar voeten over de rand van het bed. 'Ze is gisteravond gaan zwemmen. Misschien is ze de tijd vergeten.'

'Tot vijf uur 's morgens?' vroeg Brian. Zijn stem klonk ongerust.

Harper wist dat hij terugdacht aan het verkeersongeluk. Toen was ze met haar moeder 's avonds op weg naar een pizzafeestje en had Brian pas weer van hen gehoord toen het ziekenhuis de volgende morgen belde met het bericht dat zijn vrouw in coma lag.

'Er is niks aan de hand,' zei Harper haastig om haar vader gerust te stellen. 'Ze is vast iets anders gaan doen. Je weet hoe Gemma is.'

'Ja, daarom maak ik me ook zo'n zorgen.'

'Dat is niet nodig,' probeerde Harper haar vader te sussen. Ze haalde een hand door haar warrige haren. 'Ik weet zeker dat Alex bij haar is. Ze ligt vast ergens op het strand te slapen.'

'Denk je dat ik minder ongerust ben als ik weet dat Alex bij haar is?' vroeg Brian, maar toch leek hij iets te kalmeren. Ze kon inderdaad beter ergens met een jongen zijn dan gewond of dood.

'Ze is oké,' herhaalde Harper. 'Je kunt rustig naar je werk gaan. Ik ga haar zoeken.'

'Ik kan toch niet gaan werken als mijn dochter spoorloos verdwenen is?' zei Brian.

'Ze is niet spoorloos verdwenen,' hield Harper vol. 'Ze is gewoon de tijd vergeten. Het komt allemaal goed.'

'Ik ga haar met de auto zoeken,' zei Brian terwijl hij de kamer uit liep.

'Pap, je kunt niet van je werk wegblijven. Je hebt al zoveel dagen gemist toen je je in februari in je arm had gesneden. Straks raak je je baan nog kwijt.'

'Maar...' Brians stem stierf weg. Hij wist dat ze gelijk had.

'Ik weet zeker dat Gemma niets mankeert,' zei Harper. 'Ze kan elk moment thuiskomen. Ga nou maar werken. Laat mij naar haar op zoek gaan en als ik haar binnen twee uur niet heb gevonden, kom ik je ophalen. Oké?'

Besluiteloos stond Brian in de deuropening van Harpers kamer. Hij zag er mager en bleek uit. Harper had gelijk. Hij kon onmogelijk zijn baan en de zorg voor zijn gezin op het spel zetten, alleen maar omdat Gemma niet op tijd was thuisgekomen.

'Goed dan,' zei hij tussen samengeknepen lippen. 'Ik hoop dat je haar vindt. Maar als je haar om zeven uur nog niet hebt gevonden, kom je me halen. Oké?'

Harper knikte. 'Doe ik. En ik bel je zodra ik haar heb gevonden.'

Toen haar vader de kamer uit was, kwam Harpers eigen angst pas boven. Ze had Brian niet onnodig ongerust willen maken, maar dat betekende niet dat ze zelf niet bang was. Het was niets voor Gemma om niet op de afgesproken tijd thuis te komen. Ze rekte de regels graag een beetje op, maar schond ze zelden.

Ze trok de gordijnen open en keek naar Alex' huis. Zijn auto stond op de oprit, dus hij was niet met Gemma op pad. Haastig griste ze haar telefoon van het nachtkastje en toetste zijn nummer in.

Nadat hij vijf keer was overgegaan, nam Alex op. 'Hallo,' zei hij met slaperige stem.

'Is Gemma bij jou?' viel Harper met de deur in huis. Ze ijsbeerde door haar kamer.

'Hè?' vroeg Alex. Zijn stem werd ineens helderder. 'Ben jij dat, Harper? Wat is er aan de hand?'

'Niets.' Ze haalde diep adem om de paniek in haar stem onder controle te brengen. Ze wilde hem niet ook bang maken. 'Ik wil alleen weten of Gemma bij jou is.'

'Nee,' antwoordde Alex.

Door het raam zag Harper dat het licht op Alex' kamer aanging.

'Ik heb haar niet meer gezien of gesproken sinds ik haar gisteravond bij jullie voor de deur heb afgezet. Is er iets?'

Harper hield de telefoon iets verder van haar mond vandaan en vloekte zachtjes. Ze had kunnen weten dat Alex nooit een hele nacht met Gemma weg zou blijven. Als hij al met haar op pad was gegaan, zou hij erop gestaan hebben dat ze op tijd naar huis ging. Niet alleen omdat dat het verstandigste was, maar ook omdat hij niet wilde dat Harper of Brian boos zou worden.

'Ja... Nou, nee. Er is vast niks aan de hand,' antwoordde Harper haastig. 'Maar nu moet ik gaan.'

'Hé, wacht. Wat is er precies aan de hand? Waar is Gemma?'

'Dat weet ik niet. Daarom moet ik nu ophangen. Ik ga haar zoeken.'

'Ik ga met je mee,' bood Alex aan. 'Ik schiet wat kleren aan en kom naar buiten.'

'Nee, blijf jij nou maar hier voor het geval ze terugkomt. Hou ons huis maar een beetje in de gaten.'

'Meen je dat?'

'Ja.' Harper zuchtte. 'Laat me weten als ze contact met je opneemt.'

'Doe ik. En als je haar gevonden hebt, vraag dan of ze me belt. Oké?'

'Oké.' Zonder te wachten of hij nog meer te zeggen had, hing Harper op. Ze wist waar ze moest zoeken en de gedachte alleen al deed haar maag ineenkrimpen. Gemma was 's nachts alleen in de baai gaan zwemmen en niet teruggekeerd.

Ze schoot snel haar kleren aan en op haar slippers holde ze de trap af. Ze rende keihard in de hoop dat ze op die manier niet hoefde na te denken over de vreselijke dingen die er met Gemma gebeurd konden zijn. Verdronken. Ontvoerd. Vermoord. Of wie weet was ze door een haai aangevallen.

'Weet je al meer?' riep Brian vanuit de badkamer. Hij had Harper naar beneden horen stormen.

'Nog niet,' riep Harper naar boven. Ze griste haar autosleutels van het rekje bij de deur. 'Ik ben weg. Ik bel je straks.' Ze rende naar haar auto.

Toen ze even later door de stad racete, probeerde ze zo veel mogelijk om zich heen te kijken. Gemma kon natuurlijk op weg naar de baai gewond zijn geraakt, maar het zware angstgevoel in haar maag wees op iets anders, iets veel ergers.

Harper reed naar de haven omdat ze wist dat Gemma haar fiets daar altijd op de afgesleten houten plankieren neerzette. Ze bad inwendig dat de fiets er niet zou staan, want dat zou betekenen dat Gemma niet in de baai was gaan zwemmen en dus ergens anders naartoe was gegaan.

De moed zonk haar in de schoenen toen ze de fiets, compleet met rugzak, keurig afgesloten zag staan. Ze moest dus de hele nacht in het water zijn geweest.

Tenzij...

Harper draaide zich om. Een paar meter van de fiets vandaan lag *De Flierefluiter* aangemeerd.

'Daniel!' riep Harper. Ze rende naar de boot toe. 'Daniel!' Ze greep de reling vast en probeerde aan boord te klimmen.

'Harper!' Daniel had de deur van de kajuit opengemaakt en kwam naar buiten terwijl hij zijn haastig aangeschoten jeans dichtknoopte.

Daniels boot lag iets te ver van de kade af, zodat Harper er niet in slaagde over de reling te klimmen. Haar voet gleed uit en een van haar slippers plonsde in het water. Als Daniel haar niet snel bij de arm had gegrepen, was ze er zelf ook in gevallen.

Met één arm stevig om haar schouders tilde hij haar op en zette haar op het dek. Ze voelde de warme huid van zijn blote borst. Ze huiverde even, niet alleen van de kou maar ook van ongerustheid.

'Wat doe je hier?' vroeg Daniel nadat hij haar had losgelaten.

'Is Gemma bij jou?' vroeg Harper. Aan de verbaasde uitdrukking op zijn gezicht kon ze het antwoord al aflezen.

Hij schudde zijn hoofd. 'Nee,' zei hij. Er verscheen een ongeruste blik in zijn ogen. 'Waarom zou ze hier moeten zijn?'

'Ze is vannacht niet thuisgekomen en...' Harper wees naar de afgesloten fiets op de kade. 'Haar fiets staat hier nog en over twee uur moet ze naar de zwemtraining. Gemma zal nooit een training overslaan.' Haar maag kromp ineen van angst. 'Er is iets helemaal mis.'

'Ik help je met zoeken,' zei Daniel. 'Wacht even, dan pak ik even een t-shirt en mijn schoenen.'

'Nee,' zei Harper. Ze stond te trillen op haar benen. 'Ik heb geen tijd om te wachten.'

'Je ben helemaal over je toeren. Je hebt iemand nodig die rustig en helder kan denken. Ik ga met je mee.'

Even overwoog Harper om hem tegen te spreken, maar ze kon alleen maar ja knikken. Een gevoel van paniek begon zich van haar meester te maken en ze slaagde er nauwelijks in om haar tranen te bedwingen. Ze had inderdaad iemand nodig die rustig kon nadenken.

Daniel ging de kajuit in en kwam een minuut later weer boven. Een minuut die voor Harper uren leek te duren. Uren die ze starend over de donkere zee had doorgebracht, zich afvragend of Gemma's lichaam daar ergens ronddreef.

'Kom,' zei hij terwijl hij een shirt over zijn hoofd trok. 'We gaan.' Hij sprong als eerste op de kant en stak vervolgens zijn hand naar Harper uit om haar van de boot te helpen. Ze protesteerde toen hij haar slipper uit het water wilde vissen, maar Daniel vond dat ze op één slipper niet snel genoeg kon lopen.

'Waar wil je zoeken?' vroeg hij toen ze de kade af liepen.

'Laten we eerst op het strand gaan kijken.' Ze slikte moeizaam, zich ervan bewust wat ze eigenlijk suggereerde. 'Misschien is ze aangespoeld...'

'Heeft ze een favoriete plek?' vroeg Daniel. 'Misschien was ze te moe om naar huis te fietsen en is ze daar gaan uitrusten.'

'Ik had gehoopt dat ze naar je boot zou zijn gegaan. Ze vertrouwt je. Maar nu weet ik het niet meer. Ik kan me niet voorstellen dat ze de hele nacht in het water heeft rondgezwommen.' Ze snotterde een beetje en wreef over haar voorhoofd. 'Ik zie alleen maar doemscenario's voor me. Ze heeft geen enkele reden om zo lang weg te blijven. Er moet iets naars zijn gebeurd.'

'Hé.' Daniel raakte even haar arm aan en toen Harper vertwijfeld naar hem opkeek, zei hij geruststellend: 'We vinden haar wel, oké? Niet meteen het allerergste denken, maar probeer te bedenken waar ze naartoe kan zijn gegaan.'

'Ik weet het niet,' zei Harper wanhopig. Ze wendde haar blik van hem af en keek naar de baai. 'Ze kwam hier graag 's nachts zwemmen. Vaak ging ze nog verder dan die rots daarginds.' Ze wees naar een grote rots die aan de andere kant van de baai uit het water stak. Dezelfde rots waar Gemma laatst met Alex naartoe gezwommen was. Harper had ook een paar keer met Gemma een wedstrijdje gedaan, waarbij haar zusje steeds als eerste de rots aantikte.

'Dus ze is vaker aan de andere kant te vinden?' vroeg Daniel.

'Eigenlijk wel,' gaf ze toe.' Het is daar lekker rustig. Dat vindt Gemma fijn. Vanwege de rotsen komen er niet zoveel boten en toeristen.'

'Dus als ze ergens wilde gaan uitrusten, is het op die plek?'

'Ja,' zei ze geestdriftig omdat ze begreep waar hij op doelde. 'Als ze met de auto gaat, parkeert ze hem daarginds, bij het cipressenbos.'

Omdat je er met de auto sneller was dan te voet, rende Harper naar haar auto, op de voet gevolgd door Daniel. Harper reed zo hard als ze kon om de baai heen. Ze negeerde een paar stopborden en nam de bochten af en toe zo ruim dat ze over het gras reed.

Eenmaal op de plek van bestemming aangekomen was ze dolblij dat Daniel haar slipper uit het water had gevist. Het strand aan deze kant van de baai was namelijk bedekt met scherpe stenen, zodat ze er op blote voeten onmogelijk overheen had gekund. Zij tenminste niet, maar Gemma zou zich door een paar steentjes niet uit het veld hebben laten slaan.

Voorbij de cipressen aan de waterkant hadden ze goed zicht op de hele kustlijn tot aan de inham. David wees op een donkere bult verderop. 'Wat is dat?' vroeg hij.

Harper nam niet eens de tijd om te antwoorden. Ze zette het op een lopen en struikelde een paar keer over een steen, waarbij ze een snee in haar knie opliep. Bij het zwarte ding aangekomen was er geen twijfel meer mogelijk. Op de grond lag haar zusje, op haar rug en verstrikt in iets wat op een goudkleurig visnet leek.

'Gemma!' schreeuwde Harper.

Maar Gemma gaf geen antwoord.

10

Kater

'Gemma!' schreeuwde Harper terwijl ze op haar knieën naast haar zus neerviel. Dat de stenen in haar huid prikten merkte ze niet eens. 'Gemma, word wakker!'

'Leeft ze nog?' vroeg Daniel. Hij stond achter Harper.

Het zag er niet goed uit. De kleur was uit Gemma's gezicht verdwenen en haar armen waren bedekt met blauwe plekken en schrammen. Op haar slaap zat opgedroogd bloed. Haar lippen waren droog en gebarsten en er zaten slierten zeewier in haar haren.

Plotseling kreunde Gemma en draaide haar hoofd opzij.

'Gemma,' zei Harper opgelucht. Ze streek het haar van Gemma's voorhoofd en zag dat ze met haar ogen knipperde.

'Harper?' vroeg Gemma. Haar stem klonk schor.

'Godzijdank,' verzuchtte Harper terwijl tranen van opluchting over haar wangen rolden. 'Wat is er gebeurd?'

'Weet ik niet.' Met een van pijn vertrokken gezicht probeerde ze overeind te komen op de rotsachtige bodem. Toen ze bijna omviel, legde Daniel zijn arm onder haar benen en tilde haar op. Gemma probeerde zich aan hem vast te klampen maar haar armen zaten te zeer verstrikt in het net.

'Laten we haar snel naar de auto brengen,' stelde Harper voor. Daniel knikte.

Nu het besef dat Gemma nog leefde langzaam tot Harper doordrong, had ze haar het liefst meteen aan een kruisverhoor onderworpen, maar daarvoor was ze nog te zwak en te verward. Harpers auto stond gelukkig vlakbij in de berm. Daniel zette Gemma neer op het gras en toen het haar lukte om rechtop te blijven staan, bevrijdde hij haar samen met Harper van het gaasachtige doek waarin ze gevangenzat.

'Wat is dit eigenlijk?' vroeg Harper. 'Ben je soms in een visnet gezwommen?'

'Dat is geen net,' zei Daniel. Hij liet zijn handen bewonderend over het bijzondere weefsel gaan. 'Het ziet er tenminste niet zo uit.'

'Klopt,' zei Gemma. 'Het is geen net.' Ze legde haar hand op de auto om haar evenwicht te hervinden. 'Het is een soort shawl.'

'Wat?' vroeg Harper. 'Hoe kom je daaraan?'

Gemma trok haar gezicht in een grimas. 'Hij is van Penn,' zei ze ten slotte met tegenzin.

'Penn?' barstte Harper uit. 'Wat had je bij Penn te zoeken?'

'Je kunt beter bij die meiden uit de buurt blijven,' zei Daniel streng. 'Je weet toch... Er is iets niet in de haak met die meiden.'

'Dat weet ik ook wel, hoor,' mompelde Gemma.

'Wat had je dan bij hen te zoeken?' wilde Harper weten. 'Wat heb je de hele nacht uitgespookt?'

'Mag ik daar later op antwoorden?' smeekte Gemma. 'Ik heb knallende hoofdpijn. Mijn hele lijf is bont en blauw. En ik heb ontzettende dorst.'

'Zullen we niet even langs het ziekenhuis gaan?' vroeg Harper.

Gemma schudde haar hoofd. 'Nee, ik voel me verder goed. Ik wil gewoon naar huis.'

'Als je je goed voelt, kun je ook wel vertellen wat er is gebeurd.' Harper sloeg haar armen over elkaar.

'Toen ik gisteravond ging zwemmen...' Gemma's stem stierf weg. Ze staarde naar de zon die boven de baai opkwam, alsof het haar moeite kostte om haar geheugen aan het werk te zetten. 'Bij

de inham in de grot zag ik Penn, Lexi en Thea. Ze waren aan het...
eh... feesten.'

'Feesten?' herhaalde Harper. Haar mond viel open van verbazing. 'Heb je gisteravond met die meiden gefeest?'

'Ja,' klonk het onzeker. 'Ik bedoel... eh... ik geloof het wel.'

'Hoezo?' vroeg Harper door.

'Ze nodigden me uit om erbij te komen. Ik heb maar één drankje gehad, maar dat was wel heel sterk spul. Ik heb er echt maar eentje van gehad. Ik zweer het.'

'Heb je gedronken?' Harper sperde haar ogen open. 'Gemma! Daarvoor kun je uit het zwemteam gezet worden. Je training begint trouwens over een uur. In deze toestand kun je daar natuurlijk niet naartoe. Hoe kun je zo stom zijn geweest.'

'Ik kon er niks aan doen,' schreeuwde Gemma. 'Je weet helemaal niet wat er is gebeurd. Ik weet alleen dat ik een drankje heb gehad en ineens werd ik wakker op de rotsen. Ik weet niet wat er is gebeurd. Sorry.'

'Stap in,' zei Harper met opeengeklemde kaken. Ze was zo kwaad dat ze niet eens meer kon schreeuwen.

'Het spijt me echt,' herhaalde Gemma.

'Stap in,' beet Harper haar toe. Daniel deinsde achteruit.

'Bedankt voor je hulp,' mompelde Gemma tegen Daniel. Vervolgens staarde ze naar haar voeten.

'Geen dank,' zei hij.

Gemma probeerde het portier open te trekken maar viel bijna om.

Daniel schoot haar te hulp en hield het portier voor haar open. 'Zorg dat je genoeg drinkt. Een kater is heel vervelend, maar het gaat vanzelf over.'

Gemma glimlachte zwakjes en stapte in. Toen ze eenmaal zat, sloot hij het portier en richtte zich tot Harper, die nog steeds met haar armen over elkaar en een boze blik naar haar zus keek. Maar toen ze Daniels blik opving, keek ze hem schaapachtig aan. 'Sorry dat ik je helemaal hiernaartoe heb gesleept om mijn dronken zus op te pikken. Ik had je er niet mee lastig moeten vallen.'

'Geen probleem,' zei Daniel grijnzend. 'Ik bedacht net hoe vervelend het is om pas ná zonsopkomst wakker te worden.'

'Sorry,' verontschuldigde Harper zich weer. 'Ga maar gauw terug naar bed.'

Hij knikte. 'Oké,' zei hij en zette een stap achteruit. 'Pak haar niet te hard aan. Ze is nog maar een kind. Kinderen maken soms fouten.'

'Nou, ik niet.' Harper liep naar de andere kant van de auto en maakte het portier aan de chauffeurskant open.

'O nee?' Hij trok zijn wenkbrauwen op. 'Heb jij nooit fouten gemaakt?'

'Niet zulke fouten.' Ze gebaarde naar Gemma die met haar voorhoofd tegen het glas gedrukt in de auto zat. 'Ik ben nooit een hele nacht van huis weggebleven of dronken geweest. En ik heb me misschien één keer voor school verslapen.'

'Wauw,' zei Daniel meesmuilend. 'Dat klinkt eigenlijk een beetje zielig. Ik bedoel, fijn voor je dat je nooit dronken bent geweest, maar een leven zonder ook maar één fout? Dat lijkt me ontzettend saai.'

'Ik heb het heus wel naar mijn zin gehad, hoor,' reageerde Harper nijdig. Toen ze Gemma in de auto hoorde kreunen, brak ze de discussie af. 'Ik moet nu echt gaan.'

'Ja, natuurlijk.' Hij stak even zijn hand op. 'Ik zal je niet van je plicht afhouden.'

'Dank je,' zei ze met een glimlach.

Zodra ze in de auto zat, was de glimlach en het lichte geluksgevoel verdwenen. De opluchting omdat haar zus ongedeerd was teruggevonden maakte plaats voor regelrechte woede.

'Hoe haal je het in je hoofd?' zei Harper toen ze wegreed. 'Papa had bijna zijn werk afgezegd om je te zoeken. Hij had door jou zijn baan wel kunnen verliezen.'

'Het spijt me.' Gemma kneep haar ogen dicht en wreef over haar voorhoofd, in de hoop dat Harper zou ophouden met praten.

'Spijt hebben is iets te makkelijk, Gemma,' riep Harper uit. 'Je had wel dood kunnen zijn. Begrijp je dat? Je was er bijna geweest. Het is een wonder dat je nog leeft. Wat heeft je bezield? Hoe heb je dit kunnen doen?'

'Dat weet ik niet.' Gemma tilde haar hoofd iets op. 'Hoe vaak moet ik je nog zeggen dat ik het niet weet.'

'Net zo vaak tot ik er iets van begin te snappen,' beet Harper haar toe. 'Normaal ben je zo niet. Je hebt een hekel aan die meiden en bovendien hou je niet van drank. Wat had je bij ze te zoeken? Waarom zou je jezelf in gevaar brengen voor mensen aan wie je een hekel hebt?'

'Ik kan me niets herinneren van gisteravond,' snauwde Gemma. 'Al vraag je het honderd keer, ik weet het antwoord gewoon niet. Alles wat ik weet heb ik je al verteld.'

'Jij krijgt huisarrest, dame. Reken daar maar op,' zei Harper dreigend. 'Je mag nooit meer 's avonds naar de baai. Je mag blij zijn als je van papa overdag nog de deur uit mag.'

'Ik weet het,' zei Gemma met een zucht. Weer leunde ze met haar hoofd tegen het raampje.

'Alex was trouwens doodongerust,' vervolgde Harper.

Gemma keek haar zus aan. 'O ja?' Ze klaarde ineens een beetje op. 'Hoe wist hij dat ik weg was?'

'Van mij. Ik heb hem gesproken om te zien of je bij hem was. Als we thuis zijn, moet je hem direct bellen.'

'Hmm.' Gemma sloot haar ogen. 'Bel jij hem maar. Ik heb niet zo'n zin om te praten.'

Harper wierp een bezorgde blik op haar zus. Als Gemma niet eens zin had om met Alex te praten, moest ze zich wel heel beroerd voelen.

'Zal ik toch maar langs het ziekenhuis rijden?' vroeg ze.

'Nee, dat hoeft niet. Ik heb gewoon een kater en een paar blauwe plekken. Verder is er niks aan de hand.'

'Misschien moet je een paar röntgenfoto's laten maken,' zei Harper. 'Die blauwe plekken kunnen ernstiger zijn dan ze lijken.

Je weet niet eens hoe je ze hebt opgelopen.'

'Ik mankeer niks,' hield Gemma vol. 'Breng me maar gauw naar huis. Ik wil alleen maar slapen.'

Hoewel Harper er niet gelukkig mee was, had Gemma waarschijnlijk gelijk. Nu ze heel even uiting had kunnen geven aan haar woede, besloot ze zich verder te beheersen. Als Gemma zich niet lekker voelde, zou ze het met haar geschreeuw alleen maar erger maken. Op dit moment had ze haar zorg nodig.

Eenmaal thuis ging Gemma meteen naar de keuken en vulde een glas met water uit de kraan. Ze dronk het ene glas na het andere, zo gulzig dat het water langs haar kin droop.

'Moeten we echt niet even naar de dokter?' vroeg Harper ongerust.

Gemma schudde haar hoofd en veegde met de rug van haar hand haar mond af. 'Ik heb alleen enorme dorst. Het gaat alweer beter.' Ze zette het glas op het aanrecht en glimlachte geforceerd.

'Ga maar zitten. Dan zal ik je even schoonmaken.'

Gemma trok een keukenstoel naar zich toe en installeerde zich terwijl Harper naar boven rende om een nat washandje, een desinfecterend middel en verband te halen. Daarmee ging ze op haar knieën voor Gemma zitten en bekeek de schrammen en sneeën.

Gelukkig waren het allemaal oppervlakkige verwondingen, maar pijnlijk waren ze des te meer. Toen Harper een snee in haar dijbeen met het washandje aanraakte, kromp Gemma ineen. Harper verontschuldigde zich en probeerde de wond nog voorzichtiger schoon te maken.

'Weet je echt niet hoe dit allemaal gebeurd is?' Ze keek vragend naar Gemma op.

'Nee.'

'Dus je weet niet wie je zo heeft toegetakeld?' vroeg Harper, waarop Gemma haar hoofd schudde. 'Misschien waren het die meiden wel. Misschien heeft Penn je mishandeld. In elk geval hebben ze je wel voor dood achtergelaten op het strand en jij weet niet waarom.' Alleen al de gedachte maakte haar zo boos dat ze niet in de gaten had dat ze te hard over Gemma's wonden wreef.

'Au!' Gemma grimaste en trok haar been terug.

'Sorry,' zei Harper terwijl ze de pleisters pakte. Heel voorzichtig plakte ze een pleister op Gemma's been. 'Moeten we geen aangifte bij de politie doen?'

'Wat moeten we dan zeggen? Dat ik per ongeluk te veel gedronken heb en niet meer weet wat er is gebeurd?' vroeg Gemma op vermoeide toon.

'Eh...' Harper haalde haar schouders op. 'Ik weet het niet. We moeten iets doen, vind ik.'

'Je doet al genoeg,' probeerde Gemma haar gerust te stellen. 'En nu wil ik alleen nog maar slapen.'

'Wil je niet eerst even douchen?' vroeg Harper.

'Straks als ik wakker word.' Gemma greep de rand van de tafel vast en kwam voorzichtig overeind. Haar haren waren plakkerig van het zout en het zand. In het voorbijgaan plukte Harper er een sliertje zeewier uit.

Op de voet gevolgd door haar zus liep Gemma langzaam de trap op. Op haar kamer trok ze alleen schoon ondergoed en een t-shirt aan en kroop onder de dekens.

Nadat Harper haar lekker had ingestopt, ging ze naar haar kamer om een paar telefoontjes te plegen. Ze hield zowel de deur van Gemma's kamer als haar eigen kamerdeur open, zodat ze een oogje in het zeil kon houden.

Eerst belde ze haar vader. Net zoals zijzelf was hij eerst dolblij omdat Gemma ongedeerd was, maar het volgende moment woedend toen hij hoorde wat er was gebeurd. Zo boos had Harper haar vader in geen tijden meegemaakt.

De andere telefoontjes kostten minder tijd. Ze gaf aan Alex door dat Gemma veilig thuis was en vervolgens belde ze de trainer om te zeggen dat ze niet naar de training kwam. Daarna belde ze de bibliotheek om zichzelf voor de rest van de dag af te melden. Ook al had Gemma alleen maar een kater, ze wilde haar zus liever niet alleen laten.

In de gang, vlak voor Gemma's deur, ging Harper op de grond zitten. Daarvandaan kon ze haar in bed zien liggen. Gemma lag met haar rug naar haar toe en het dunne laken dat over haar heen lag bewoog met elke ademhaling omhoog en omlaag.

Ook als Gemma niet ziek was geweest, was Harper waarschijnlijk evenmin naar haar werk gegaan. Nu ze besefte dat ze haar zusje bijna kwijt was geweest, vond ze het moeilijk haar alleen te laten.

De zorg voor alles en iedereen – haar vader, Gemma en het huishouden – werd haar soms te veel. Dan vergat ze dat ze ook nog van haar zusje hield. Maar een leven zonder Gemma kon ze zich niet voorstellen.

II

Uitgehongerd

Toen de kater laat in de middag eindelijk was gezakt, werd Gemma wakker. Haar hoofd was weer helder. Ze had heel bizar gedroomd, maar eenmaal wakker was ze de droom alweer vergeten. Een naar, vies gevoel was het enige wat ze eraan had overgehouden.

Harper omringde haar met zorg, waardoor Gemma zich nog schuldiger voelde. Haar vader en zus hadden zich vreselijke zorgen gemaakt, terwijl het nooit haar bedoeling was geweest om hun vertrouwen te beschamen. Behalve dat ze door haar actie de rest van de zomer huisarrest zou hebben en haar zwemuitstapjes in de baai wel kon vergeten, had ze de twee mensen van wie ze het meest hield ook nog eens de stuipen op het lijf gejaagd.

Het ergste was dat ze niet wist waarom ze dat had gedaan.

Vanaf het moment dat ze uit de fles had gedronken, kon ze zich niets meer herinneren. Tot het moment dat Harper haar de volgende morgen op het strand had gevonden was alles in duisternis gehuld. Maar ook voordat ze uit de fles had gedronken, waren haar herinneringen verward en wazig.

Ze wist nog dat ze naar de inham was gezwommen. Ze zag de beelden in haar hoofd terug alsof het om iemand anders ging. Zíj maakte de zwembewegingen, maar toch was ze het niet.

Het was ook niet haar beslissing geweest om naar de inham te gaan waar Penn en haar vriendinnen waren. Bovendien dronk ze nooit, en al helemaal niet als ze er door een meisje als Lexi toe aangezet werd. Ze herinnerde het zich wel, maar weer alsof het om iemand anders ging. Zelf zou ze zoiets nooit doen.

En toch was het gebeurd. Hoe kon het anders dat ze met een kater op het strand was aangespoeld?

Niet dat alles wat er die avond was gebeurd aan de drank te wijten viel. Voordat ze uit de fles had gedronken, was het ook al een beetje een rare warboel geweest. Ook vond ze het vreemd dat het drankje zo stroperig was. Het had de dikte van honing, maar het smaakte heel anders.

Misschien waren de gebeurtenissen helemaal niet aan de alcohol te wijten. Maar wat was er dan aan de hand geweest? Zouden ze er drugs of vergif in hebben gedaan? Of was het een toverdrankje? Het zou haar niets verbazen wanneer Penn een heks zou blijken te zijn.

Hoe dan ook, er was haar iets toegediend en ze zou er waarschijnlijk nooit achter komen wat het was en waarom. Eigenlijk deed het er ook niet toe. Ze hadden haar iets gegeven en ze wist niet waarom. Maar het allerergste was dat ze niet wist wat er daarna was gebeurd. Waarschijnlijk hadden ze haar bewusteloos in zee gegooid en had ze in de val een rots geraakt. Vandaar al die schrammen op haar lijf.

Of toch niet? Als ze bewusteloos in het water was gegooid, zou ze verdronken moeten zijn. Of richting open zee moeten zijn afgedreven. Hoe kon ze met alleen maar wat schrammen en blauwe plekken op het strand zijn aangespoeld? Het was een wonder dat ze nog leefde.

Haar gedachten werden ruw verstoord door Harper die haar kamer binnenkwam.

'Shit,' zei ze. 'Ik werd net gebeld door Marcy. De computer in de bibliotheek schijnt te zijn gecrasht en ik moet haar helpen.'

Gemma kwam overeind. Ze voelde zich veel beter dan vanochtend. De pijn was weg en de huid rondom haar verwondingen was veel minder rood en gezwollen. Ze voelde zich nog wel plakkerig en vies, maar voor de rest ging het alweer best aardig.

'Red jij je hier alleen? Ik ben over een uurtje terug.'

'Ja, hoor,' zei Gemma. 'Ik denk dat ik zo ga douchen. Ga jij je gang nu maar.'

'Oké dan,' reageerde Harper, maar ze beet op haar lip en bleef aarzelend staan. 'Ik heb mijn telefoon bij me, dus als er iets is, bel je me. Doen, hoor.'

Gemma knikte. 'Oké. Maar ik red me heus wel, hoor.'

Nadat Harper was vertrokken, ging er een golf van opluchting door Gemma heen. Met haar zus om zich heen die alsmaar op haar huid zat en telkens vragen stelde over wat er was gebeurd, voelde ze zich nog schuldiger en kon ze bovendien niet rustig nadenken.

Natuurlijk bedoelde ze het goed. Dat wist Gemma ook wel. Per slot van rekening had ze het aan zichzelf te danken dat Harper overdreven bezorgd was. Maar af en toe had ze gewoon wat meer ruimte nodig.

Na het auto-ongeluk was Harpers houding ten opzichte van Gemma veranderd. Ze was zich extra verantwoordelijk voor Gemma gaan voelen.

In het begin had Gemma er geen problemen mee gehad. Ze vond het eigenlijk wel fijn. In de periode dat haar moeder in coma lag, had ze zich totaal verloren gevoeld. Achteraf begreep ze dat ze altijd een moederskindje was geweest en als Harper zich niet over haar had ontfermd, zou ze er waarschijnlijk aan onderdoor zijn gegaan.

Maar na verloop van tijd begon ze zich steeds sterker te voelen. Ze kreeg steeds meer plezier in het zwemmen. Ze was altijd al een waterrat geweest, maar vanaf die periode kon ze er geen genoeg meer van krijgen. Het water was de enige plek waar ze zich vrij voelde, vooral wanneer Harper thuis te dicht op haar huid zat.

Gemma verwachtte niet anders dan dat Harper haar weer scherper in de gaten zou gaan houden na deze domme actie. Voorlopig zou ze geen stoom kunnen afblazen in de baai, maar gelukkig had ze de zwemtraining nog. En ze kon lekker lang in bad.

Even overwoog ze om nu in bad te gaan, maar omdat ze zich zo vies voelde, was ze bang dat het bad binnen een paar seconden in een zandbak zou veranderen. Douchen was verstandiger.

Terwijl ze wachtte tot het water warm genoeg was, zette ze de cd-speler in de badkamer aan. Haar vaders cd van Bruce Springsteen schalde uit de speakers. Gemma zocht in de stapel cd's in de kast naar haar eigen muziek.

Op de een of andere manier kon ze geen geschikte muziek vinden. Het voelde allemaal misplaatst. Na een paar minuten zette ze de cd-speler uit. Dan maar helemaal geen muziek.

Ze kleedde zich tot op haar ondergoed uit. Voordat ze in de douche stapte, bekeek ze zichzelf van alle kanten in de spiegel. Vanaf haar onderrug tot aan haar schouderbladen zat een enorme bloeduitstorting, paars met een groen randje. Voorzichtig raakte ze de plek aan. Het was pijnlijk, maar lang niet zo erg als ze had gedacht.

Het warme water zou haar goeddoen. Haastig stapte ze in de douche en zodra ze het verkwikkende water over zich heen voelde stromen, knapte ze helemaal op.

Terwijl ze bezig was haar haren te wassen, begon ze onwillekeurig te zingen. Eerst het recentste nummer van Katy Perry, maar algauw neuriede ze een deuntje dat op de een of andere manier in haar hoofd was blijven hangen. Ze wist niet meer waar ze het liedje van kende.

Met de conditioner in haar haren dacht ze erover na. De tekst lag op het puntje van haar tong.

'Kom... kom...' Gemma fronste haar voorhoofd terwijl ze zich de woorden probeerde te herinneren. 'Ik wijs je de weg, naar de zee...' Ze schudde haar hoofd. 'Nee, dat is het niet.'

Ze besloot het te neuriën. Als ze neuriede, kwamen de woorden misschien vanzelf bovendrijven. En dat gebeurde ook. Het was iets magisch. De woorden rolden van haar lippen.

'*Kom, vermoeide reiziger. Ik leid je door de golven. Wees niet bang, arme reiziger, want mijn stem wijst je de weg,*' zong ze hardop.

Gemma voelde zich vreemd. Het leek op het gevoel dat ze kreeg als Alex haar kuste, vlinders, niet in haar buik maar op haar huid, van haar dijbenen tot haar tenen. Ze streek met haar hand over haar been om het pad van het vreemde gevoel te volgen.

Haar huid tintelde onder haar vingers. Ze slaakte een gil en keek omlaag. Er leek iets aan haar been te kleven. Zeewier misschien, of een bloedzuiger, maar er was niets te zien. Haar huid zag er normaal uit. Iets te normaal zelfs. De blauwe plekken waren vervaagd en de wonden bijna geheeld. Gemma probeerde over haar schouder naar de plek op haar rug te kijken, maar dat lukte niet.

Ze spoelde haar haren uit en waste zich met een spons. Ze had zich nog wel grondiger willen wassen, maar ze had het gevoel dat er iets vreemds aan de hand was, waarmee ze liever aangekleed en wel te maken had.

Daarom draaide ze snel de kraan dicht en hing de spons aan het koordje aan de kraan, zoals altijd, zodat hij kon uitdruppelen. Ineens zag ze dat er iets groens aan de spons zat. Ze pulkte het eraf en bekeek het in het licht.

Het was een soort grote, doorschijnende schub, te groot om afkomstig te kunnen zijn van de kleine visjes die in de baai zwommen. Het moest van een reusachtige vis zijn, ongeveer even groot als Gemma zelf. Maar nog nooit had ze een vis met groene schubben gezien. Er waren natuurlijk genoeg tropische vissen in allerlei kleuren, maar voor exotische vissoorten lag Capri te noordelijk.

'Gemma?' klonk Alex' stem vanachter de badkamerdeur.

Ze schrok op uit haar gepeins over de mysterieuze schub.

Hij klopte.

'Alex!' riep ze. Hoewel niemand haar kon zien, wikkelde ze snel een handdoek om zich heen. 'Wat kom je doen?'

'Ik wou...' Zijn stem stierf weg.

'Wat?' vroeg ze.

'Ik moet je even spreken.'

'Hoezo? Is er iets gebeurd?'

'Nee. Ik...' Alex zuchtte hoorbaar. 'Harper belde me om te zeggen dat je niet was thuisgekomen. Ik wilde alleen maar even horen hoe het met je is. Ik wilde je niet storen toen je nog lag te slapen, maar daarnet hoorde ik je zingen, dus...'

Gemma keek een beetje beschaamd naar het badkamerraam. De rolgordijnen waren omlaag getrokken, maar het raam stond open. Alex had haar gehoord.

Ze fronste haar voorhoofd en draaide zich om naar de gesloten deur. 'Ben je zomaar ons huis binnengelopen?' Dat verbaasde haar, want normaal was Alex altijd heel beleefd. Overdreven beleefd zelfs.

'Ik heb eerst geklopt, maar ik hoorde niks,' legde Alex uit. 'En toen begon je ineens te gillen, dus ik dacht dat er misschien iets aan de hand was.'

'O.' Ze glimlachte bij de gedachte dat hij bezorgd was om haar welzijn. 'Ik kom net uit de douche. Wacht even tot ik ben aangekleed, dan kom ik naar je toe.'

Gelukkig had Gemma haar kleren mee naar de badkamer genomen. Haastig kleedde ze zich aan. Alex' verrassingsbezoek deed haar bijna de blauwe plek op haar rug vergeten.

Maar toen ze aangekleed was, ging ze toch nog even voor de spiegel staan en tilde haar shirt op. Toen ze over haar schouder naar haar rug keek, viel haar mond open van verbazing. De enorme bloeduitstorting was zo goed als verdwenen. In het midden van haar rug zat alleen nog een vlekje, waarvan de aubergineachtige kleur was veranderd in zachtgrijs.

'Hoe kan dat nou?' Gemma staarde naar haar spiegelbeeld.

'Zei je iets?' vroeg Alex vanaf de overloop.

'Eh... nee.' Ze liet haar shirt zakken, alsof ze bang was dat hij dwars door de deur kon kijken. 'Ik praatte in mezelf. Ik kom eraan.' Haastig kamde ze met haar vingers door haar haren, die veel te verduren hadden van al het chloor en zeewater, maar nu minder in de war zaten dan anders. Sterker nog, ze hadden in geen jaren zo zacht aangevoeld.

Maar er was geen tijd om daar bij stil te staan. Alex stond op haar te wachten en als ze hem nog even wilde zien voordat Harper thuiskwam, moest ze haast maken. Ze wist zeker dat Harper hem zou wegsturen zodra ze hem zag, en Gemma wist niet wanneer ze weer een minuutje met hem alleen kon zijn.

'Goed dat je even langskomt,' zei ze nadat ze de deur had opengemaakt. Ze veronderstelde dat hij in de gang stond te wachten, maar dat was niet zo.

'Hoezo?' klonk Alex' stem uit haar slaapkamer.

'Omdat ik waarschijnlijk voor de rest van mijn leven huisarrest krijg.' Terwijl ze haar kamer in liep, probeerde ze niet te laten merken hoe zenuwachtig ze was. Het waren gezonde zenuwen. Ze had namelijk nog nooit eerder een vriendje op haar kamer gehad. Alex was wel eerder op haar kamer geweest, maar toen had ze geen enkele behoefte gehad om hem te zoenen. Nu ze samen iets hadden voelde het heel anders.

Haastig blikte ze in het rond om te zien of er geen gênante zaken rondslingerden. Behalve haar vieze badpak dat in een prop op de grond lag en haar onopgemaakte bed viel het wel mee. Misschien was het gek om een poster van de zwemkampioen Michael Phelps aan de muur te hebben, maar dat kon Alex haar toch eigenlijk niet kwalijk nemen.

Alex, die naast het bed stond en de foto van Harper, Gemma en hun moeder bewonderde, draaide zich met een ruk om toen ze binnenkwam. Zijn bruine ogen keken haar verschrikt aan. Hij opende zijn mond, maar er kwam niets uit. Toen hij het fotolijstje terug wilde zetten op het nachtkastje, liet hij het per ongeluk op de grond vallen.

'Sorry,' zei hij. Hij bukte zich om het op te rapen.

Gemma lachte. 'O, geeft niet.'

'Nee, het spijt me echt.' Hij keek haar met een schaapachtige glimlach aan. 'Ik ben ook zo onhandig. Bij jou kan ik...'

'Wat?' Ze liep naar hem toe.

Alex bleef haar strak aankijken. 'Ik weet het niet.' Hij lachte een beetje ongemakkelijk en keek haar vertwijfeld aan. 'Als jij in mijn buurt bent, kan ik soms gewoon niet meer nadenken.'

'Jij niet nadenken?' reageerde Gemma verbaasd. Ze ging op haar bed zitten. 'Je bent de slimste jongen die ik ken. Hoe kan dat nou?'

'Ik weet het niet.'

Terwijl hij haar nog steeds aanstaarde, ging hij naast haar zitten.

Gemma voelde zich opgelaten onder zijn doordringende blik. Ze streek een haarlok achter haar oor en keek de andere kant op. 'Het spijt me dat ik je niet heb gebeld,' zei ze.

'Dat geeft niet,' zei hij haastig. Vervolgens schudde hij zijn hoofd alsof hij iets heel anders had willen zegen. 'Ik had niet...' Hij maakte zijn blik van haar los, heel eventjes maar, om haar vervolgens weer strak aan te kijken. 'Waar was je nou?'

'Je gelooft het niet als ik het je vertel,' zei ze.

'Ik geloof alles wat je zegt,' antwoordde Alex.

Het klonk zo oprecht dat Gemma verbaasd naar hem opkeek. 'Wat is er met je aan de hand?'

'Hoe bedoel je?'

'Nou...' Ze gebaarde naar hem. 'Zoals je naar me kijkt. En zoals je tegen me praat.'

'Praat ik anders tegen je dan normaal?' Alex schoof een klein stukje van haar af, oprecht verbaasd door haar observatie.

'Ja. Je bent...' Ze schokschouderde, zoekend naar de juiste woorden. 'Je bent jezelf niet.'

'Dat spijt me dan.' Even dacht hij na over wat ze zou kunnen bedoelen. 'Maar ik... eh... Ik ben vanochtend heel ongerust geweest. Harper wilde me niet vertellen wat er aan de hand was en ik was bang dat je iets was overkomen.'

'Dat spijt me heel erg,' zei Gemma. Nu begreep ze zijn gedrag. Hij had zich zorgen gemaakt en reageerde zijn angst af door haar overdreven aan te staren. Dat deed Harper ook wel eens. 'Het was niet mijn bedoeling om je ongerust te maken. Niemand, trouwens.'

'Heb je nu huisarrest?' vroeg hij.

'Echt wel.' Ze zuchtte.

'Kunnen we elkaar dan niet meer zien?' vroeg hij. Zijn stem klonk net zo bedroefd als zij zich voelde. 'Ik weet niet of ik dat aankan.'

'Hopelijk is het maar voor een paar weken. Misschien minder, als ik me goed gedraag.' Ze glimlachte zwakjes. 'En je kunt natuurlijk langskomen als Harper en mijn vader er niet zijn, zoals nu.'

'Hoe lang hebben we nog tot Harper van haar werk thuiskomt?'

Gemma wierp een blik op de wekker. Er was al een uur verstreken sinds haar zus was weggegaan. 'Ze kan elk moment komen.'

'Dan moeten we ervan profiteren zolang het kan,' zei Alex vastbesloten.

'Wat bedoel je daarmee?'

'Dit,' zei hij. Hij boog zich naar haar toe en drukte zijn lippen op de hare.

Aanvankelijk kuste hij haar net zo lief als hij altijd deed: zacht, beheerst en voorzichtig. Maar ineens werden zijn kussen vuriger. Hij woelde met zijn vingers door haar haren en drukte haar tegen zich aan.

Gemma schrok van de heftigheid van zijn zoenen. Bijna had ze hem van zich afgeduwd om hem te laten weten dat ze het rustiger aan moesten doen, maar tegelijkertijd werd er iets in haar wakker gemaakt, een hunkering waarvan ze niet wist dat ze die in zich had. Ze duwde hem achterover op het bed, haar lippen nog steeds op de zijne.

Zijn handen streelden haar lichaam, eerst over haar kleren heen, maar geleidelijk aan ook onder haar shirt, op de plek waar haar bloeduitstorting had gezeten. Overal waar zijn huid de hare raakte, voelde Gemma dezelfde tinteling als zo-even onder de douche.

Naarmate hun kussen intenser werden, werd Alex' verlangen naar haar zo groot dat hij het bijna niet meer uithield.

Ook Gemma hunkerde naar hem op dezelfde intense manier. Ze wilde hem en kon niet wachten om hem te verslinden. Het verlangen brandde binnen in haar als een vuur en heel diep in haar hart besefte ze dat dat gevoel niets met passie te maken had.

Ineens hield Alex op met zoenen. 'Au!' Hij kromp ineen.

'Wat is er?' vroeg Gemma. Ze lag boven op hem. Allebei snakten ze naar adem.

Alex' ogen, die zojuist nog troebel waren van verlangen, stonden weer helder. Met zijn hand voelde hij aan zijn lip. Hij veegde er een druppel bloed af. 'Je hebt me gebeten, volgens mij,' zei hij onzeker.

'Gebeten?' herhaalde ze. Ze zat schrijlings op hem. Ze liet haar tong langs haar tanden glijden. Haar snijtanden voelden langer en puntiger aan. Ze prikte er bijna mee in haar eigen tong.

'Het geeft niet.' Alex wreef over haar been om haar gerust te stellen. 'Het was een ongelukje. Het doet geen pijn.'

Gemma's maag rammelde hoorbaar. Ze legde haar hand op haar buik, als om hem het zwijgen op te leggen. 'Ik heb honger,' zei ze. Het verbaasde haar zelf dat het zo was.

'Dat is te horen,' zei Alex lachend.

Ze schudde haar hoofd, niet wetend hoe ze het hem moest uitleggen. Van het zoenen had ze op de een of andere manier enorme honger gekregen. En hoewel ze het zich niet kon herinneren, was ze er niet helemaal van overtuigd dat ze hem per ongeluk had gebeten.

'Harper kan elk moment thuiskomen,' zei ze, zoekend naar een smoes om hun samenzijn te beëindigen. Ze klom van hem af en ging op de rand van het bed zitten.

'O ja, dat is waar ook.' Snel kwam ook hij overeind, nog steeds een beetje beduusd.

Een minuut lang zwegen ze en staarden naar de vloer, allebei nog een beetje verbouwereerd over wat ze zojuist hadden gedaan.

'Ik... eh... Het spijt me,' zei Alex.

'Wat?'

'Ik ben niet gekomen om... eh...' Hij struikelde over zijn woorden. 'Om zo met je te vrijen. Ik bedoel... ik vond het fijn, hoor, maar...' Hij slaakte een zucht. 'Ik wil niks overhaasten of je onder druk zetten. Zo zit ik niet in elkaar.'

'Dat weet ik.' Ze glimlachte als een boer met kiespijn en hoopte maar dat hij dat niet kon zien. 'Zo zit ik ook niet in elkaar. Trouwens, ik voelde me absoluut niet onder druk gezet, hoor.'

'Mooi.' Hij stond op en raakte zijn lip weer even aan om te zien of hij nog bloedde. Toen keek hij haar aan. 'Nou, ik zie je weer zodra het kan.'

'Ja.'

'Ik ben blij dat je niks mankeert.'

'Dank je.'

Hij keek even nadenkend voor zich uit en boog zich vervolgens naar haar toe om haar een kus op de wang te geven. Voor een kus op de wang duurde hij wel een beetje lang, maar toch was het veel te snel voorbij. Toen verdween hij.

Van alle kussen van die middag was die allerlaatste Gemma's favoriet. Het was misschien de meest kuise, maar hij voelde het meest oprecht.

12

Pearl's

Dankzij het schitterende weer was het rustig in de bibliotheek. De zon stond hoog aan de hemel en de temperatuur was niet al te warm maar wel aangenaam. Op een dag als vandaag zou Gemma er een moord voor doen om naar de baai te kunnen gaan, en zelfs Harper zou wel zin hebben gehad om mee te gaan.

Maar Gemma kon geen kant op. Zoals verwacht had Brian haar, toen hij gisteravond thuiskwam van zijn werk, huisarrest opgelegd. Hij was zo erg tegen haar uitgevallen dat Harper het bijna voor haar zus had opgenomen. Maar in plaats daarvan had ze zich op de trap verschanst en hoorde ze hem tegen Gemma tekeergaan over dat hij haar altijd had vertrouwd en vrijgelaten en dat ze dat laatste nu wel kon vergeten.

Uiteindelijk was Gemma in tranen uitgebarsten en had Brian zich voor zijn uitval verontschuldigd. Gemma was de trap op gerend naar haar kamer, waar ze de hele avond was gebleven. Harper had nog een paar keer geprobeerd om met haar te praten, maar werd gewoon weggestuurd.

Ze had gehoopt dat haar zusje vanochtend wel wilde praten. Maar toen ze wakker werd was Gemma helaas al naar de training vertrokken. Een positief punt was dat Brian er vandaag aan had gedacht om zijn lunchpakketje mee naar zijn werk te nemen.

Maar nu ze zonder iets omhanden te hebben achter de balie in de bibliotheek zat was dat misschien toch niet zo positief. Afwezig bladerde ze door *Forever* van Judy Blume. Een paar jaar geleden had ze dat boek al een keer gelezen, maar ze wilde haar geheugen even opfrissen voor een opdracht voor de zomercursus literatuur op school. Elke maandag kwam Harper met een stuk of tien scholieren samen om een boek dat ze die week hadden gelezen te bespreken.

'Wist je dat de directeur van de middelbare school de biografie van Oprah Winfrey al zes weken thuis heeft?' vroeg Marcy, die naast Harper op de muis van haar computer zat te klikken.

'Nee, dat wist ik niet,' zei Harper.

Omdat het niet druk was, had Marcy zelf aangeboden om uit te zoeken wie de boeken niet op tijd had teruggebracht. Ze belde de mensen dan op om ze eraan te herinneren. Hoewel ze het vreselijk vond om met mensen om te gaan, vond ze het wel leuk om te zeggen dat ze iets verkeerd hadden gedaan.

'Vind je dat niet vreemd?' Marcy tuurde naar Harper vanachter haar brillenglazen in een zwart hoornen montuur. Niet dat ze een bril nodig had; ze vond dat ze daarmee een intellectuele uitstraling kreeg en daarom droeg ze hem soms.

'Weet ik niet. Het is best een goed boek, heb ik gehoord.'

'Je weet wat ik altijd heb gezegd. Je krijgt een goed beeld van iemand door te kijken wat voor soort boeken hij leent.'

'Oftewel, je vindt het gewoon leuk om je neus in andermans zaken te steken,' corrigeerde Harper haar.

'Je doet net of dat een slechte eigenschap is. Je kunt maar beter op de hoogte zijn van wat je buren van plan zijn. Denk maar aan Polen na de Tweede Wereldoorlog.'

'Er is geen enkele reden je met andermans privézaken te...'

'Hé, Harper,' onderbrak Marcy haar. 'Ken jij die jongen niet?' Ze wees op haar computerscherm.

'Er komen hier zoveel mensen die ik ken,' zei Harper zonder

op te kijken van haar boek. 'Zo gek is dat dus niet.'

'Nee, ik ben alweer met iets anders bezig. Het gaat niet om leners. Ik zit nu op de website van de *Capri Daily Herald*. Ik wilde net een boze, anonieme reactie op de opiniepagina plaatsen, maar nu zie ik dit ineens.' Marcy draaide het scherm naar Harper toe.

JONGEN TWEE DAGEN VERMIST luidde de kop van het artikel, met daaronder een foto van Luke Benfield die Harper herkende als de foto uit haar jaarboek. Luke had geprobeerd zijn rode krullen glad naar achter te strijken, maar ze staken nog steeds naar alle kanten uit.

'Wordt hij vermist?' vroeg Harper terwijl ze haar bureaustoel dichter naar Marcy schoof.

De onderkop luidde: VIERDE VERMISSING IN TWEE MAANDEN. In het artikel werd een korte beschrijving van Luke gegeven, onder andere dat hij een van de beste studenten van de school was en dat hij na de zomer naar de universiteit van Stanford zou gaan. Verder werd ingegaan op wat er vermoedelijk was gebeurd. Luke was op maandag naar de picknick gegaan en vervolgens was hij thuis gaan eten. Hij had zich normaal gedragen en zijn vrienden laten weten dat hij na het eten een afspraak had. Sindsdien was hij spoorloos verdwenen.

Zijn ouders waren ten einde raad. De politie was een onderzoek gestart, maar vooralsnog leken ze niet meer te weten dan wat ze over de andere vermiste jongens wisten.

In het artikel werd een verband gelegd tussen de verdwijning van Luke en de andere drie zaken. Het ging in alle gevallen om tieners afkomstig uit Capri. Ze waren thuis weggegaan om vrienden te ontmoeten, waarna niemand hen meer had gezien. Ook werd melding gemaakt van twee vermiste tienermeisjes uit andere plaatsen, allebei op ongeveer een halfuur rijden van Capri.

'Zouden ze ons willen ondervragen?' vroeg Marcy.

'Waarom zouden ze? We hebben er toch niks mee te maken?'

'Maar wij hebben hem die dag nog gezien.' Marcy wees naar

het scherm. 'Hij is op de avond van de picknick verdwenen.'

Harper dacht even na. 'Ik weet het niet. Misschien wel, maar in de krant staat dat ze net met het onderzoek zijn begonnen. Waarschijnlijk willen ze eerst met Alex praten. Ik weet niet of iedereen moet worden gehoord die naar de picknick is geweest.'

'Eng, hè? Vind je niet?' zei Marcy. 'We hebben hem pas nog gezien en nu is hij dood.'

'Hij is niet dood. Hij wordt vermist,' verbeterde Harper haar. 'Misschien leeft hij nog.'

'Dat betwijfel ik. Er loopt hier ergens een seriemoordenaar rond, zeggen ze.'

'Wie zegt dat?' vroeg Harper, achteroverleunend in haar stoel. 'In de *Herald* staat niets over een seriemoordenaar.'

'Klopt,' reageerde Marcy. 'Maar iedereen in de stad zegt het.'

'Tja, de mensen in de stad weten ook niet alles.' Harper reed met haar stoel naar haar eigen plek achter de balie, weg van Marcy en het vreselijke nieuws over Luke. 'Hij komt vast ongedeerd terug.'

'Dat denk ik dus niet,' schimpte Marcy. 'Die andere jongens zijn ook spoorloos verdwenen. Geloof me, iemand heeft ze een voor een de nek om gedraaid.'

'Marcy!' viel Harper uit. 'Luke is Alex' beste vriend. Hij heeft nog een heel leven voor zich. Ik hoop voor hem en zijn ouders dat hij ongedeerd terugkomt. Laten we het daar alsjeblieft bij houden.'

'Oké.' Marcy draaide het scherm weer naar zich toe en schoof haar stoel een beetje van Harper vandaan. 'Ik wist niet dat het zo gevoelig lag.'

'Dat valt wel mee.' Harper slaakte een diepe zucht en haar toon was iets zachter toen ze zei: 'Ik vind alleen dat we ons bij een dergelijke tragische gebeurtenis respectvol moeten gedragen.'

'Sorry,' zei Marcy. Na een korte stilte voegde ze eraan toe: 'Ik ga maar weer eens achter achterstallige betalingen aan. Ik moet nog een heleboel telefoontjes plegen.'

Harper begon weer in haar boek te lezen, maar net zoals daarnet kon ze haar aandacht er niet bij houden. Haar gedachten dwaalden af naar Luke en zijn klassenfoto waarop zijn haar zo geforceerd naar achter zat. Behalve vriendschap had ze nooit iets voor hem gevoeld. Luke was een aardige jongen. Ze had zelfs een paar keer met hem gezoend en zich daarna niet meer op haar gemak gevoeld bij hem. En nu kwam hij misschien nooit meer terug.

Hoewel ze het niet had willen toegeven, had Marcy waarschijnlijk gelijk. Luke zou niet levend terugkeren.

'Ik neem een korte pauze,' zei ze plotseling en stond op.

'Wat?' Marcy keek op vanachter haar computer, met de belachelijke bril nog steeds op haar neus.

'Ik loop even naar de overkant om een colaatje te halen. Ik wil even...' Harper zweeg en schudde haar hoofd. Wat ze precies wilde wist ze niet, behalve dat ze niet meer aan Luke wilde denken.

'Laat je me hier alleen achter?' vroeg Marcy. Haar stem klonk angstig bij het vooruitzicht om klanten te woord te moeten staan.

Harper keek rond in de lege bibliotheek. 'Volgens mij kun je dat best aan. Bovendien,' zei ze terwijl ze haar stoel naar achter schoof en wegliep, 'heb ik gisteren mijn zieke zusje alleen thuisgelaten om jou hier te helpen. Dus je kunt het nu ook wel een halfuurtje van mij overnemen.'

'Een halfúúr?' riep Marcy haar nog na, maar Harper reageerde al niet meer.

Op het moment dat ze buiten in de zon stond, voelde ze de sombere gedachten van zich afglijden. Het was een te mooie dag om aan nare dingen te denken. Ze stak de straat over naar Pearl's Diner.

Omdat Pearl's in het centrum van de stad lag, kwamen er niet veel toeristen. Het thema van de inrichting had dan ook veel minder met de zee te maken dan die van de andere eettentjes langs de baai. Boven de bar hing slechts een schilderij van een zeemeermin. Ze zat in een geopende oesterschelp met een parel in de hand.

Voor het raam stonden een aantal tafeltjes en rondom de bar krukken met een bekleding van rood, versleten skai. In een vitrinekast had Pearl verschillende stukken taart uitgestald, maar eigenlijk serveerde ze maar twee soorten: citroen- en bosbessentaart. De tegels op de vloer waren ooit rood en wit geweest, maar het wit was in de loop der jaren beige geworden.

Het restaurant was een beetje kaal en groezelig en werd vooral bezocht door plaatselijke bewoners. Daarom was het juist zo vreemd dat Penn en haar vriendinnen in Pearl's kwamen. Ze waren er zo vaak te vinden dat ze onderhand wel stamgasten leken terwijl ze helemaal niet uit Capri kwamen.

Bij de gedachte aan Penn keek Harper meteen om zich heen. Het laatste wat ze wilde was de drie vriendinnen tegenkomen.

Gelukkig waren ze nergens te bekennen. Wie ze wel zag, was Daniel. Hij zat in zijn eentje aan een klein tafeltje een kop soep te eten. Toen hij haar zag, glimlachte hij. Harper liep naar hem toe.

'Ik wist niet dat jij hier ook kwam,' zei ze.

'Ik kom speciaal voor Pearl's beroemde vissoep,' antwoordde hij grijnzend en gebaarde naar de lege stoel tegenover hem. 'Kom erbij zitten,' zei hij.

Harper beet op haar lip, onzeker of ze het zou doen of niet.

Toen Daniel haar aarzeling zag, zei hij: 'Je bent me nog iets verschuldigd na het ongelukje met dat ijsje.'

'O ja,' gaf ze toe, en bijna met tegenzin nam ze tegenover hem plaats.

'En ik eet soep, dus dat is vergelijkbaar met een ijsje. Dat hadden we toch afgesproken?'

'Klopt.'

'En wat doe jij hier?' vroeg hij.

'Lunchen,' zei Harper, en Daniel moest lachen om het voor de hand liggende antwoord. 'Ik werk aan de overkant. In de bibliotheek. Ik heb nu pauze.'

'Dus je komt hier vaker?' Hij had zijn soep op en schoof de kop opzij zodat hij zich met zijn ellebogen op tafel naar haar toe kon buigen.

Harper schudde haar hoofd. 'Nou, nee,' zei ze. 'Mijn collega Marcy vindt het vreselijk om alleen in de bibliotheek achter te blijven, dus meestal eet ik mijn brood daar.'

'Behalve wanneer je vader zijn lunchpakketje vergeet.'

'Ja, dan niet.'

'Vergeet hij zijn lunch echt zo vaak?' Hij keek haar met een twinkeling in zijn lichtbruine ogen nieuwsgierig aan.

Harper keek net zo nieuwsgierig terug. 'Ja. Hoezo?'

'Nou,' zei hij zonder zijn teleurstelling te verbergen, 'ik begon bijna te denken dat je het als smoes gebruikte om mij te zien.'

'Echt niet.' Ze sloeg haar ogen neer en lachte.

Daniel glimlachte, maar hij zat klaar om haar weerwoord tegen te spreken toen Pearl naar hun tafeltje kwam om Harpers bestelling op te nemen. Pearl was een gezette vrouw die haar inmiddels grijze haar zelf verfde, waardoor het nu blauw was.

'Smaakte de soep?' vroeg Pearl terwijl ze Daniels soepkom pakte.

'Heerlijk, Pearl. Zoals altijd.'

'Waarom kom je hier dan niet vaker eten?' zei Pearl. Vervolgens wees ze naar zijn tengere figuur. 'Er blijft niets van je over. Wat eet je eigenlijk op die boot van je?'

'Lang niet zoiets lekkers als bij jou,' gaf Daniel toe.

'Nou, dan weet ik wel iets voor je. De airconditioning bij mijn dochter is weer eens kapot. Die nietsnut van een man van haar krijgt hem niet aan de praat en zij zit met twee kleine kinderen in een piepklein appartement,' zei Pearl. 'Ze kunnen nu de temperatuur niet meer regelen, dus als jij vanavond bij haar langs zou willen gaan om ernaar te kijken, krijg je een grote pan soep van mij.'

'Afgesproken,' zei Daniel met een glimlach. 'Zeg maar tegen je dochter dat ik rond zes uur langskom.'

'Mooi. Je bent een schat, Daniel.' Pearl knipoogde naar hem en wendde zich vervolgens tot Harper. 'Wat kan ik voor je doen?'

'Een Cherry Coke graag. Verder niets.'

'Een Cherry Coke. Komt eraan, hoor.'

'Je mag best iets meer bestellen,' zei Daniel toen Pearl weg was. 'Het was een grapje dat ik alleen maar iets kleins met je wilde eten.'

'Weet ik wel, maar ik heb eigenlijk geen honger.' In werkelijkheid zat er een knoop in haar maag vanwege Luke. Sinds ze hier was binnengekomen, was dat nare gevoel wel een beetje gezakt, maar honger had ze niet.

'Weet je het zeker?' vroeg Daniel weer. 'Je bent toch niet zo'n meisje dat niet wil eten in het bijzijn van een jongen op wie ze indruk wil maken?'

Harper moest lachen om zijn veronderstelling. 'Ten eerste probeer ik helemaal geen indruk op je te maken. En ten tweede ben ik niet zo'n meisje. Ik heb gewoon geen honger.'

'Alsjeblieft,' zei Pearl terwijl ze het glas op tafel zette. 'Willen jullie nog iets anders?'

'Nee, het is goed zo. Dank je.' Harper glimlachte naar haar.

'Oké. Ik hoor het wel als jullie nog iets wensen.' Voordat Pearl verdween, raakte ze Daniels arm even aan en wierp hem een dankbare glimlach toe.

'Begrijp ik het nou goed?' vroeg Harper op gedempte toon. Ze boog zich naar hem toe zodat Pearl het niet kon horen. 'Krijg jij uitbetaald in soep?'

'Soms,' zei Daniel schokschouderend. 'Ik ben een soort manusje van alles. Ik doe allerlei klusjes. Pearls dochter heeft niet zoveel geld, dus help ik haar af en toe.'

Even keek ze hem met een peilende blik aan. Toen zei ze: 'Dat is echt heel aardig van je.'

'Je doet net alsof dat je verbaast,' zei Daniel lachend. 'Ik bén gewoon een aardige jongen, hoor.'

'Zo bedoelde ik het niet,' zei ze haastig.

'Dat weet ik wel,' zei hij. Hij keek toe hoe ze een klein slokje van haar cola dronk. 'Dus meestal lunch je op je werk, en vandaag ga je naar een restaurant terwijl je niet eens honger hebt. Waarom ben je eigenlijk hier?'

'Ik moest er even uit.' Ze keek hem niet rechtstreeks aan, maar richtte haar blik op de dikke zwarte, getatoeëerde takken die uit de mouw van zijn T-shirt over zijn arm kropen. 'Een vriend van me wordt vermist.'

'Jee, wat is er toch allemaal aan de hand?' zei hij plagend. 'Eerst wordt je zus vermist en nu een vriend.' Zijn glimlach verdween van zijn gezicht toen hij haar ernstige blik zag. 'Sorry,' zei hij. 'Wat is er gebeurd?'

Ze schudde haar hoofd. 'Ik weet het niet. Hij is eigenlijk een vriend van een vriend. Ik heb zelfs heel kort iets met hem gehad. Sinds afgelopen maandag is hij verdwenen.'

'Is dat die jongen die in de krant stond?' vroeg Daniel.

Ze knikte. 'Ik las het vlak voordat ik hier kwam en wilde het gewoon... ik moest even mijn zinnen verzetten.'

'Sorry dat ik erover begon.'

'Dat kon jij toch niet weten.'

'Hoe is het trouwens met je zus?' vroeg Daniel, het gesprek over een andere boeg gooiend.

'Wel goed, volgens mij,' zei ze met een berouwvolle blik. 'Ik heb je nog niet eens fatsoenlijk bedankt voor je hulp.'

'Dat zit wel goed,' zei hij, haar bezwaar wegwuivend. 'Ik ben blij dat het goed met haar gaat. Gemma lijkt me een prima meid.'

'Vroeger wel,' stemde Harper in. 'Maar ik weet niet wat haar de laatste tijd mankeert.'

'Ze draait wel bij. Je hebt haar goed opgevoed.'

'Zo klinkt het alsof ik haar moeder ben,' zei Harper. Ze lachte als een boer die kiespijn heeft. 'Vind je dat ik me als haar moeder gedraag?'

Daniel haalde zijn schouders op. 'Je gedraagt je in elk geval niet als iemand van achttien,' verduidelijkte hij.

'Ik heb anders ook een hoop zorgen aan mijn hoofd,' reageerde ze stekelig, alsof hij haar van iets vreselijks had beschuldigd.

'Dat is te zien,' zei hij met een knikje.

Harper wreef over haar nek en wendde haar blik van hem af. Ze keek naar de bibliotheek aan de overkant en vroeg zich af hoe Marcy zich er doorheen sloeg. 'Ik moet weer eens gaan,' zei ze terwijl ze in haar zak naar geld zocht.

'Nee, laat maar.' Hij maakte een afwerend gebaar met zijn hand. 'Ik trakteer.'

'Maar ik was je toch nog iets verschuldigd vanwege dat ijsje?'

'Dat was maar een grapje. Ik betaal.'

'Weet je het zeker?' vroeg ze.

'Ja,' zei hij. De schuldige blik in haar ogen maakte hem aan het lachen. 'Als je er zoveel moeite mee hebt, mag jij de volgende keer betalen.'

'En als er nu geen volgende keer komt?' vroeg Harper terwijl ze hem sceptisch aankeek.

Daniel haalde zijn schouders op. 'Dan niet,' zei hij, 'maar die komt er wel, denk ik.'

'Oké.' Iets anders wist ze niet meer te zeggen. 'Bedankt voor de cola.' Ze stond op.

'Geen dank,' zei Daniel.

'Ik zie je wel weer een keer.'

Hij knikte en stak heel even zijn hand op.

Terwijl ze naar de deur liep, hoorde ze Pearl nog vragen of hij zin had in een stuk taart. Ze stak de straat over naar de bibliotheek. Het kostte haar de grootste moeite om niet over haar schouder nog een keer naar Daniel te kijken.

13

Rebellie

Behalve huisarrest had Gemma ook een andere straf: Harper helpen met schoonmaken. Eigenlijk had ze zichzelf die straf opgelegd, omdat ze zich op die manier minder schuldig voelde voor het feit dat Harper en vader zo bezorgd om haar waren geweest.

Volgens Gemma was de badkamer schoonmaken Harpers minst favoriete klusje. Tenminste, daar klaagde ze altijd over. Dus nam ze dat karweitje van haar over. Toen ze amper vijf minuten bezig was met het schrobben van de binnenkant van de toiletpot begon ze al spijt te krijgen van haar aanbod.

Het toilet was nog niet eens het ergste. Dat besefte ze toen ze bezig was met de douche en met name het afvoerputje. Ze werd er kotsmisselijk van. Volgens Harper waren het altijd Gemma's haren die voor verstopping zorgden, maar dat had ze tot nu toe niet kunnen geloven.

Zonder de gele rubberhandschoenen die ze droeg had ze dit klusje niet aangekund. Terwijl ze er een lange, natte sliert uittrok, die sterk aan een verzopen rat deed denken, viel haar oog op iets wat glinsterde in het licht.

Voorzichtig haalde ze het ding tussen de haren vandaan, en toen ze zag wat het was, liet ze de sliert haren vallen. Het was weer zo'n vreemde doorschijnende schub die ze eerder in de spons had gevonden en al bijna weer was vergeten. Tenminste, dat had ze geprobeerd.

Gemma leunde tegen de muur van de douche en staarde naar de grote schub in haar gehandschoende hand.

Er was iets heel vreemds met haar gaande. Vanaf het moment dat ze uit die fles had gedronken, voelde ze zich anders dan anders.

Niet dat het allemaal negatief was. Integendeel. Gemma vond de veranderingen eigenlijk helemaal niet zo slecht.

Oké, ze had Alex gisteren gebeten, maar hij had er niet echt iets aan overgehouden. Ook hadden ze heftiger gezoend dan anders, maar dat vond ze eigenlijk wel prettig. Het was fijn om zo met hem te zoenen.

Haar lichaam genas in een belachelijk snel tempo. Alle blauwe plekken en sneeën waren binnen vierentwintig uur verdwenen.

Op de training had ze haar beste tijden gezwommen. De trainer was totaal ondersteboven geweest van haar snelheid. Wat haar het meest verbaasde was dat ze zich zelfs had ingehouden. Als ze nog sneller had gezwommen, was ze bang dat hij zou denken dat ze doping gebruikte.

In het zwembad was weer hetzelfde met haar huid gebeurd. Dat gekke gevoel alsof er vlinders van haar dijen naar haar tenen fladderden. Maar omdat het geen onprettig gevoel was, maakte ze zich er niet druk om.

Waarom zou ze zich ook zorgen maken? Alles was toch in orde?

Maar toch... er bleef haar iets dwarszitten. Dat ze Alex had gebeten kon ze maar moeilijk van zich afzetten. Ze had hem sindsdien niet meer gesproken. Waarschijnlijk zou hij het afdoen als iets wat in een moment van passie kon gebeuren, iets kinkyachtigs. Maar dat was het niet.

Toen ze met hem aan het zoenen was, had ze enorme honger

gekregen. Zo'n erge honger had ze nog nooit gehad. Deels was het lust – ze wilde met hem zoenen en vrijen – deels was het een echt hongergevoel. Daarom had ze hem gebeten.

Dat sterke hongergevoel beangstigde haar.

Gemma stapte uit de douche en spoelde de schub door het toilet. Er was iets helemaal mis met haar en ze moest er iets aan doen.

'Harper?' zei Gemma. Ze stak haar hoofd om de deur van Harpers kamer.

'Ja?' zei Harper die op haar bed zat met haar e-reader.

'Kan ik je even spreken?'

'Tuurlijk.' Ze legde haar e-reader weg, ging iets meer overeind zitten en keek Gemma aan. 'Wauw! Wat heb jij in de badkamer uitgespookt?'

Gemma bleef als verstijfd in de deuropening staan. 'Hoe bedoel je?'

'Je... eh...' begon ze aarzelend. 'Je ziet er zo goed uit,' zei ze ten slotte bij gebrek aan een beter woord.

Gemma keek omlaag om zichzelf te bekijken, maar intussen wist ze wel wat Harper bedoelde. Het was haar vandaag zelf ook al opgevallen. Hoewel ze nooit echt veel last van puistjes had gehad, was haar huid nu gaver dan ooit. Ze glansde bijna. Ze was altijd al een mooi meisje geweest, maar nu had haar schoonheid iets bovennatuurlijks.

'Ik gebruik sinds kort een andere dagcrème,' gaf Gemma als verklaring.

'O ja?' zei Harper.

'Nee dus.' Gemma zuchtte en wreef over haar voorhoofd. 'Daar wilde ik het net met je over hebben.'

'Over je nieuwe dagcrème?' Harper trok haar wenkbrauwen op.

'Nee joh.' Gemma liep naar het bed en ging naast haar zus zitten. Ze vond het moeilijk om te zeggen wat er met haar aan de hand was. Harper zou haar vast en zeker voor gek verklaren.

'Wat is er dan?' vroeg Harper.

'Ik weet niet hoe ik het moet uitleggen,' zei Gemma ten slotte. 'Maar er is iets... niet in orde met me.'

'Heeft het soms met gisteravond te maken?' vroeg Harper.

'Eh... ja... Ik denk het wel.' Gemma fronste haar voorhoofd.

'Het is heel normaal dat iemand van jouw leeftijd af en toe uit zijn dak gaat.' Harper probeerde geruststellend te klinken. 'Niet dat het verstandig is om te drinken... Je mag het eigenlijk niet eens, maar zulke dingen gebeuren nu eenmaal soms. Ik ben af en toe te streng voor je, dat weet ik ook wel.'

'Nee, Harper, het gaat niet om dat drinken,' zei Gemma, zuchtend van frustratie. 'Er is echt iets aan de hand met me. Ik bedoel lichamelijk.'

Harper leunde achterover en keek haar aan. 'Ben je ziek? Zo zie je er niet uit.'

'Nee, ik voel me goed. Beter dan ooit zelfs.'

'Dan begrijp ik je niet.'

Gemma schudde haar hoofd en staarde naar haar schoot. 'Nee, dat snap ik, maar er is echt iets helemaal mis.'

Ineens klonk beneden een luid geklop. Geen rustig klopje, maar ongeduldig bonzen op de voordeur. Harper wierp een vertwijfelde blik op de deur van haar slaapkamer. Eigenlijk wilde ze het gesprek met Gemma niet onderbreken, maar Brian was nog niet thuis van zijn werk en er werd steeds harder gebonsd.

'Sorry,' zei ze ten slotte. Ze stond op van haar bed. 'Ik ben zo terug. Ik weet niet wie er aan de deur staat, maar ik stuur hem meteen weg en dan kunnen we verder praten.'

'Oké,' zei Gemma met een knikje.

Toen Harper de kamer uit was, liet Gemma zich achterovervallen op het bed en staarde naar het plafond. Ze probeerde te bedenken hoe ze haar zus moest uitleggen dat ze langzaam in een soort monster aan het veranderen was.

'Wat komen jullie hier doen?' hoorde ze Harper beneden roepen. Gemma spitste haar oren.

'We willen je zus graag even spreken,' klonk het antwoord. Gemma herkende het zoete babystemmetje uit duizenden. Penn was aan de deur.

Ze schoot overeind. Haar hart ging als een razende tekeer. Voor een deel was ze bang, zoals ze altijd al bang voor Penn was geweest. Maar ook voelde ze opwinding. Penns stem klonk verleidelijker dan ooit. Ze had het gevoel alsof ze geroepen werd.

'Dat kan niet,' zei Harper beneden in de gang.

'We willen alleen maar even met haar praten,' zei Penn poeslief.

'Eén minuutje maar,' zei Lexi op haar gebruikelijke zangerige toon.

'Nee.' Harpers stem klonk minder overtuigend dan zo-even. 'Jullie zijn haar vriendinnen niet en jullie krijgen haar niet meer te spreken.'

Gemma stond op van het bed en ging de trap af. Halverwege bleef ze staan. Vanaf die positie kon ze Penn en Lexi zien staan. Harper stond voor de deur en versperde hun de toegang.

Terwijl Gemma naar de meisjes keek, besefte ze dat ze steeds meer op hen begon te lijken. Niet dat ze er precies hetzelfde uitzag, maar ze had dezelfde uitstraling, een soort bovennatuurlijke gloed. Hun puntgave, gebruinde huid leek te glanzen, alsof ze door hun eigen schoonheid werden verlicht.

'Hoi Gemma,' zei Penn. Met haar donkere ogen wierp ze een verleidelijke blik naar boven.

'Ga naar je kamer, Gemma,' zei Harper die haar zus nu ook op de trap zag staan. 'Ik stuur ze wel weg.'

'Niet doen,' zei Gemma haastig, maar haar stem klonk zo zacht dat het haar zelf verbaasde dat iemand haar kon horen.

'Gemma, je hebt huisarrest,' hielp Harper haar herinneren. 'Ook al wil je nog zo graag, je mag de deur helemaal niet uit. Trouwens, ik geloof niet dat je dat echt wilt.'

'Hou op met alles voor haar in te vullen,' zei Penn op boosaardige toon. 'Hoe weet jij nou wat zij wil?'

'Op dit moment kan het me geen barst schelen wat ze wil. En nu wegwezen jullie.'

'Wacht even, Harper.' Gemma kwam de trap af. 'Ik moet met ze praten.'

'Nee!' schreeuwde Harper vol weerzin. 'Je mag niet met ze praten.'

'Ik moet,' hield Gemma vol. Ze slikte en keek Penn en Lexi aan. Ze hadden iets met haar gedaan. Ze was ervan overtuigd dat ze verantwoordelijk waren voor wat er met haar gebeurde. Dat betekende dat ze wisten wat het was en hoe het teruggedraaid kon worden. Gemma wilde het per se weten, maar toen Harper de deur dicht wilde doen, stak Penn in een flits haar hand tussen de deur en duwde hem weer open. Op haar gezicht lag een dreigende glimlach, waarbij iets te veel tanden te zien waren.

'Sorry,' zei Gemma ernstig. 'Ik moet gaan.' Ze glipte door de kier die Penn voor haar had gemaakt naar buiten.

'Gemma!' gilde Harper. 'Je mag helemaal niet weg. Ik verbied het je.'

'Je kunt me verbieden wat je wilt, maar ik moet gaan,' zei Gemma, waarna Lexi een kameraadschappelijk bedoelde arm om haar heen legde.

Penn stond tussen Harper en Gemma in.

Aan het gezicht van haar zus kon Gemma zien dat ze op het punt stond om Penn aan te vliegen, maar het volgende moment draaide Harper zich naar haar toe.

'Gemma,' zei ze. Het klonk nu bijna hulpeloos. 'Kom alsjeblieft naar binnen.'

Gemma schudde haar hoofd. 'Sorry,' zei ze en ze liep achter Lexi aan naar een auto die voor het huis geparkeerd was. 'Ik ben zo terug,' riep ze naar Harper. Even bleef ze staan om eraan toe te voegen: 'En maak je geen zorgen.'

'We zullen goed op haar letten,' zei Penn geruststellend. Weer wierp ze haar die iets te brede glimlach toe.

'Gemma!' riep Harper terwijl Gemma naast Lexi op de achterbank schoof en Penn het portier achter haar dichtsloeg.

Thea zat achter het stuur te wachten, klaar om te vluchten alsof ze een bankoverval hadden gepleegd. Penn ging naast haar zitten.

Toen de auto zich in beweging zette, zag Gemma haar zus in de deuropening staan. Vervolgens keek ze naar Alex' huis. De gele gloed uit zijn slaapkamerraam stak af tegen de donkere lucht.

Het volgende moment kruiste haar blik die van Penn in de achteruitkijkspiegel.

'Wat zijn jullie?' vroeg Gemma.

'Heb nog even geduld,' zei Penn glimlachend. 'Als we bij de inham zijn, zullen we je haarfijn uitleggen wat we zijn.'

Gemma had altijd al willen weten hoe Penn en haar vriendinnen bij de grot in de inham kwamen. Thea reed helemaal om de baai heen, naar de andere kant van de inham. Daar parkeerde ze de auto achter een paar cipressen en stapten ze allemaal uit.

Het viel Gemma op dat ze hun schoenen in de auto lieten liggen. Als ze zelf haar schoenen niet vergeten was aan te trekken, zou ze dat ook hebben gedaan.

Zwijgend liepen ze over een paadje tussen de bomen. Het was bijna vollemaan.

Gemma's hart klopte van opwinding. Ze was er niet helemaal van overtuigd of ze de juiste beslissing had genomen. Ze wist dat het gevaarlijk was om met het drietal mee te gaan, vooral na wat ze de laatste keer met hen had meegemaakt.

Maar als ze haar hadden willen vermoorden, zouden ze dat allang hebben gedaan. Om erachter te komen wat er met haar aan de hand was, moest ze simpelweg met hen mee. Zij alleen wisten het antwoord.

Toen ze bij een nogal steile, rotsachtige helling kwamen, duurde het even voordat Gemma besefte dat ze aan de achterkant van de inham waren. Ze verwachtte dat de meisjes haar een of andere verborgen ingang zouden wijzen zodat ze zonder nat te worden de grot konden bereiken, maar in plaats daarvan begonnen ze de helling te beklimmen.

'Moet ik echt omhoog?' vroeg Gemma. Ze was niet goed in klimmen en zag nergens iets waar ze zich aan kon vasthouden.

'Je kunt het,' verzekerde Lexi haar. Penn was al bijna boven.

'Ik ben bang van niet.'

'Je weet niet half wat je allemaal kunt.' Lexi glimlachte. Zonder op Gemma te wachten begon ze aan de klim.

Gemma aarzelde niet lang meer en liep achter hen aan. Tot haar verbazing ging het haar net zo gemakkelijk af. Niet omdat ze beter kon klimmen, maar wel omdat ze sneller, sterker en behendiger was. Hoewel ze een paar keer bijna uitgleed, bleef ze wonderwel op de been.

Toen ze boven was, had ze prachtig uitzicht over de baai. Vlak onder hen bevond zich de ingang van de grot. Er stond een krachtige wind die de haren van de meisjes deed opzwiepen.

'Wat gaan we nu doen?' vroeg Gemma.

'Ik wil je laten zien wat we zijn,' zei Penn.

'Wat zijn jullie dan?'

'Hetzelfde wat jij bent.' Penn glimlachte naar haar.

Gemma slikte. 'En dat is?'

'Wacht maar af,' zei Penn, en op hetzelfde moment duwde ze Gemma over de rand de zee in.

Gemma gilde en zwaaide wild heen en weer met haar armen. Ook al zou ze in het water terechtkomen, dan nog was een val van die hoogte levensgevaarlijk. Het lukte haar dan ook niet helemaal om de rotsen te ontwijken en toen haar lichaam het water raakte, had ze het gevoel alsof ze op de grond viel. Haar rug kreeg een enorme opdonder die haar even de adem benam. Toen ze kopje-onder ging, sloeg haar arm keihard tegen een rots. Het water om haar heen kleurde rood en het zoute water prikte in de wond.

Naar adem happend kwam ze weer boven water. Om de pijn niet te voelen maakte ze krachtige zwembewegingen, maar door de val en de duisternis kon ze zich niet meer oriënteren. Ze wist niet welke kant ze op moest zwemmen. Haar keel brandde en haar longen snakten naar zuurstof.

Maar ondanks alle inspanningen voelde ze dat er iets veranderde. Het was hetzelfde gevoel als ze in de douche en in het zwembad had ervaren, alleen deze keer was het nog intenser. De huid van haar benen tintelde van de liezen tot de tenen. De pijn in haar arm trok weg en maakte plaats voor een prikkelende sensatie, vergelijkbaar met wat ze in haar benen voelde.

Ze voelde zich goed, beter dan ooit eigenlijk, en als ze niet aan het verdrinken was, zou ze ervan hebben genoten. De verandering nam haar zo in beslag dat ze weer kopje-onder ging. Ze snakte naar lucht en was bang dat haar longen zich met water zouden vullen, maar in plaats daarvan... ademde ze zuurstof in.

Ze kon onder water ademhalen.

Gemma knipperde met haar ogen. Ze kon zelfs onder water zien. Niet wazig maar scherper dan wanneer ze op het land was.

Het volgende moment hoorde ze een plons. Lexi was vlak voor haar in het water gedoken. Even was Gemma omringd door witte belletjes. Toen ze waren opgetrokken, zag ze Lexi op zich afkomen. Haar blonde haren golfden om haar hoofd. Ze glimlachte.

Ineens zag Gemma dat Lexi geen benen meer had maar een lange staart, als van een vis, bedekt met groene, doorschijnende schubben. Haar bovenlijf was onveranderd en haar borsten waren bedekt met een felgekleurd bikinitopje.

Gemma keek omlaag en zag dat ook zij een vissenstaart had. Haar korte broek was in het kruis gescheurd en de stof zat als een riem om haar middel.

Ze slaakte een ijselijke kreet, maar Lexi lachte alleen maar.

14

Onthullingen

'Ben ik een zeemeermin?' vroeg Gemma toen ze weer boven water kwam. De kans was groot dat ze ook onder water kon praten, maar om haar hoofd helder te maken wilde ze even frisse lucht inademen. Misschien was ze door een of ander verdovend middel aan het hallucineren geslagen. Penn en haar vriendinnen hadden haar immers al eerder iets toegediend.

'Niet helemaal,' zei Penn terwijl ze haar donkere haar uit haar gezicht streek. Ze was samen met Thea ook in het water gedoken, zodat ze nu met z'n vieren in de baai dreven. 'We zijn sirenen.'

'Wat is het verschil?' vroeg Gemma.

'Om te beginnen bestaan zeemeerminnen helemaal niet en wij wel,' zei Penn met een glimlach.

Thea rolde met haar ogen en dook onder water, vermoedelijk om een eind verder te zwemmen.

'Ik leg het je nog wel een keer uit,' zei Penn. 'Ga eerst maar eens zwemmen met dat nieuwe lichaam van je. We hebben daarna nog tijd genoeg om te praten.'

'Maar...' Gemma had willen vragen wat ze nu precies was, maar ze voelde haar staart in het water krachtig en snel heen en weer slaan. Ze moest zwemmen. Er was geen houden meer aan.

Ze wist nu tenminste een deel van de waarheid. Ze wist wat

ze waren en voorlopig bleven ze hier. Zonder nog iets te zeggen dook ze onder water.

Het voelde beter dan ze zich ooit had kunnen indenken. Ze zwom sneller dan ze ooit voor mogelijk had gehouden. Ze spartelde in het rond op de bodem van de zee en zwom achter de vissen aan, gewoon omdat het kon.

Ze hoopte bijna dat ze een haai zou tegenkomen, want ze was ervan overtuigd dat hij haar niet te pakken zou kunnen krijgen.

Ze voelde zich fantastisch. Het zwemmen gaf haar een wonderbaarlijk gevoel. Haar huid straalde als nooit tevoren. Haar lichaam registreerde elke beweging, elke trilling, elke verandering in de stroming.

Ze zwom zo dicht mogelijk bij de bodem om vervolgens naar het wateroppervlak omhoog te schieten en als een dolfijn met haar staart te klappen.

'Doe een beetje rustig,' zei Penn. 'We kunnen beter niet gezien worden.' Ze zat op de rotsachtige rand van de inham. Ze had haar staart onder zich vandaan getrokken en om zich heen gedrapeerd. Gemma zag de doorschijnend groene schubben langzaam veranderen in zongebruinde mensenhuid. De staart splitste zich in twee benen en Penn stond op. Ze was vanaf haar middel spiernaakt. Haastig wendde Gemma haar blik af.

'Geneer je niet,' zei Penn lachend.

Ze liep weg en bij de rotswand rommelde ze even in een tas. Vanuit haar ooghoek zag Gemma dat ze er een slipje en een jurk uit haalde.

'We hebben ook kleren voor jou,' zei Lexi die ook uit het water was gekomen. 'Wees maar niet bang.'

Na Lexi kwam Thea uit het water. Gemma wachtte tot ze alle drie aangekleed waren voordat ze er zelf uit kwam. Met de rug naar hen toe schoof ze de inham in. Haar staartvinnen schuurden over de rotsen. Toen ze net aan land was, trok de vertrouwde tinteling weer door haar onderlijf.

Ze liet haar handen over haar staart glijden en voelde de

schubben onder haar vingertoppen bewegen.

'Ongelofelijk,' fluisterde ze, starend naar de huid van haar benen. 'Hoe kan dat?'

'Dat komt door het zoute water,' zei Thea en wierp haar een jurk toe.

Gemma ving hem op en kwam overeind. Even was ze bang dat haar benen weer in een staart zouden veranderen, maar gelukkig stond ze stevig op de grond. Over haar topje heen trok ze de jurk aan en ze schopte de gescheurde shorts uit.

'Niet alleen door het zoute water,' verbeterde Penn haar. 'Als je zout toevoegt aan kraanwater, gebeurt er niks. Het komt door de zee. In gewoon water kun je soms best al een paar verschijnselen voelen, maar alleen in zeewater kan de echte transformatie plaatsvinden.'

'Als ik niet in een sirene getransformeerd was,' vroeg Gemma, 'dan was ik dus dood geweest?'

'Dus wees maar blij,' zei Thea. Ze ging in het midden van de grot op de grond zitten en begon een kampvuur te maken.

'Je moet natuurlijk niet met een salto achterover het water in springen. Dat doet pijn,' zei Lexi grinnikend. 'Je moet duiken, gekkie.'

'Hoe kon ik dat weten? Jullie hebben me er gewoon in geduwd.' Gemma keek Penn boos aan. 'Hadden jullie me niet eerder kunnen zeggen wat er zou gebeuren?'

'Dan was de lol eraf.' Penn knipoogde naar haar, alsof het allemaal een grapje was in plaats van een levensgevaarlijke actie.

Ineens laaide het vuur hoog op en vulde de donkere inham met licht. Penn, die er dichtbij zat, strekte haar lange benen uit en leunde achterover op haar ellebogen. Lexi kwam naast haar zitten terwijl Thea druk bezig was het vuur brandend te houden.

'Jullie hebben me dit aangedaan,' zei Gemma. Het klonk niet beschuldigend, want wat haar precies was aangedaan en of het een vloek of een zegen was, wist ze zelf eigenlijk niet. Tot dusver voelde het als een zegen, maar ze vertrouwde Penn nog steeds niet. 'Waarom heb je me in een sirene veranderd?'

'Tja, daar zit 'm nou net de kneep,' zei Penn glimlachend.

'Kom bij ons zitten.' Lexi klopte op de grond naast haar. 'Het is nogal een lang verhaal.'

Gemma bleef echter bij de monding van de inham staan. De golven klotsten tegen de rotsen en in de verte hoorde ze het geronk van motorboten. Verlangend staarde ze over het water. Het liefst was ze er weer ingedoken. De laatste keer dat ze er had gezwommen, had Penn haar bijna vermoord en nog maar een paar minuten geleden was ze over de rand van de klif geduwd. Dat viel moeilijk te rijmen met de geweldige ervaring van het zwemmen als sirene. Iets mooiers had ze tot nu toe in haar leven niet meegemaakt en het kostte haar dan ook de grootste moeite om te blijven waar ze was en te luisteren naar wat ze haar te vertellen hadden.

Het was onmogelijk om dichter naar het vuur toe te lopen. De lokroep van het water was zo krachtig dat ze er niet van los kon komen.

Toen Gemma geen aanstalten maakte, haalde Lexi haar schouders op. 'Dan moet je het zelf maar weten.'

'Het is inderdaad een lang verhaal,' zei Penn. 'Het begint in de tijd dat de wereld net bestond en goden en godinnen gewoon onder de mensen leefden.'

'Goden en godinnen?' herhaalde Gemma verbaasd.

'Geloof je daar niet in?' zei Thea. Ze lachte. Een droge, verbitterde lach die weerkaatste op de rotswanden. 'Een paar minuten geleden had je nog een staart en toch twijfel je?'

Gemma sloeg haar ogen neer en zweeg. Thea had gelijk. Na alles wat ze de afgelopen dagen had gezien en gevoeld, konden ze haar alles wijsmaken. Ze had geen andere keus. Ze had geen enkele verklaring voor de bovennatuurlijke dingen die ze had meegemaakt.

'Vroeger leefden de goden vaak op aarde tussen de gewone stervelingen. Ze hielpen de mensen met hun leven. Soms keken ze alleen maar toe en vermaakten ze zich met het lief en leed dat ze om zich heen zagen,' vervolgde Penn. 'Achelous was ook zo'n god. Hij was de god van al het water, het water dat het leven op aarde mogelijk maakte. In die tijd waren goden een soort popsterren. Ze hadden minnaressen bij de vleet. Achelous had diverse affaires met muzen.'

'Muzen?' herhaalde Gemma.

'Ja, muzen,' legde Penn geduldig uit. 'Zij zijn de dochters van Zeus en hebben als taak de mensen te inspireren en te betoveren.'

'Wat houdt dat in?' vroeg Gemma. Ze kwam nu iets dichter naar het vuur toe en ging op een grote rots zitten. 'Wat doet een muze precies?'

'Heb je wel eens van Horatius' *Oden* gehoord?' vroeg Penn.

Gemma schudde haar hoofd. 'Nee, ik heb geen klassieke talen op school, maar ik heb wel van de *Odyssee* van Homerus gehoord.'

'De *Odyssee*,' schamperde Thea. 'Die Homerus was niet goed wijs.'

Penn maakte een wegwuivend gebaar. 'Let niet op haar,' zei ze. 'Ze is alleen maar beledigd omdat ze nergens in de *Odyssee* wordt genoemd. Om op je vraag terug te komen, Horatius werd door een muze geholpen bij het schrijven van zijn proza. Niet dat ze het voor hem schreef, maar ze inspireerde en motiveerde hem wel.'

'Ik geloof dat ik het snap.' Toch bleef er een vragende blik in haar ogen.

'Nou ja, zo belangrijk is de taak van een muze eigenlijk ook niet,' vervolgde Penn. 'Hoe dan ook, Achelous had een affaire met de muze van het lied. Ze kregen twee dochters, Thelxiepeia en Aglaope. Daarna kreeg hij een verhouding met de muze van de dans, met wie hij een dochter, Peisinoe, kreeg.'

'Wat een rare namen,' merkte Gemma op. 'Heette er toen niemand gewoon Mary of Judy?'

'Tegenwoordig zijn de namen inderdaad veel makkelijker te spellen,' zei Lexi lachend.

'Ondanks het feit dat hun vader een god was, waren Thelxiepeia, Aglaope en Peisinoe bastaardkinderen uit zijn affaires met bedienden, dus groeiden ze op zonder enige rijkdom,' vervolgde Penn.

'Wacht eens,' zei Gemma. 'Hoe kan het dat de muzen als dienstmeid moesten werken? Zeus was toch hun vader? Een oppergod! Zouden de muzen dan niet een soort prinsessen moeten zijn geweest?'

'Dat zou je inderdaad verwachten, maar zo was het niet,' reageerde Penn. 'Muzen waren er om mensen te dienen. Ze waren beeldschoon en getalenteerd. Ze werden op handen gedragen door iedereen voor wie ze een inspiratiebron waren, maar uiteindelijk sleten ze hun dagen als dienstmeid voor straatarme kunstenaars. Ze leidden het leven van een bohemienne, maar ze moesten wel voortdurend voor anderen klaarstaan. Zodra de dichters hun sonnetten hadden geschreven en de schilders hun schilderijen af hadden, werden ze als oud vuil afgedankt.'

'Ze waren een soort veredelde hoeren,' concludeerde Thea.

'Juist,' viel Penn haar bij. 'Maar er zat niks anders op, want Achelous had hen zo ongeveer verstoten en hun moeders waren druk met hun werk als dienstbode, dus Thelxiepeia, Aglaope en Peisinoe moesten zichzelf zien te redden.'

'Thelxiepeia probeerde wel voor haar jongere zusjes te zorgen,' vulde Thea aan. Ze keek Penn even doordringend aan. De vlammen wierpen dansende schaduwen op haar mooie gezicht, waardoor ze iets duivels kreeg. 'Maar Peisinoe was nooit tevreden.'

'Als je op straat moet leven, is het lastig om tevreden te zijn.' Penn liet zich door Thea's blik niet van de wijs brengen. 'Thelxiepeia deed haar best, maar als je uitgehongerd bent, moet je natuurlijk iets doen.'

'Ze waren helemaal niet uitgehongerd,' snauwde Thea. 'Ze hadden toch werk! Ze konden zichzelf best bedruipen.'

'Noem je dat werk?' Penn rolde met haar ogen. 'Ze waren dienstmeiden!'

Zowel Lexi als Gemma hoorde de discussie geboeid aan. Over het vuur heen keken Penn en Thea elkaar zwijgend aan en de spanning liep zo hoog op dat Gemma niets meer durfde te zeggen.

'Dat was allemaal heel lang geleden,' zei Lexi zacht. Ze bleef dicht naast Penn zitten en keek bijna in aanbidding naar haar op.

'Jazeker,' beaamde Penn, die haar dodelijke blik eindelijk van Thea afwendde. 'Ze waren straatarm en uitgehongerd. Thelxiepeia begreep dat er maar één ding op zat. Ze ging naar haar vader toe en smeekte hem werk voor hen te vinden. Inmiddels waren ze oud genoeg om de aandacht van mannen te krijgen. De drie zussen leken in veel opzichten op hun moeders en hadden behalve hun schoonheid ook hun dans- en zangtalent geërfd.'

'Werken was volgens Thelxiepeia de enige manier om uit hun belabberde situatie te komen,' zei Thea. De bittere klank was uit haar stem verdwenen en ze vervolgde het verhaal waarmee Penn was begonnen. 'Maar Peisinoe vond een huwelijk de beste manier om aan de armoede te ontsnappen.'

'Het waren andere tijden,' legde Penn uit. 'Voor vrouwen waren de keuzemogelijkheden veel beperkter dan nu. Vaak was een man die voor hen zorgde de enige manier om te overleven.'

'Maar dat was nog niet alles,' zei Thea. 'Thelxiepeia was de oudste en had de meeste ervaring. Maar Peisinoe was nog maar veertien. Ze was een romantisch, dromerig meisje. Ze geloofde nog in de prins op het witte paard.'

'Ze was jong en dom,' zei Penn, meer tegen zichzelf. 'Achelous vond werk voor zijn dochters. Ze konden als dienstmeisje bij een of ander verwend nest aan de slag. Persephone heette ze. Ze moesten voor haar schoonmaken en haar helpen aankleden.'

'Persephone was helemaal geen verwend nest,' wees Thea Penn terecht.

'Dat was ze wel,' hield Penn vol. 'Ze was een secreet. Ze was altijd bezig met haar minnaars. Ze gedroeg zich alsof ze de vrouw van Zeus was. De dochters van Achelous zouden eigenlijk zelf dienstmeisjes moeten hebben, maar in plaats daarvan werden ze door Persephone als oud vuil behandeld.'

'Vertel Gemma over Ligeia,' vroeg Lexi op smekende toon, alsof ze een klein kind was dat elke avond weer hetzelfde verhaal voorgelezen wil worden hoewel ze het al helemaal van buiten kent.

'Toen Thelxiepeia, Aglaope en Peisinoe bij Persephone in dienst kwamen, werkte Ligeia er al,' zei Penn. 'Ze hielden van haar alsof het hun zusje was. Ligeia kon heel mooi zingen. Ze had echt een prachtige stem.

Ligeia hoefde niet veel te doen als dienstmeisje. Ze hoefde alleen maar voor Persephone te zingen. Dat vond niemand een probleem, want ze zong zo mooi dat iedereen er vrolijk van werd.

Het leven van de muzen bestond niet alleen uit werk,' vervolgde Penn. 'De vier meisjes waren tieners en er was ook tijd voor plezier. Zo vaak ze konden gingen ze naar de zee om te zwemmen en te zingen.'

'Ligeia's zang verdiende publiek,' zei Thea. 'Soms zat ze samen met Aglaope hoog in een boom in volmaakte harmonie te zingen, terwijl Thelxiepeia en Peisinoe aan het zwemmen waren.'

'Maar eigenlijk zwommen ze niet,' verduidelijkte Penn. 'Ze voerden een betoverende dans uit onder water. Ze deden niet onder voor wat Ligeia en Aglaope deden.'

'Van heinde en verre kwamen mensen kijken en luisteren,' viel Thea bij. 'Ze trokken zelfs de aandacht van goden zoals Poseidon.'

'Poseidon was de god van de zee,' legde Penn uit. 'In haar onschuld dacht Peisinoe hem met haar zwemkunst te kunnen verleiden. Ze hoopte dat hij verliefd op haar zou worden en haar mee zou nemen.

En misschien werd hij ook wel verliefd op haar.' Penn veegde het zand van haar benen en staarde in de vlammen. 'In de loop der jaren zijn heel wat mannen en zelfs een paar goden voor haar charmes gevallen. Maar uiteindelijk maakte het niet uit. Het was toch niet genoeg.'

'Inmiddels stond Persephone op het punt te gaan trouwen,' zei Thea, de draad van het verhaal oppakkend. 'Ze was druk bezig met de voorbereidingen, maar in plaats van haar te helpen gingen de vier dienstmeisjes weer naar zee om te zwemmen en te zingen. Toen ze op een keer door Poseidon werden uitgenodigd om te komen optreden, was Peisinoe ervan overtuigd dat hij haar eindelijk ten huwelijk zou vragen. Maar dan moest ze hem eerst zien te imponeren met haar zwemkunst.'

'Helaas werd Persephone op dezelfde dag door iemand ontvoerd en verkracht,' zei Penn. 'De dienstmeisjes, die eigenlijk op haar hadden moeten letten, waren zo ver van haar vandaan dat ze haar geschreeuw niet eens konden horen.'

'Demeter, de moeder van Persephone, was buiten zinnen van woede,' zei Thea. 'Ze sprak Achelous aan op het onoplettende gedrag van zijn dochters. Ze hadden Persephone moeten beschermen. Maar omdat Achelous meer macht had dan Demeter, moest ze eerst zijn toestemming vragen om de vier muzen een straf op te leggen.'

'Achelous had zich eigenlijk nooit om zijn dochters bekommerd,' zei Penn. 'Dus de muzen gingen ervan uit dat hij niet voor hen zou opkomen. Peisinoe smeekte Poseidon om hulp. Ze bood zichzelf zelfs onvoorwaardelijk aan hem aan als hij zou toezeggen haar en haar zussen te helpen.'

Er viel een lange stilte. Gemma boog zich naar voren, in gespannen afwachting van de rest van het verhaal.

'Poseidon weigerde.' Penns stem klonk zo zacht dat Gemma haar boven het ruisen van de zee nauwelijks kon horen. 'Niemand kon de muzen redden. Ze hadden alleen elkaar nog. Zo was het altijd geweest en zo zou het blijven.'

'Demeter was woedend omdat ze haar dochter niet hadden beschermd en voor een leven hadden gekozen dat haar niet aanstond. Ze vervloekte hen,' zei Thea. 'Ze maakte hen onsterfelijk, zodat ze elke dag met hun dwaasheid verder zouden moeten leven. De bedoeling was dat dingen waarvan ze hielden hun uiteindelijk zouden gaan tegenstaan.'

'Welke dingen?' vroeg Gemma.

'Op het moment dat Persephone werd ontvoerd, waren ze druk bezig met flirten, zingen en dansen,' antwoordde Thea. 'Dat zou hun vloek worden.'

'Demeter gaf hun de zangstem van vogels, een hypnotiserend geluid waaraan niemand kon ontkomen,' zei Penn. 'Alle mannen werden erdoor betoverd en moesten hen volgen.'

'Maar Demeter veranderde hen ook voor een deel in vissen, waardoor ze altijd vlak bij het water moesten zijn. Schippers die werden gelokt door hun zangstem, sloegen met hun schepen tegen de rotsen te pletter en stierven een jammerlijke dood.'

'Maar dat is nog niet het ergste,' zei Thea met een spottende glimlach. 'Alle mannen werden dan wel verliefd op hun stem en hun bekoorlijke uiterlijk, maar meer zat er niet in. Niemand leerde de meisjes ooit echt kennen. Niemand zou ooit echt van hen kunnen houden. En de muzen zelf waren evenmin in staat tot oprechte liefde.'

15

Vergeet me niet

Penn en Thea lieten even een stilte vallen, zodat Gemma het hele verhaal op zich kon laten inwerken.

'Dus jullie zijn die drie zussen?' vroeg Gemma. Ze wees hen een voor een aan. 'Peisinoe, Thelxiepeia en Aglaope.'

'Niet helemaal,' zei Penn. 'Ik was ooit inderdaad Peisinoe en Thea was Thelxiepeia. Maar Lexi is de vervangster van Ligeia, die jaren geleden is overleden.'

'Wacht eens even. Waarom moest Lexi de plaats van Ligeia innemen?' vroeg Gemma. 'En waar is jullie vierde zus, Aglaope?'

'Dat hoorde ook bij Demeters vloek,' antwoordde Thea. 'Omdat we elkaar belangrijker vonden dan haar dochter, zijn we voor altijd tot elkaar veroordeeld. We moeten altijd met z'n vieren zijn. We kunnen niet alleen weggaan of langer dan een paar weken uit elkaar zijn.'

'Als een van ons vertrekt, gaat ze dood. Dan moeten we vervanging zoeken,' legde Penn uit. 'Voordat het weer volle maan is, moeten we iemand gevonden hebben.'

'Dus ik moet Aglaope vervangen?' Gemma slikte moeizaam terwijl het besef tot haar doordrong. 'En als ik dat nou niet wil?'

'Je hebt geen keus,' zei Penn onverbiddelijk. 'Trouwens, je bent al een sirene. Als je probeert te vluchten, ga je dood en moeten we weer vervanging voor jou zoeken.'

'Hoe kan dat?' vroeg Gemma. 'Hoe ben ik een sirene geworden? Door wat er in die fles zat?'

'Ja. Dat was een bepaald... mengseltje,' zei Penn, haar woorden zorgvuldig kiezend.

'Wat zat er dan in?'

'Maak je daar nou maar niet druk om,' probeerde Penn haar gerust te stellen. 'Je zou het nu toch niet begrijpen. Ooit zal het je allemaal duidelijk worden.'

'Waarom ik?' vroeg Gemma. Haar stem trilde. 'Waarom hebben jullie mij uitgekozen?'

'Snap je dat dan niet?' vroeg Penn. 'Je bent mooi, je houdt van water en je bent niet bang. Aglaope was bang. We hadden iemand nodig die heel anders was.'

'Aglaope was niet bang,' wierp Thea tegen. 'Ze was voorzichtig.'

'Dat maakt nu niet meer uit,' zei Penn op scherpe toon. 'Ze is weg en nu hebben we Gemma.'

'Dus... jullie denken dat ik mijn vertrouwde leventje achter me laat om de rest van mijn leven een beetje met jullie rond te zwemmen en zingen?'

'Dat klinkt helemaal niet slecht, toch?' vroeg Penn.

'Het is juist fantastisch,' viel Lexi haar bij. 'Je moet er gewoon even aan wennen. Het is duizend keer beter dan het leven van een gewone sterveling.'

'Maar...' Gemma sloeg haar ogen neer. Ze dacht aan Harper, aan haar ouders, aan Alex. Toen hief ze haar hoofd op en keek Penn aan. 'Als ik nou niet wil?'

'Dan ga je dood,' zei Penn. Ze haalde haar schouders op alsof het haar koud liet, maar haar stem klonk hard en haar ogen brandden. 'Als ik het wil, gebeurt het.'

'Toe, Penn,' verzuchtte Lexi. Ze wierp Gemma een begripvolle glimlach toe en zei: 'Het is allemaal een beetje te veel ineens voor je. Je hoeft vandaag nog geen beslissing te nemen. Denk er nog maar even over na. Dan zal je beseffen dat dit het beste is wat je kan overkomen.'

'Maar het is een vloek,' zei Gemma. 'Demeter heeft jullie voor straf in sirenen veranderd.'

'Voelde het voor jou dan als een straf?' vroeg Penn sluw. 'Voelde je je niet fantastisch daarnet in het water?'

'Jawel, maar...'

'Demeter was een idioot. Ze heeft zich vergist.' Ineens stond Penn op. 'Ze dacht dat ze ons strafte, maar ze heeft ons bevrijd. Haar dochter is dood, Demeter zelf is allang vergeten en wij... wij zijn er nog, mooier en sterker dan ooit. Haar zogenaamde vloek is voor ons een zegen.' Ze keek Gemma doordringend aan. 'Ik heb mijn zegje gedaan. Hier laat ik het bij. Aan jou de keus om je bij ons aan te sluiten.' Penn trok haar jurk over haar hoofd uit.

'Wacht.' Gemma stond op. Haar hoofd tolde. 'Wacht even, Penn. Ik wil je nog zoveel vragen.'

Maar Penn negeerde haar en dook in de onstuimige golven. Thea volgde haar voorbeeld.

Lexi liep naar Gemma toe en legde een hand op haar arm. 'Ga naar je familie en vrienden,' zei ze. 'Regel wat je regelen moet en neem afscheid van alles wat je dierbaar is. Ga met ons mee. Je zult er geen spijt van krijgen.'

Nadat ook Lexi het water in gedoken was, twijfelde Gemma even of ze de sirenen achterna zou gaan. Nu ze zo getraind was, zou het haar waarschijnlijk geen enkele moeite kosten om ze in te halen. Maar waarom zou ze? Ze had nog niet eens antwoord gekregen op haar vragen.

Desondanks had ze genoeg om over na te denken. Ze geloofde alles wat Penn en Thea haar hadden verteld, maar het was niet de hele waarheid. Gemma was ervan overtuigd dat ze iets achterhielden. Ze hadden haar bijvoorbeeld niet verteld hoe het met Aglaope was afgelopen.

Ook klopte er iets niet met de vloek die Demeter hun had opgelegd. Wat ze de sirenen had aangedaan, klonk allesbehalve ernstig. Ze had hen onsterfelijk gemaakt, eeuwige schoonheid gegeven en het vermogen om, wanneer ze dat wilden, als vissen te ademen en te zwemmen.

Voor Gemma klonk dat als een droom die uitkwam.

Ze liep naar de monding van de inham en ging op een rots zitten, met haar benen bengelend in het water. Het water reikte tot aan haar knieën. Haar huid werd warm en begon te tintelen. Af en toe sprong er een schub van haar huid. Haar tenen spreidden zich en begonnen steeds meer op vinnen te lijken.

Omdat ze nog niet helemaal was ondergedompeld, was de transformatie nog niet compleet. Haar benen waren nog gewoon benen, met hier en daar een schub. Gemma zwaaide ze heen en weer, genietend van het koude water dat over haar schubben en vinnen stroomde.

Ze sloot haar ogen en ademde diep in. Haar hart zwol van puur geluk.

Maar ondanks het ongelofelijke geluksgevoel bleef ze zich afvragen of ze daarvoor alles moest opgeven wat haar lief was: haar vader, haar zus, Alex. Was het dat wel waard?

Met haar ogen nog steeds gesloten liet ze zich in de jurk, die de sirenen haar hadden gegeven, in het water glijden. Ze deed geen enkele poging om te zwemmen, maar liet zich gewoon in het water zakken.

Toen ze de bodem raakte, versmolten haar benen tot een staart. Pas toen ze onder water kon ademen, opende ze haar ogen. Om haar heen was alles donker. Ze had geen idee in welke richting ze de sirenen moest zoeken. Ze sloeg met haar staart heen en weer en zwom naar de kust. Er zat niets anders op dan Lexi's advies op te volgen en naar huis te gaan om daar na te denken over de volgende stap.

Omdat ze niet gezien wilde worden, zwom ze naar de verste hoek van de inham, waar ze zich aan de rotsen omhooghees. Eenmaal uit het water keek ze weer verbaasd toe hoe de schubben in normale huid veranderden.

Ze was dolblij met de jurk die ze had gekregen. Nu hoefde ze tenminste niet in haar blootje naar huis. Ze vond het niet erg om alleen naar huis te wandelen, want het gaf haar tijd om alles op een rijtje te zetten.

Toen ze bijna thuis was, schoot ze het paadje in dat naar Alex' tuin leidde. Ze sloop naar het huis en drukte zich tegen de muur. Stel je voor dat Harper toevallig uit het raam keek en haar door de tuin van de buren zag sluipen. Ze schoof verder langs de muur en toen ze bij de achterdeur was aangekomen, klopte ze zachtjes.

Haar hart bonsde in haar keel. Ze wilde Alex dolgraag zien maar tegelijk zag ze ertegen op.

Thea's woorden galmden na in haar hoofd. De ware vloek van de sirenen was dat geen enkele man ooit echt van hen zou kunnen houden. Gemma herinnerde zich Alex' vurige kussen en de troebele blik in zijn ogen. Dat was niet de Alex op wie ze verliefd was geworden. Dat was een jongen in de ban van een sirene, een jongen die niet in staat was van haar te houden.

De achterdeur bleef dicht. Net toen Gemma op het punt stond om weg te lopen, werd er opengedaan.

'Gemma,' klonk de stem van Alex verbaasd maar ook opgelucht.

'Sst.' Ze hield haar vinger tegen haar mond. Harper en haar vader mochten haar absoluut niet horen.

'Wat doe je hier?' vroeg Alex op fluistertoon. 'Wat is er gebeurd? Je bent kletsnat.'

Gemma keek omlaag naar haar jurk. Tijdens de wandeling naar huis was de stof iets opgedroogd, maar nog lang niet helemaal.

'O ja, maar verder voel ik me prima, hoor.'

'Je hebt het koud, zo te zien. Zal ik een jas voor je halen?' Alex wilde al naar de kapstok lopen, maar Gemma greep hem net op tijd bij zijn arm.

'Laat maar. Ik wil alleen maar iets vragen.' Ze keek om zich heen alsof ze verwachtte dat Harper ergens op de loer lag. 'Kunnen we even praten?'

'Ja, natuurlijk.' Hij deed een stap naar haar toe en legde zijn handen op haar armen. 'Wat is er toch? Je ziet er zo opgejaagd uit.'

'Ik heb zoiets vreemds meegemaakt vanavond,' bekende ze, en tot haar verbazing voelde ze de tranen in haar ogen prikken.

'Wat dan? Wat is er gebeurd?'

Gemma zag een bezorgde blik in zijn bruine ogen, die hem ouder maakte. Hij was nu al woest aantrekkelijk, voor een groot deel ook omdat hij zich er zelf totaal niet van bewust was. Maar ineens zag ze hem als de man die hij op een dag zou zijn. Haar hart kromp ineen bij de gedachte dat ze dat waarschijnlijk niet zou meemaken.

Alex was een stuk langer dan zij. Hij torende boven haar uit, als het ware. Zijn gespierde bovenlijf gaf haar een veilig gevoel. En de blik in zijn diepbruine ogen deed haar smelten. Er lag zoveel warmte en tederheid in dat ze ervan overtuigd was dat hij haar nooit pijn zou kunnen doen.

'Wat er is gebeurd, is niet zo belangrijk,' zei ze. 'Ik moet je iets vragen. Vind je me echt leuk?'

'Of ik je leuk vind?' Zijn bezorgdheid maakte plaats voor opluchting. 'Kom op, Gemma,' zei hij met een scheve glimlach. 'Dat weet je toch wel.'

'Nee, Alex. Ik meen het. Ik moet het weten.'

'Oké.' Hij streek het haar van zijn voorhoofd en keek haar ernstig aan. 'Ik vind je leuk. Heel erg leuk zelfs.'

'Waarom?' Haar stem klonk schor. Ze was bang voor zijn antwoord, want hoewel ze dolgelukkig was met zijn bekentenis, wist ze niet of hij wel wist waaróm hij haar leuk vond. Als hij alleen maar in de ban was van de sirene, kon hij alleen maar lust voelen en geen liefde.

Alex moest lachen om haar vraag. 'Hoezo? Waarom wil je dat weten?'

'Het is belangrijk voor me,' hield ze vol.

Alex zag aan haar gezicht dat ze het meende. 'Eh... nou...' begon hij. Hij vond het moeilijk de juiste woorden te vinden. 'Omdat je zo mooi bent.'

Gemma voelde de moed in haar schoenen zinken.

'En...' vervolgde Alex langzaam, 'omdat je een goed gevoel voor humor hebt. Je bent lief. Je bent slim. En heel ambitieus. Ik heb nog nooit iemand ontmoet met zoveel wilskracht als jij. Eigenlijk ben je veel te cool voor mij. Ik mag al blij zijn dat je met me gezien wilt worden.'

'Vind je me leuk om wie ik ben?' vroeg Gemma, naar hem opkijkend.

'Ja, natuurlijk. Waarom zou ik je anders leuk moeten vinden?' Hij keek haar even onderzoekend aan. 'Wat is er? Heb ik iets verkeerds gezegd? Je gaat toch niet huilen?'

'Nee. Ik ben heel blij met je antwoord.' Ze glimlachte. De tranen stonden in haar ogen. Het volgende moment ging ze op haar tenen staan en kuste hem.

Voorzichtig sloeg Alex zijn armen om haar heen en toen ze haar lippen steviger op de zijne drukte, tilde hij haar een stukje van de grond terwijl zij zich praktisch aan hem vastklampte.

'Gemma!' klonk opeens een stem. Het was Harper, die hun omhelzing vanuit haar slaapkamerraam kon zien.

Meteen zette Alex haar weer op de grond, maar ze lieten elkaar nog niet helemaal los. Hij drukte zijn voorhoofd tegen het hare.

'Vergeet het niet,' fluisterde Gemma. Ze hield haar hand om zijn nek en woelde met haar vingers door zijn haar.

'Wat?' vroeg Alex.

'Vergeet niet hoe ik nu ben. Zoals ik echt ben.'

'Hoe zou ik je ooit kunnen vergeten?'

Voordat hij nog meer kon vragen, had ze zich van hem losgemaakt en rende zonder nog om te kijken naar huis.

16

De Flierefluiter

Teleurgesteld staarde Harper naar *De Flierefluiter*. Ze had het platgedrukte lunchpakketje van haar vader in haar hand. Al een paar minuten liep ze op en neer over de kade, met een schuin oog op Daniels boot. Maar Daniel was nergens te bekennen.

Altijd wanneer ze Brian zijn lunch ging brengen, zag ze Daniel wel ergens op of rond zijn boot. Tot nu toe had ze haar best gedaan hem te ontwijken, maar vandaag wilde ze hem juist graag zien. En nu was hij er niet.

De boot had geen voordeur waar ze kon aanbellen, en Harper vond het net iets te ver gaan om hem vanaf de kade te roepen. En al helemaal om op zijn boot te klimmen.

Eigenlijk wist ze zelf niet eens precies waarom ze hem wilde zien. Voor een deel had het te maken met het gedoe rond Gemma. Normaal besprak Harper haar problemen met Alex of Gemma, maar dat was nu onmogelijk. En Marcy stond nu eenmaal niet bekend als iemand met een luisterend oor.

In feite was het diep triest. Ze wilde Daniel zien omdat ze niemand anders had om haar problemen mee te bespreken.

Maar eerlijk gezegd wilde ze niet alleen haar problemen bij hem kwijt. Ze wilde hem gewoon zien.

Ze voelde een knoop in haar maag. Misschien kon ze maar beter gaan. Haar vader zat op zijn lunch te wachten en ze kon toch niet eindeloos op Daniel wachten.

'Ga je alweer?' hoorde ze Daniels stem toen ze zich omdraaide om weg te lopen.

'Wat?' Ze bleef staan en draaide zich om. Ze zag niemand. Ook op de kade was niemand te zien. Verbaasd keek ze weer naar de boot. 'Daniel?'

'Hé, Harper.' Hij kwam uit de deuropening van de kajuit tevoorschijn en stapte aan dek. 'Ik zie je al een tijdje over de kade heen en weer lopen. Kwam je voor mij?'

'Eh...' Ze bloosde toen ze besefte dat hij haar al die tijd had geobserveerd. 'Waarom zei je dan niks?'

'Ik vond het te leuk om naar je te kijken.' Met een brede grijns leunde hij tegen de reling. 'Je leek wel een opwindbaar speelgoedpoppetje.'

'Niemand heeft tegenwoordig nog opwindbaar speelgoed,' wierp ze zwakjes tegen.

'En? Wat kom je doen?' vroeg Daniel terwijl hij zijn hand onder zijn kin legde.

'Ik was op weg naar mijn vader.' Ze hield het lunchpakketje omhoog.

Wat ze niet zei, was dat ze al die tijd het lunchpakketje van de ene in de andere hand had geschoven. De boterham onder in het pakketje moest onderhand helemaal platgedrukt zijn.

'Ja, dat zie ik. Hopelijk heeft hij geen honger meer, want zo te zien is zijn lunch inmiddels puree geworden.'

Harper bekeek het zakje en slaakte een zucht. 'Nou ja,' zei ze. 'Mijn vader eet toch alles.'

'En anders kan hij ook iets halen in de haven,' opperde Daniel. 'Bij de boten is een hotdogtentje. Als hij nog eens zijn lunch vergeet, kan hij daar voor weinig geld een snack kopen.' Hij hield zijn hoofd een beetje schuin. 'Maar dat wist je al, toch?'

'Dat zou wel eens in de papieren kunnen gaan lopen, want mijn vader vergeet zijn lunch wel heel erg vaak,' zei Harper.

'En dan zou jij me hier niet meer tegenkomen.'

'Je denkt toch niet dat ik voor jou kom, hè?' zei ze kribbig. 'Ik breng mijn vader zijn lunchpakketje om geld uit te sparen.' Ze aarzelde even en gaf toen toe: 'Oké, vandaag hoopte ik je inderdaad tegen te komen. Is dat zo erg?'

'Nee, dat is helemaal niet erg.' Hij ging rechtop staan en gebaarde naar zijn boot. 'Kom je even? Dan kunnen we verder praten.'

'Aan boord?' vroeg Harper.

'Ja, aan boord. Ik vind het niet zo fijn om op je neer te kijken, snap je?'

Harper wierp een blik naar het einde van de kade waar haar vader werkte. Zijn lunchpauze was nu toch al voorbij. Misschien had hij zelfs al een hotdog gekocht. Maar toch aarzelde ze nog steeds om op de uitnodiging van Daniel in te gaan. Ze had het gevoel dat ze aan iets zou toegeven waar ze nog niet aan wilde toegeven.

'Kom op.' Daniel boog zich over de reling en strekte zijn arm naar haar uit.

'Heb je geen loopplank of zo?' vroeg Harper.

'Jawel, maar zo gaat het sneller.' Hij zwaaide met zijn hand op en neer. 'Pak mijn hand maar.'

Met een zucht deed Harper wat hij zei. Zijn hand voelde sterk en ruw aan, de hand van een harde werker. Hij trok haar naar zich toe, tilde haar met twee handen op alsof ze niets woog en toen hij haar op het dek neerzette, hield hij haar een paar seconden langer tegen zich aan dan strikt noodzakelijk was.

'Heb je soms geen shirts of zo?' vroeg Harper terwijl ze zich van hem losmaakte. Hij droeg alleen maar shorts en slippers en ze wendde opzettelijk haar blik van hem af. Nog steeds voelde ze de huid van zijn ontblote bovenlijf, die warm was van de zon.

'Heb je er niet eens eentje in je gezicht gehad?' vroeg Daniel plagend.

'O ja, dat is waar ook.' Ze keek rond op het dek, zich niet goed raad wetend met haar houding. Ten slotte reikte ze hem het lunchpakket aan. 'Hier,' zei ze.

'Nou, je wordt bedankt,' zei hij grijnzend. Hij pakte de papieren zak aan en maakte hem open om er vervolgens heel voorzichtig twee platgedrukte boterhammen met ham in een plastic zakje, appelpartjes en een augurk uit te halen.

'Appel?' vroeg hij verbaasd. 'Je vader is toch geen kleuter meer?'

'Hij heeft een hoog cholesterolgehalte,' legde Harper uit. 'Hij moet van de dokter een beetje opletten, dus daarom maak ik zijn lunch altijd klaar.'

Daniel haalde zijn schouders op, hetzij uit ongeloof hetzij uit onverschilligheid. Hij gooide de etenswaren op de kade en maakte een prop van het zakje.

'Hé,' riep Harper verontwaardigd. 'Wat zonde!'

'Nee, hoor,' zei hij, gebarend naar de kade waar de meeuwen inmiddels vochten om een hapje eten. 'Ik doe de vogels er een plezier mee.' Hij lachte om Harpers beledigde gezicht.

'Dat zal wel.'

'Laten we in de kajuit verder praten,' stelde hij voor. 'Daar is het lekker koel.' Zonder haar reactie af te wachten daalde hij het trapje af.

Harper aarzelde even, maar de hitte aan dek gaf de doorslag. Ze snakte naar koelte. Tot haar verbazing was het niet vies in de kajuit. Wel rommelig. Overal lagen spullen verspreid, maar dat lag vooral aan het feit dat er nauwelijks ruimte was om iets in op te bergen.

'Ga zitten,' zei Daniel.

Zijn bed was de enige plek waar ze kon zitten, maar ze wilde niet dat hij zich iets in zijn hoofd haalde. In plaats daarvan leunde ze tegen de tafel. 'Ik blijf liever staan.'

'Wat je wilt.' Daniel ging op het bed zitten en deed zijn armen over elkaar. 'Waar wil je het over hebben?'

'Eh...' Harper kon ineens niet meer uit haar woorden komen. Ze wist niet meer wáárover ze met hem wilde praten, alleen dát ze met hem wilde praten.

'Gemma is niet meer bij me langs geweest, hoor, mocht je je daar zorgen over maken,' zei Daniel.

Harper was blij dat hij een onderwerp te berde bracht, zodat ze hem niet langer onnozel hoefde aan te kijken. 'Mooi. Toevallig heeft ze huisarrest, dus ze mag voorlopig de deur niet uit. Hoewel... ze laat zich toch niet tegenhouden.' Harper fronste haar voorhoofd.

'Knijpt ze er af en toe toch nog tussenuit om naar de baai te gaan?' vroeg Daniel. 'Tja, die meid is niet bij het water weg te slaan. Als ik niet beter wist, zou ik denken dat ze half vis is.'

'Ging ze maar alleen naar de baai,' verzuchtte Harper. 'Daar zou ik nog wel mee kunnen leven, maar de laatste tijd weet ik niet eens meer wat ze uitspookt.'

'Hoe bedoel je?'

'Het is zo bizar. Die meisjes zijn gisteravond bij ons aan de deur geweest. Ze wilden Gemma meenemen en...'

'Bedoel je Penn en haar vriendinnen?'

Harper knikte. 'Ze kwamen haar ophalen en ik heb ze weggestuurd. Maar Gemma wilde per se met ze mee. Ze duwde me opzij en ze is met ze weggereden.'

'Dus ze is uit vrije wil meegegaan,' constateerde Daniel. 'Ik dacht dat ze bang voor ze was.'

'Dat dacht ik dus ook.'

'En is ze 's avond thuisgekomen?'

'Ja, een paar uur later was ze weer thuis, maar er klopte iets niet. Ze verliet het huis in een korte broek met een topje en ze kwam terug in een jurk die ik nog nooit had gezien. Ze was doorweekt. Toen ik vroeg wat ze had gedaan, kreeg ik geen antwoord.'

'Gelukkig is ze heelhuids thuisgekomen,' zei hij.

'Hm,' mompelde ze. 'Ze is trouwens niet rechtstreeks naar huis gegaan,' voegde ze eraan toe. 'Eerst ging ze nog bij Alex langs. Alex is onze buurjongen. Volgens mij hebben ze iets met elkaar. Ik vroeg hem later of hij wist wat er aan de hand was, maar ook hij had geen idee. Ik geloof hem wel, maar ik weet niet of ik daar verstandig aan doe.'

'Wat vervelend voor je,' zei Daniel, en hij meende het. 'Het is heel naar wanneer iemand om wie je geeft allerlei domme streken uithaalt. Maar jij kunt er niets aan doen, Harper.'

'Dat weet ik wel,' zei ze. Ze sloeg haar ogen neer. 'Ik kan er inderdaad niet zoveel aan doen, maar... eh... ik voel me wel verantwoordelijk.'

'Ook dat ben je niet,' zei Daniel. Hij leunde met zijn ellebogen op zijn knieën. 'Je kunt mensen niet tegen zichzelf beschermen.'

'Maar ik moet het op z'n minst proberen. Gemma is mijn zus.'

Daniel sloeg zijn ogen neer. Terwijl hij in zijn handen wreef, viel het zonlicht op de brede zilveren ring om zijn duim. Even zweeg hij, en Harper kon zien dat hem iets dwarszat.

'Heb je de tatoeage op mijn rug gezien?' vroeg Daniel ten slotte.

'Die is niet te missen, toch?'

'Wil je weten wat eronder zit?'

'Je rug?'

'Nee, littekens.' Hij draaide zich om zodat ze de afbeelding op zijn schouder en rug kon zien.

Degene die de tatoeage had gemaakt, mocht trots zijn op zijn werk. De inkt was dik en donker en toen ze zich dichter naar hem toe boog, zag ze dat de schaduwen van de takken niet getekend waren om ze knoestig te doen lijken maar om een paar grote littekens te bedekken.

Niet alle takken verhulden littekens. Onder de dikke stam die over zijn ruggengraat liep bevond zich een gave huid, maar ze zag genoeg littekens waaruit bleek dat Daniel iets had meegemaakt.

'En hier ook,' zei hij. Hij streek zijn warrige haren van zijn voorhoofd, zodat een paar centimeter boven zijn haargrens een dik, roze litteken te zien was.

'Jeetje,' zei Harper geschokt. 'Hoe kom je daaraan?'

'Ik heb een oudere broer, John heet hij,' begon Daniel. 'Hij was echt een wildebras. Hij stortte zich overal in, zonder er bij na te denken.

En ik deed hem na. Aanvankelijk omdat ik hem stoer en dapper vond, maar naarmate ik ouder werd, voelde ik me steeds meer verantwoordelijk voor hem.' Hij zweeg even.

'Deze boot is eigenlijk van mijn opa,' vervolgde hij. 'Hij had er nog veel meer. Hij was gek op varen en vond het belangrijk dat zijn kleinkinderen lekker hun gang konden gaan op het water. Dus wij mochten gebruikmaken van zijn boten wanneer we maar wilden.' Weer liet hij een stilte vallen.

'Op een avond had John een feest. Zoals altijd was ik met hem meegegaan. Hij werd dronken, echt ladderzat. Dat was niets nieuws, want John was bijna altijd dronken. Op dat feestje liepen ook een paar meisjes rond, op wie John indruk wilde maken. Hij nodigde ze uit voor een boottochtje. Ik ging ook mee, want hij had te veel gedronken om naar de haven te kunnen rijden. Bovendien kon ik zo een oogje in het zeil houden.' Hij slaakte een diepe zucht en zei toen: 'Dus John en ik zaten even later samen met die twee meisjes op een speedbootje. John ging steeds harder. Ik zei nog dat hij rustiger aan moest doen. Die meiden gilden het uit van angst. Intussen probeerde ik John weg te duwen van het roer.' Hij slikte. 'Hij stoof recht op de rotskust in de baai af. De boot sloeg om. Ik weet niet precies wat er is gebeurd, maar ik belandde onder de boot waar de propeller zit.' Hij wees naar zijn littekens. 'John is kennelijk bewusteloos geraakt. Ik kon hem nergens meer vinden.'

'Wat vreselijk,' zei Harper zacht.

'Allebei de meisjes hebben het overleefd, maar John...' Daniel schudde zijn hoofd. 'Een week later werd zijn lichaam drie kilometer verderop op het strand gevonden.' Met een gelaten uitdrukking op zijn gezicht staarde hij voor zich uit. 'En nee, ik ben niet blij dat hij dood is. Dat zal ik ook nooit zijn. Ik bedoel... ik hield van mijn broer.' Nu keek hij Harper aan. 'Wat ik ook zei die avond, hij trok zich er niets van aan. Ik heb geprobeerd hem tegen te houden en gesmeekt om te stoppen met drinken en niet met de boot weg te gaan. Het hielp niets. Ik was er bijna zelf geweest.'

'Zo bont zal Gemma het niet maken,' zei Harper. 'Ze moet kennelijk door een fase heen en ze heeft mijn hulp nodig.'

'Ik zeg toch niet dat je haar aan haar lot moet overlaten?' zei Daniel. 'Ze is tenslotte je zus en je houdt van haar.'

'Wat bedoel je dan?'

'Het heeft jaren geduurd voordat ik kon accepteren dat Johns dood niet mijn schuld was.' Hij liet zijn schouders een beetje hangen. 'Ik weet niet of ik het mezelf ooit kan vergeven, maar wat ik heb geleerd is dat iedereen zijn eigen leven moet leven. Ieder mens neemt zijn eigen beslissingen en dat zal je uiteindelijk moeten accepteren.'

'Hmm.' Harper zuchtte. 'Ik had niet gedacht dat ik vandaag zo'n belangrijke levensles zou krijgen.'

'Sorry,' zei Daniel een beetje opgelaten. 'Het was niet mijn bedoeling om je de put in te praten.'

'Dat geeft niet.' Ze krabde even op haar hoofd en glimlachte naar hem. 'Ik ben blij dat je me dit hebt verteld.'

'Oké. Dat is fijn om te horen,' zei hij. 'Maar waarom kwam je nou eigenlijk langs?'

'Eh...' Even overwoog ze te liegen, maar nu Daniel zelf zo eerlijk was geweest, kon ze dat eigenlijk niet maken. 'Dat weet ik niet eens meer precies.'

'Dus je wilde me gewoon zien?' vroeg hij met een grijns.

'Ik denk het wel.'

'Heb je honger?' Voor ze kon antwoorden was hij al opgestaan, wat in de krappe ruimte betekende dat hij nog maar een paar centimeter van haar afstand.

'Heb je ergens zin in?' vroeg Daniel.

Harper keek naar hem op. Ze had geen idee wat hij had gevraagd. Als betoverd staarde ze naar de blauwe spikkeltjes in zijn lichtbruine ogen.

Om de koelkast open te maken moest hij naar een kant overhellen, waarbij hij langs haar arm streek. Terwijl hij een paar blikjes frisdrank pakte, lieten zijn ogen Harper niet los. Toen hij weer rechtop stond, reikte hij haar een blikje aan.

'Dank je,' zei ze met een zwak glimlachje.

Daniel bleef roerloos voor haar staan. Toen een voorbijvarend bootje ineens golfslag veroorzaakte, helde hij iets naar voren en hield zich staande door met zijn armen aan weerszijden van Harper op tafel te steunen. Ze voelde de warmte van zijn blote borst door de stof van haar shirt heen.

'Sorry,' zei Daniel, maar hij bleef dicht tegen haar aan staan. Zijn gezicht hing vlak boven het hare en Harper had het gevoel alsof ze hem zonder er iets voor te doen naar zich toe trok. Toen ze naar hem opkeek, vroeg ze zich af waarom ze nooit eerder had gezien hoe mooi zijn ogen waren.

Hij rook naar zonnebrandcrème en shampoo, een heerlijk zoete combinatie, en dat terwijl ze altijd had gedacht dat hij muf en naar oud zweet zou ruiken.

Ze kon de spieren van zijn borst en buik voelen. Het liefst had ze haar armen om zijn nek geslagen. Eindelijk was ze zover dat ze haar gevoel durfde te volgen.

Daniel sloot zijn ogen en net toen hij haar wilde kussen, kreeg hij een plens ijskoude frisdrank over zijn schouder. Hij sprong weg.

'Sorry.' Harper trok een nerveuze grimas. Ze had haar armen om zijn hals willen leggen maar was helemaal vergeten dat ze een blikje in haar hand had.

'Het geeft niet,' zei Daniel. 'Het is alleen maar heel koud.'

Hij zette een stap naar haar toe alsof hij haar alsnog wilde zoenen, maar de betovering was verbroken.

Harper kwam weer bij zinnen. Hoe dom kon ze zijn om zich met hem in te laten. 'Ik moet weer eens terug naar mijn werk,' zei ze terwijl ze langzaam naar de deur van de kajuit liep.

'Oké.' Hij zette zijn handen in zijn zij en knikte. 'Ik snap het.'

'Het spijt me echt,' mompelde ze.

'Dat is niet nodig. Kom maar weer langs als je zin hebt. Mijn deur staat altijd voor je open.'

'Fijn,' zei ze glimlachend. 'Dankjewel.'

Na het gedempte licht in de kajuit werd ze bijna verblind door de zon op het dek. Ze kneep haar ogen tot spleetjes en liep naar de reling.

Omdat Daniel de loopplank weigerde te gebruiken, moest hij haar weer op de kade zetten. Vlak voordat hij haar met een zwaai over de reling tilde, hield hij haar even dicht tegen zich aan.

'Fijn dat je bent langsgekomen,' zei hij. Het volgende moment zette hij haar op de wal en hij keek haar nog lang na toen ze wegliep.

17

Vallen

Voor het eerst in haar leven sloeg Gemma een zwemtraining over. Ze was niet ziek en ze belde niet af. Ze ging gewoon niet. Dankzij haar nieuwe sirene-eigenschappen was ze nu sneller dan ooit in het water en hoewel ze nog geen definitief besluit had genomen, zou ze als ze met Penn, Lexi en Thea meeging, het zwemteam toch moeten verlaten.

Desondanks voelde ze zich schuldig en als ze aan het teleurgestelde gezicht van de trainer dacht, voelde ze zich nog slechter.

Die ochtend had ze zich, zoals altijd, klaargemaakt om naar de training te gaan, maar in plaats daarvan was de hoek om gefietst en had zich achter een paar bomen verstopt totdat ze Harper en Brian de deur uit zag gaan.

Toen ging ze terug naar huis. Ze wilde Alex nog een keer zien.

Nadat ze de vorige avond hadden gezoend, had Gemma thuis de wind van voren gekregen. Zowel Harper als Brian was woedend over haar gedrag van de laatste tijd. Gemma had het dolgraag willen uitleggen, maar ze besefte maar al te goed dat niemand haar zou geloven, laat staan begrijpen dat ze een sirene was geworden.

Uiteindelijk hadden ze haar naar bed laten gaan waar ze nog

uren had liggen piekeren. Om een goed idee te krijgen van wat een sirene was moest ze echt nog een keer met Penn praten. Maar dat was niet het enige wat haar uit de slaap hield.

Niemand zou ooit van haar kunnen houden, hadden ze gezegd. Dat was een deel van de vloek. Misschien hield Alex nog niet echt van haar. Misschien moest zijn liefde nog groeien. Als ze maar genoeg tijd met hem doorbracht, zou hij vast en zeker van haar gaan houden.

Als de sirenen het op dat punt bij het verkeerde eind hadden, waren er misschien nog wel meer dingen waarin ze zich vergisten. Misschien hoefde ze haar familie niet achter te laten. De gedachte alleen al dat ze Harper en Brian nooit meer zou zien, brak haar hart. Ze konden haar soms vreselijk de les lezen, maar natuurlijk wist Gemma dat ze diep in hun hart heel veel van haar hielden.

Toen Alex haar de vorige avond had gezoend, had ze hem alles willen opbiechten. Maar ze kon het niet. Oké, hij vond haar leuk, maar misschien zat er niet meer in. Toch wilde ze het per se weten. Hij had gezegd dat hij niemand kende die zoveel wilskracht had als zij. Alleen al daarom wilde ze alles proberen voordat ze met de sirenen meeging.

Gemma klopte op de achterdeur van Alex' huis. Toen er niet werd opengedaan, moest ze overgaan tot meer drastische maatregelen.

Tegen de muur was een latwerk bevestigd waartegen Alex' moeder klimop had laten groeien. Hoewel Gemma bang was dat het niet stevig genoeg zou zijn, klom ze er toch tegenop. Een van de latjes brak onder haar gewicht, maar gelukkig wist ze haar evenwicht te bewaren. Behalve dat het blad van de klimop in haar vinger sneed, belandde ze zonder problemen op het platte dak op de eerste verdieping en toen ze voorzichtig naar het raam van Alex' slaapkamer kroop, was het wondje aan haar vinger al genezen.

Gemma tuurde door het raam. Wat ze zag, was Alex ten voeten uit. Hij zat aan zijn bureau achter zijn laptop met zijn koptelefoon op en swingde mee op de muziek. Kennelijk was hij nog niet lang wakker, want hij droeg alleen een boxershort en zijn haren piekten alle kanten op.

Een paar minuten bleef ze alleen kijken naar de nerdy manier waarop hij bewoog. Af en toe stootte hij een paar kreten uit waaruit ze kon opmaken dat hij naar een oude song van Run-DMC luisterde.

Ondanks zijn maffe bewegingen zag hij er met ontbloot bovenlijf ongelofelijk sexy uit. Onder zijn gebruinde huid kon ze de spieren in zijn rug en armen duidelijk zien bewegen.

'Alex,' riep ze terwijl ze tegen het raam tikte.

Hij schrok er zo van dat hij uit zijn stoel opsprong. 'Gemma! Wat doe jij daar?'

'Je kwam niet aan de deur toen ik klopte. Vandaar. Mag ik binnenkomen?'

'Eh...' Hij krabde op zijn hoofd alsof hij niet helemaal besefte wat er gebeurde. 'Ja, natuurlijk.' Hij maakte het raam open.

Gemma had eigenlijk wat meer enthousiasme verwacht. Misschien was het toch niet zo slim geweest om hem te overvallen. 'Ik stoor je toch niet?' vroeg ze voorzichtig.

'Nee, hoor.' Haastig begon hij de rommel op te ruimen.

'Dat hoef je voor mij niet te doen, hoor.'

Alex negeerde haar en ging verder met het oprapen van de vuile kleren, lege frisdrankblikjes en computerblaadjes waarmee de vloer bezaaid lag. 'Luister, Gemma,' zei hij met zijn armen vol vuil wasgoed. 'Ik kan dit niet, geloof ik. Wat kom je doen? Wat is er met je aan de hand?'

'Ik wilde je alleen maar even zien,' zei ze simpelweg.

'Dat bedoel ik niet. Ik... eh...' Hij legde de kleren op de stapel vuile was bij de deur en ging met zijn handen op zijn heupen voor haar staan. 'Wat was dat gisteravond nou allemaal? Harper zei dat je met die drie meiden was meegegaan en daarna kom je helemaal doorweekt bij mij aan de deur en wil je per se weten of ik je leuk vind.'

'Sorry daarvoor,' zei Gemma.

Maar Alex leek haar niet te horen. 'En laatst ben je zelfs een hele nacht weggebleven, ook al vanwege die rare meiden. Je weet niet half hoe ongerust Harper was. Het is niets voor jou om je zo te gedragen.' Hij zuchtte. 'En dan afgelopen dinsdag... toen je bij me langskwam.' Er steeg een lichte blos naar zijn wangen. 'Ik vond het heel fijn om zo met je te vrijen, maar... eh... het was net of jij iemand anders was. En ik vraag me af of ik eigenlijk wel mezelf was.'

'Ik weet het, ik weet het.' Ook Gemma zuchtte. Het liefst had ze hem alles willen vertellen, maar ze wist niet hoe. Niemand zou ooit geloven wat haar was overkomen.

'Wat gebeurt er toch allemaal?' vroeg Alex vertwijfeld.

Zijn wanhoop raakte Gemma in haar hart. 'Vertrouw je me?' vroeg ze.

'Wil je een eerlijk antwoord?' Hij keek haar aan. 'Een paar dagen geleden zou ik volmondig ja hebben gezegd, maar na wat er de laatste tijd is gebeurd, weet ik het niet meer.'

'Ik heb nooit tegen je gelogen,' zei Gemma. 'Oké, misschien een keer toen ik nog heel klein was, maar nooit sinds we iets hebben samen. En dat zal ik ook nooit doen. Er gebeuren zulke bizarre dingen met me dat ik niet weet hoe ik het je moet uitleggen.'

'Je kunt het in elk geval proberen,' opperde hij.

'Dat kan ik niet.'

'Heeft het met mij te maken?' vroeg hij. 'Ik bedoel, met ons?'

'Nee, nee!' Gemma schudde heftig met haar hoofd.

'Toch is dat het enige wat echt veranderd is, want voordat we iets kregen, was je nog normaal.'

'Nee.' Gemma zette een stap naar hem toe en legde haar handen op zijn borst. 'Nee, het heeft niets met jou te maken. Dankzij jou voel ik me nog een beetje normaal.'

'Hoe komt dat?' Hij keek op haar neer maar raakte haar niet aan, zoals ze had gehoopt. 'Hoe komt het dat je je door mij nog een beetje normaal voelt?'

'Omdat jij de enige bent die me ziet zoals ik werkelijk ben.'

Hij ademde diep in en streek een losgeraakte haarlok achter haar oor. Ineens schoot hem iets te binnen. Hij keek om zich heen. 'Hé, hoe laat is het eigenlijk? Heb jij geen training vandaag?'

Ze glimlachte schaapachtig. 'Ik wilde je zien.'

'Waarom?' vroeg hij. 'Niet dat ik niet graag bij je wil zijn, maar een zwemtraining sla je toch nooit over? Het is het enige op de wereld waar je echt van houdt.'

'Nou, niet het enige, hoor.' Ze deed een stap terug en ging op zijn bed zitten. 'Wil je niet proberen om me te vertrouwen?'

Hij kneep zijn ogen tot spleetjes. 'Hoe dan?'

'Laten we een hele dag samen doorbrengen,' zei ze. 'Eén dag maar.'

Hij lachte even en schudde zijn hoofd. 'Ik zou elke dag samen met je willen doorbrengen. Waarom is vandaag zo belangrijk voor je?'

'Weet ik niet.' Ze haalde haar schouders op. 'Misschien is vandaag ook niet zo belangrijk.'

'Jee, je doet wel erg geheimzinnig de laatste tijd.'

'Sorry.'

'Oké dan.' Hij krabde op zijn achterhoofd en ging naast haar op het bed zitten. 'Wat zullen we gaan doen?'

'Nou, ik zag je daarnet swingen, dus misschien kun je me een paar danspasjes leren.' Ze probeerde er een paar na te doen.

'Dat is gemeen van je.' Alex deed net alsof hij beledigd was. 'Dat was mijn privédansje. Hoe kon ik nou weten dat je me vanaf het dak zat te begluren? Ik zou je eigenlijk bij de politie moeten aangeven wegens stalken.'

'O ja?' Gemma stond op en begon ontzettend overdreven te dansen. 'Kom op, Alex. Laat zien wat je kunt.'

'Nooit,' zei hij lachend.

Toen ze niet ophield, pakte hij haar bij haar middel vast en trok haar op het bed. Ze begon te giechelen, waarop hij haar naar achter duwde. Zijn armen hielden haar in een stevige greep. Ze had zich nog nooit zo dicht bij hem gevoeld.

Toen hij zich naar haar toe boog en haar kuste, sloeg haar hart over. Een warm gevoel steeg op vanuit haar buik en verspreidde zich tot in haar vingertoppen.

Toen ze als sirene in de baai had rondgezwommen, was dat de meest fantastische ervaring van haar leven geweest. Maar nu ze met Alex in bed lag te zoenen, dacht ze er heel anders over. Het gevoel dat hij bij haar teweegbracht was veel beter. Het was echt. Geen idiote magische vloek.

'Oké,' zei Alex even later. 'Ik wil je wel een paar danspasjes leren.' Ineens stond hij op, pakte haar bij de handen en trok haar van het bed af. Hij begon zich op een idiote manier te bewegen. Gemma probeerde mee te doen, maar moest zo hard lachen dat het niet lukte. Vervolgens legde hij zijn arm om haar middel en begon overdreven met haar in het rond te walsen totdat ze allebei de slappe lach kregen en zich weer op het bed lieten neervallen. Daar bleven ze de rest van de ochtend liggen. Ze lachten en praatten en zoenden, maar de meeste tijd lagen ze gewoon naast elkaar.

Toen Alex over zijn vriend Luke begon, sloeg de stemming om. Hoewel hij nooit echt dik bevriend met Luke was geweest, had hij hem altijd graag gemogen. Zonder Gemma aan te kijken bekende Alex dat hij het doodeng vond dat iemand zomaar ineens spoorloos kon verdwijnen.

Gemma deed haar best om hem troosten. Ze hield zijn hand vast en verzekerde hem dat alles goed zou komen.

Daarna probeerde Alex de stemming weer wat luchtiger te maken. Tot Gemma's spijt had hij een t-shirt aangetrokken, maar misschien was dat maar beter ook want ze vond het moeilijk om haar aandacht op iets anders dan zijn ontblote bovenlijf te richten.

Hij vertelde haar over de streken die hij als puber had uitgehaald. Ze moest er zo om lachen dat haar buik er pijn van deed.

Voor lunch smeerde hij boterhammen met pindakaas en chips die ze in bed opaten, met als gevolg dat zijn Transformers-dekbed onder de kruimels zat.

Al eerder had hij zich verontschuldigd voor dat dekbed, dat hij al vanaf zijn elfde had. Het zag er nog goed uit, vond hij, dus het was zonde om weg te doen.

Gemma had erom moeten glimlachen. Ze vond het juist schattig dat hij zich nergens iets van aantrok.

Een tijdje lagen ze dicht tegen elkaar in bed. Zwijgend staarden ze naar het plafond. Ineens pakte Alex haar hand vast en bleef hem vasthouden. Af en toe kneep hij zo hard dat ze het bloed in hun vingers voelde kloppen.

Ze draaide zich op haar zij en kroop dicht tegen hem aan, waarop hij zijn arm om haar heen legde en een kus op haar kruin drukte.

'Je ruikt altijd zo lekker naar de zee,' zei hij, met zijn neus in haar haren.

'Dank je.' Zo dicht tegen hem aan voelde ze zich veilig.

'Ik weet niet wat er met je aan de hand is en snap niet waarom je het me niet kunt vertellen. Je weet toch dat ik er altijd voor je zal zijn? Wat er ook is, ik ben er voor je. Daar kun je op vertrouwen.'

Gemma zei niets. Ze sloot alleen maar haar ogen en drukte zich nog dichter tegen hem aan. Op dat moment had ze kunnen zweren dat niets of niemand haar ooit van hem zou kunnen scheiden. Zelfs de sirenen of een vloek uit het verre verleden niet.

18

Ontdekkingen

De muur tussen hen was bijna tastbaar. Telkens wanneer Harper met haar zus probeerde te praten, klapte Gemma dicht. Het maakte niet uit waarover het ging. Gemma wilde gewoonweg niets zeggen.

Na haar gesprek met Daniel op de boot was Harper vastbesloten om haar zus op een andere manier te benaderen, maar het leek net of Gemma daar geen behoefte aan had.

Zelfs toen Brian thuiskwam, werd de sfeer er niet beter op. Tijdens het eten werden alleen beleefdheden uitgewisseld. Het was voor Brian en Harper bijna een opluchting toen Gemma van tafel opstond en naar boven verdween.

Omdat Harper de volgende dag vrij had, bracht ze Gemma naar de zwemtraining. Brian was er nog niet in geslaagd om Gemma's auto te repareren en gezien haar gedrag van de laatste tijd was de kans klein dat hij er nog aan zou beginnen. Het kon Gemma trouwens niet schelen of haar auto gemaakt werd of niet, zoals alles haar de laatste tijd koud leek te laten.

Nadat ze haar bij het zwembad had afgezet, reed Harper terug naar huis. Ze ging naar Gemma's kamer en deed iets wat ze anders nooit zou hebben gedaan: in haar spullen snuffelen. Ze hoopte bijna dat ze drugs zou vinden. Dat zou veel van Gemma's gedrag kunnen verklaren.

Maar behalve een paar vreemde, groene schubben tussen de lakens, trof ze niets aan.

Nu Gemma niet meer met haar wilde praten, kon Harper zich voorstellen dat ze iemand anders in vertrouwen had genomen. Alex bijvoorbeeld. Ze slaakte een zucht en zette koers naar het huis van de jongen die ze nog steeds als een van haar beste vrienden beschouwde.

'Hoi,' zei ze even later toen Alex in een strak T-shirt de deur openmaakte. Ze moest nog een beetje wennen aan de nieuwe, sexy Alex. Hij was altijd een lange slungel geweest, totdat hij ineens een wonderbaarlijke groeispurt had gemaakt. Maar in tegenstelling tot Gemma en een paar meisjes van school werd Harper er niet warm of koud van.

Gelukkig was Alex zich er totaal niet van bewust dat hij van een nerd was uitgegroeid tot een lekker ding. Dat was maar goed ook, want ze had niet met hem kunnen omgaan als hij in plaats van de hele nacht computerspelletjes spelen ineens achter de meiden aan was gegaan.

'Hoi,' zei hij. 'Gemma is hier niet, hoor.'

'Weet ik. Ze is naar de training.' Harper wipte van haar ene op haar andere voet. 'Jee, het is eigenlijk wel triest.'

'Wat?' vroeg hij.

'Dat we elkaar alleen nog maar spreken als ik op zoek ben naar mijn zus.' Ze wreef met haar hand over haar nek en wendde haar blik af.

'Ja, eigenlijk wel,' beaamde hij.

'Kan ik eerlijk tegen je zijn?'

'Dat ben je toch altijd?'

'Ik kan er niet aan wennen dat jij iets met mijn kleine zusje hebt.' Het hoge woord was eruit. 'Ik bedoel... op die manier heb ik jou nooit leuk gevonden. Wij waren gewoon vrienden, maar Gemma is mijn zus en jij bent helemaal weg van haar.' Ze schudde haar hoofd. 'Ik weet het niet. Het is gewoon heel raar.'

Alex stak zijn handen in zijn zakken en staarde naar de grond. 'Dat snap ik. Eigenlijk had ik eerst met jou moeten praten voordat ik iets met haar begon.'

'O nee, dat bedoel ik niet.' Harper maakte een wegwuivend gebaar. 'Je hoeft mij niet om toestemming te vragen. Ik vind het... eh... een beetje vreemd om met jou om te gaan als Gemma er niet bij is. Het is dan net of ik haar verraad.'

'Dat snap ik,' zei hij. 'Je bent natuurlijk ook een meisje, ook al ben ik nooit op die manier in je geïnteresseerd geweest.'

'Ik ben blij dat je het snapt.'

'Oké.'

'Maar het punt is,' vervolgde Harper terwijl ze de ring aan haar vinger om en om draaide, 'dat ik graag weer vrienden met je wil zijn.'

Alex keek haar verbaasd aan. 'Waren we dan geen vrienden meer?'

'Jawel, maar niet echt. Wanneer hebben we voor het laatst iets samen gedaan?' vroeg ze. 'Vlak na het eindexamen, geloof ik, en dat is al weken geleden.'

'Dus... eh... je wilt dat we samen iets gaan doen?' vroeg Alex.

'Ja.'

'Nu bijvoorbeeld?'

'Als het je uitkomt.'

'Ja, hoor.' Hij deed een stap naar achter. 'Kom binnen.'

'Zullen we gaan wandelen? Ik heb behoefte aan frisse lucht,' zei ze, in de veronderstelling dat een wandeling het praten makkelijker zou maken.

'Oké, ook goed.' Hij keek om zich heen alsof hij bang was dat hij iets vergat, maar het volgende moment deed hij de deur achter zich dicht. 'Laten we gaan.'

Ze liepen bijna twee rondjes door de wijk zonder iets te zeggen. De zon stond hoog aan de hemel. Harper schraapte een paar keer haar keel om iets te zeggen, maar de woorden bleven ergens halverwege steken.

Ze begreep niet waarom ze niet meer gewoon met elkaar konden omgaan. Het voelde ongemakkelijk en eigenlijk gaf ze Alex daar de schuld van, want hij gedroeg zich nu eenmaal altijd onhandig. Maar voor een deel was ze zelf ook schuldig. Zij voelde zich namelijk niet meer op haar gemak bij hem.

'Heb je het wel naar je zin deze zomer?' vroeg ze.

'Ja, prima. Alleen, ik begin me nu wel zorgen te maken om Luke.'

'Dat begrijp ik.' Ze keek hem zijdelings aan om te zien of hij het meende, maar omdat hij naar de grond staarde, kon ze zijn gezicht niet zien. 'Ik vind het heel erg voor je.'

'Voor mij is het lang zo erg niet.' Hij schopte tegen een steentje. 'Het is vooral erg voor zijn familie en zo.'

'Ja, voor hen moet het helemaal vreselijk zijn.'

'Afgelopen dinsdag had ik zijn moeder huilend aan de telefoon. Ze vroeg of ik nog iets van hem had gehoord. De volgende dag kwam de politie langs om me vragen te stellen.' Hij zweeg even. 'Ik kon ze niets vertellen. Ik heb geen idee waar hij is.'

Harper legde even troostend haar hand op zijn arm. Zijn donkere haar viel over zijn voorhoofd en zijn schouders hingen omlaag. Hij zag er precies zo uit als toen hij twaalf was en zijn hond door een auto was aangereden. Achter zijn nieuwe sexy buitenkant schuilde nog steeds dezelfde zachtaardige Alex van vroeger.

Ze voelde zich een beetje schuldig dat ze niet meteen naar hem toe was gegaan nadat het nieuws over Luke bekend was geworden. Ze was alleen maar met haar eigen sores bezig geweest en had haar allerbeste vriend laten zitten.

'Ik vind het echt heel erg,' zei ze nogmaals, deze keer doelend op het feit dat ze er niet voor hem was geweest.

Alex haalde diep adem. 'Ik hoop maar dat hij ongedeerd terugkomt,' zei hij en vervolgens wierp hij een blik op Harper. 'En jij? Vermaak jij je een beetje?'

'O ja, best,' zei ze niet al te overtuigend. Tot nu toe was de zomer vrij chaotisch verlopen.

'Heb je een vriendje?' vroeg hij.

'Hè?' Ze schrok zo van zijn vraag dat ze bijna over een omhoog-stekende stoeptegel struikelde. 'Hoe kom je daarbij?'

'Gemma had het over een jongen op een boot.'

Haastig wendde Harper haar gezicht af, in de hoop dat hij haar blozende wangen niet zou zien. 'Daniel? Nee, joh! Dat is ge-woon... eh... Nee. Echt niet. Na de zomer ga ik het huis uit en met al het gedoe met Gemma heb ik helemaal geen tijd voor dat soort dingen. Nee, ik heb geen vriendje.'

'O.' Hij zweeg even. 'Oké.'

Ze beet op haar onderlip. 'En jij? Hoe zit het tussen Gemma en jou?'

'Goed,' zei hij. 'Heel goed.'

'Dat is fijn voor je.' Ze slaakte een diepe zucht en tuurde om-hoog naar de lucht, in de hoop dat er een paar wolken voor de zon zouden schuiven.

'Eerlijk gezegd...' Hij bleef staan en keek haar aan. 'Eigenlijk heb ik geen idee hoe het tussen Gemma en mij gaat.'

'Hoezo?' vroeg ze. Ze probeerde niet al te nieuwsgierig te klin-ken. 'Hoe bedoel je dat?'

'Tja...' Hij streek met een hand door zijn haar en begon weer te lopen. 'Ik kan er maar beter niet met jou over praten.'

'Natuurlijk wel. We zijn toch vrienden?'

'Beloof je me dan dat je niets tegen Gemma zegt?' vroeg hij.

'Afgesproken. Dat is trouwens niet zo moeilijk, want Gemma en ik praten niet meer met elkaar.'

'Hebben jullie ruzie?' Zijn stem klonk oprecht geschrokken. 'Dat wist ik helemaal niet.'

'Niet echt ruzie, hoor. Maar Gemma...' Harper maakte een wegwuivend gebaar. 'Laat ook maar. Wat zei je nou daarnet? Over Gemma en jou?'

'O dat.'

Voordat hij daar verder op in kon gaan, wees ze naar het bos aan de overkant. 'Laten we door het bos gaan. Daar is het lekker koel.'

Het paadje liep door dicht bebost gebied, vol met cipressen en esdoorns. Het was geen officieel pad, maar een door kinderen gemaakte, kortere route naar de baai. Er waren wel veel meer insecten, maar aan de andere kant was het prettig om even uit de zon te lopen.

'Het punt met Gemma is...' Alex moest naar de juiste woorden zoeken. 'Ik vind haar leuk. Heel leuk zelfs.'

'Dat dacht ik al.'

'En volgens mij is het wederzijds.'

'Daar hoef je niet aan te twijfelen. Ze is gek op je.'

'Echt?' Hij keek op. Zijn gezicht stond opgelucht. 'Dat is fijn om te horen.'

'Wist je dat dan niet?' vroeg Harper.

'Tja, ik weet het soms niet met Gemma. Het ene moment is ze helemaal gek op me en het andere moment lijkt ze totaal afwezig.' Hij keek haar aan. 'Snap je wat ik bedoel? Ze is er wel, maar met haar gedachten is ze mijlenver van je vandaan.'

'Ik weet precies wat je bedoelt.'

'En dan nu dat gedoe met die vreemde meiden.' Hij schudde zijn hoofd. 'Ze wil me niet vertellen wat ze met ze uitspookt of waarom ze überhaupt met ze optrekt.'

'Vertelt ze dat jou ook niet?' vroeg Harper zonder de teleurstelling in haar stem te verbergen.

'Nee, en jou ook niet zeker?'

'Met mij praat ze niet eens meer.'

'O ja, dat zei je daarnet,' zei Alex. 'Ik vind die meiden iets griezeligs hebben.'

'Ja,' stemde Harper in terwijl ze terugdacht aan hoe ze Gemma op het strand hadden achtergelaten. 'Ze zijn door en door slecht. Ik zweer het je.'

'Dat zou me niks verbazen. Maar Gemma is niet slecht. Echt niet. Daarom begrijp ik ook niet waar ze mee bezig is.'

'Ik heb al heel lang het gevoel dat er iets niet klopt!' zei Harper, blij dat ze er eindelijk met iemand over kon praten. Iemand die op de hoogte was en hen allebei goed kende. 'Ik baal ervan dat dit juist nu allemaal moet gebeuren.'

'Hoezo?'

'Eind augustus ga ik het huis uit en blijven Gemma en mijn vader alleen achter. Ik moet er niet aan denken dat ze totaal ontspoort terwijl ik er niet ben om haar op het rechte pad te houden.'

Alex zei niets, waarschijnlijk omdat ze hem eraan herinnerde dat er ook aan zijn tijd met Gemma een einde zou komen.

Naarmate ze dichter bij het water kwamen, zwermden er steeds meer insecten rond hun hoofd. Harper sloeg ze voor haar gezicht weg.

'Wat zijn dat voor beesten?' vroeg Alex.

'Geen idee. Het zijn er belachelijk veel,' zei Harper. Het gezoem tussen de bomen klonk steeds harder. Zo hard zelfs dat het haar bevreemdde. Ineens zag ze dat het dikke, zwarte vliegen waren. Ze hingen in een zwerm boven de met varens en onkruid begroeide rotsen langs de zee.

'Bah,' zei Alex vol walging. 'En waar komt die stank vandaan?'

'Geen idee,' zei Harper met opgetrokken neus. 'Er ligt hier iets te rotten, denk ik.'

Nu ze erover nadacht, had ze al eerder op het pad iets geroken. Ze had er geen aandacht aan besteed. Op een warme dag als vandaag kwam er wel vaker een walm van rotte vis vanaf de haven.

Maar nu was de stank niet meer te harden.

Harper bleef staan, maar Alex liep nog iets verder voordat ook hij stilhield. Hij sloeg de vliegen, die in steeds grotere zwermen om hen heen zoemden, van zich af.

'Bah, wat smerig,' riep Harper uit. Ze kon nog net voorkomen dat er een vlieg in haar mond vloog. 'Laten we teruggaan. Ik wandel liever in de hete zon dan dat ik door insecten wordt aangevallen.'

'Goed idee.' Alex wilde teruglopen naar de plek waar ze stond, maar ineens bleef hij als aan de grond genageld staan.

'Wat is er?' vroeg ze.

Hij keek naar iets wat op de grond lag. De vliegen die om hem heen zwermden leken hem niet meer te deren. Hij bukte zich en raapte iets op.

'Wat heb je daar?' Harper liep naar hem toe.

Alex veegde het zand van een klein, groen voorwerp af. Zijn handen trilden. 'Het is een Groene Lantaarn-ring,' zei hij. 'Luke had zijn ouders om deze ring gevraagd in plaats van een eindexamenring. Hij had hem altijd om.'

'Misschien zat hij te los om zijn vinger en is hij eraf gevallen,' probeerde ze hem gerust te stellen.

'Hij had hem áltijd om,' herhaalde Alex. Hij keek om zich heen. 'Hij moet hier geweest zijn. Er is vast iets ergs met hem gebeurd.'

'Laten we meteen naar de politie gaan.' Ze sloeg een vlieg van haar wang.

Een paar meter van het pad af hing een dikke wolk zwarte vliegen boven de grond. Dwars door de brandnetels en bramenstruiken heen liep Alex ernaartoe.

Harper volgde zijn voorbeeld. Vanaf het moment dat ze de ring van Luke had gezien, voelde ze diep vanbinnen een ziekmakende angst.

Alex bleef staan, maar Harper liep nog een paar stappen verder. Wat er ook te zien was, ze wilde het zo goed mogelijk bekijken. Achteraf had ze dat beter niet kunnen doen, want wat ze zag zou haar nog jaren in haar dromen achtervolgen.

Een halve meter van haar vandaan lag iemand op de grond. Aan de rode bos haar te zien kon het niemand anders dan Luke zijn. Op zijn kleren zaten donkerbruine vlekken van geronnen bloed, hier en daar zelfs grote klodders die meer aan opgedroogde jam deden denken.

Zijn gezicht en ledematen, hoewel bedekt met insecten, leken ongeschonden. Uit zijn mond kroop een dikke, witte made en onder zijn gesloten oogleden krioelde het van de kleine beestjes.

Zijn romp was van boven tot onder opengescheurd, alsof er

binnen in hem een granaat was ontploft. Al zijn organen leken te zijn verdwenen, hoewel dat niet goed te zien was door de hoeveelheid larven die in hem krioelden.

Vlak naast hem lag nog een lichaam, dat er kennelijk langer had gelegen. Hoewel de parasieten het weefsel voor een groot deel hadden weggevreten, kon Harper zien dat de romp op dezelfde manier was opengereten als die van Luke.

Een paar meter verder stak een been uit de struiken. Als er aan de voet geen Reebok-sneaker had gezeten, had Harper het voor een half vergane tak aangezien.

Gebiologeerd staarde ze naar de lijken en als Alex niet terug naar het pad was gerend, had ze er nog uren kunnen staan kijken.

'Alex!' riep ze hem na. Toen ze hem zag bukken en overgeven, voelde ze zich ook misselijk worden, maar ze wist zich snel te herstellen. Ze ging naar Alex toe en wreef over zijn rug. Hij was opgehouden met braken, maar bleef nog even gebukt staan.

'Sorry,' zei hij terwijl hij met de rug van zijn hand zijn mond afveegde. Hij kwam overeind. 'Ik wilde de plaats delict niet besmetten.'

'Heel verstandig,' zei Harper. 'Laten we hulp gaan halen.'

Ze liepen terug over het pad en algauw zetten ze het op een lopen. Alsof de dood hen op de hielen zat renden ze rechtstreeks naar het politiebureau.

19

Uitweg

Ondanks alles wilde Gemma gewoon de dingen blijven doen zoals ze gewend was. Daarom was ze naar de training gegaan. Na de ochtend die ze met Alex had doorgebracht was ze er nog meer van overtuigd geraakt dat ze haar leven nog niet de rug toe kon keren. Ze wilde er zo goed en zo kwaad als het ging iets van maken.

De afgelopen nacht had ze de slaap niet kunnen vatten. De hele nacht had ze liggen woelen en draaien. De zee riep haar. Het had haar de grootste moeite gekost om de lokroep van de golven te weerstaan.

De trainer was die ochtend flink tekeergegaan omdat ze een training had overgeslagen. Toch zwom ze sneller dan ooit, dus in dat opzicht mocht hij niet mopperen.

Zwemmen in het zwembad voelde niet meer zo prettig. Het chloor irriteerde haar huid. Niet dat ze er uitslag van kreeg, maar het was alsof er een ruwe stof langs haar huid schuurde.

Dankzij haar fabelachtige snelheid vond de trainer het goed dat ze eerder vertrok. Harper had vandaag vrij, dus ze zou haar waarschijnlijk ook weer willen ophalen, maar daar had Gemma geen behoefte aan. Ze moest en zou de sirenen vandaag zien.

Het probleem was alleen dat ze geen idee had waar ze waren.

Waarschijnlijk had de zee ook hen geroepen en hingen ze ergens bij de baai rond.

Waar Harper uithing, wist Gemma ook niet. Ze kon overal zijn, dus moest ze goed uitkijken om haar niet ergens in de stad tegen te komen en vermeed ze de plekken waar Harper doorgaans naartoe ging, zoals de haven en de bibliotheek.

Op weg naar de baai liep ze de sirenen tegen het lijf. Ze was van plan om via het pad tussen de cipressen naar de rotsachtige kust te gaan. Meestal waren daar niet zoveel mensen en kon ze heerlijk rustig in de inham zwemmen. Maar ze kwam niet verder dan het strand. Het was warm en er waren veel badgasten. Toch viel haar oog meteen op de drie sirenen. Vanaf de met gras begroeide heuvel zag ze Penn, Lexi en Thea op het strand liggen. Alle drie droegen ze een bikini, waarin hun verleidelijke vormen goed uitkwamen. Penn lag op haar buik op een badlaken. Lexi lag, steunend op haar ellebogen, te flirten met een jongen die naast haar stond. Zoals altijd lag Thea verveeld in een strandstoel een stukgelezen exemplaar van 'Salem's Lot te lezen.

Om bij hen te komen moest Gemma zich een weg door de mensen banen. Hoewel... eigenlijk hoefde ze er geen moeite voor te doen, want de menigte week uiteen zoals dat ook altijd bij Penn, Lexi en Thea gebeurde. De mensen behandelden haar nu al als een echte sirene. Ze leek er helemaal bij te horen.

'Je staat in het licht,' zei Penn zonder op te kijken.

Gemma stond vlak voor haar. Haar schaduw viel over Penns rug. Ze sloeg haar armen over elkaar. 'Ik moet met je praten,' zei ze.

'Hé, Gemma.' Lexi draaide zich om en schermde haar ogen met haar hand af. 'Wat zie je er goed uit vandaag.'

'Dank je,' reageerde Gemma terloops, maar haar blik bleef op Penn gericht. 'Hoorde je me?'

'Ja. Je wilt met me praten.' Penn lag roerloos op haar badlaken. 'Ga je gang. Praat maar.'

Gemma keek om zich heen. De badgasten waren met allerlei

dingen bezig, zoals zich insmeren, lezen of zandkastelen bouwen. Het was niet zo dat ze de sirenen zaten aan te staren. Toch zaten ze te dichtbij, te veel boven op elkaar, dus helemaal negeren konden ze de sirenen niet.

'Niet hier,' zei Gemma op gedempte toon.

'Dan moeten we maar een andere keer afspreken,' zei Penn.

'Nee, nú.'

'Sorry, ik ben nu met iets anders bezig.' Penn hief haar hoofd op en keek Gemma boos aan. 'Je zult echt geduld moeten hebben.'

'Ik blijf net zo lang hier totdat je met me meegaat.'

Thea slaakte een zucht. 'Ga toch met haar mee, Penn. Anders blijft ze ons lastigvallen.'

'Als ik ga, gaan we allemaal,' zei Penn.

Thea rolde met haar ogen. 'Oké,' zei ze terwijl ze haar boek dichtklapte en in haar tas stopte. 'Dan gaan we. Kom, Lexi, pak je spullen.'

'Wat?' Lexi keek verbaasd op. 'Komen we hier dan niet meer terug?' Ze zag Thea opstaan. 'Natuurlijk komen we terug,' zei ze. 'We vragen iemand om op onze spullen te passen.' Ze wendde zich tot een oudere man die naast haar zat. 'Wilt u alstublieft even op onze spullen letten? We zijn zo weer terug.'

'Ja, natuurlijk.' Hij knikte geestdriftig en wierp Lexi een glimlach toe.

'Bedankt.' Lexi stond op en veegde het zand van haar benen. 'Oké, ik ben zover.'

Terwijl ze achter Penn aan het strand af liepen, werden ze door wel zes jongens gegroet, maar alleen Lexi groette terug. Gemma, die meestal toch ook wel wat mannelijke aandacht kreeg, scoorde zelf ook genoeg bewonderende blikken, maar ze kon er niet van genieten.

Eenmaal uit het zicht van de badgasten bleven ze staan op een rotsachtig plateautje dat in de baai uitstak. Thea trok haar bikinibroekje uit en liep de zee in.

Gemma stond te ver weg om te zien hoe haar benen in een staart veranderden, maar dat het gebeurde, wist ze zeker.

'Zullen we gaan zwemmen?' stelde Lexi voor. Ook zij trok haar broekje uit.

'Ik heb geen zin,' loog Gemma. 'En trouwens, ik wilde met jullie praten.'

Met haar broekje iets onder haar heupen keek Lexi Gemma en Penn beurtelings aan.

'Ga jij maar vast zwemmen,' zei Penn tegen Lexi. 'Dan blijf ik wel hier om met Gemma te praten.'

'Oké,' klonk Lexi aarzelend. Ze trok haar broekje verder uit en liep de zee in. In enkele ogenblikken verdween ze in de baai, Thea achterna.

Vanuit haar ooghoeken keek Gemma toe. Zo dicht bij het water was het lastig om niet toe te geven aan de lokroep van de zee.

Het water riep haar, wenkte haar. Ze voelde het tot in haar diepste wezen. Elke vezel van haar lichaam verlangde naar het water, maar eerst moest ze met Penn praten. En praten was nu eenmaal niet mogelijk als ze in het water lag te spartelen.

'Waar wilde je het over hebben?' vroeg Penn. Ze leunde tegen een grote kei.

'Allereerst wil ik weten hoe je daarmee omgaat.' Ze wees op de zee achter haar. 'Ik word er helemaal gek van.'

'Het waterlied bedoel je?' Penn leek zich vrolijk te maken om Gemma's dilemma.

'Heet dat zo?'

'De muziek die je nu hoort is inderdaad het waterlied. De zee zingt je toe. Ze roept ons terug naar huis en daarom kunnen we nooit ver van de zee vandaan zijn.'

'Houdt het nooit op?' Gemma draaide een haarlok om haar vinger en keek naar de golven.

'Nee, nooit,' bekende Penn. Het klonk een beetje verdrietig. 'Maar het is makkelijker te negeren als je hebt gegeten.'

'Ik heb geen honger,' zei Gemma. 'Ik heb vanochtend ontbeten.'

Penn haalde haar schouders op. 'Oké, maar er zijn verschillende soorten honger.'

'Ik wil je nog iets vragen over wat je eerder zei.'

'Dat dacht ik al.' Penn keek naar Thea en Lexi die een eind van de kust aan het zwemmen waren. Vervolgens keek ze Gemma aan. 'Ben je bereid je bij ons aan te sluiten?'

Gemma schudde haar hoofd. 'Daar wilde ik het dus ook over hebben. Nee, dus. Ik ga niet met jullie mee.'

'Wil je dood?' vroeg Penn koeltjes.

'Nee, natuurlijk niet. Er moet toch een andere oplossing zijn? Kan ik niet iets anders doen?'

'Nee, dat is onmogelijk,' zei Penn simpelweg. 'Als je van het drankje hebt gedronken en getransformeerd bent, is er geen weg terug. Je bent een sirene en de enige manier om eraan te ontsnappen is de dood.'

'Dat is niet eerlijk.' Uit pure frustratie balde Gemma haar vuisten. 'Hoe kun je me dit aandoen? Waarom heb je me veranderd zonder me te vragen of ik dat wel wilde? Je kunt me toch niet dwingen om dit... zo'n ding te zijn?'

'O jawel. Dat kan ik heel goed.' Penn ging rechtop staan en zette een stap naar haar toe. 'Het is te laat, Gemma. Je bent een sirene, of je dat nu leuk vindt of niet.'

'Maar waarom? Ik begrijp het niet,' zei Gemma terwijl tranen van woede in haar ogen prikten.

'Ik wilde jou. Daarom.' Penns stem klonk koud en hard. 'En wat ik wil gebeurt.'

'Dat kan toch niet,' riep Gemma uit. 'Je kunt me toch niet bezitten. Ik ben een mens en je kunt me niet dwingen iets anders te zijn omdat jij het wilt.'

'Liefje,' zei Penn glimlachend. 'Het is al gebeurd.'

Gemma had haar een klap willen geven, maar ze hield haar armen langs haar zij. Penn was misschien veel gevaarlijker dan ze eruitzag en ze wilde haar woede niet aanwakkeren. Tenminste, nu nog niet. 'Je doet alsof je er alles vanaf weet, maar volgens mij valt dat wel mee.'

Penn glimlachte schamper. 'Hoe bedoel je?'

'Je zei toch dat jongens niet echt van een sirene kunnen houden? Maar Alex geeft toevallig wel om me. Hij houdt van me om wie ik ben.'

Er schitterde iets meedogenloos in Penns ogen en de glimlach verdween van haar gezicht. 'Daaruit blijkt wel hoe jong en onnozel je bent,' sneerde ze. 'Hoe oud is Alex helemaal? Zeventien? Achttien? Een jongetje nog, bij wie de hormonen door het lijf gieren. Denk je echt dat hij ook maar iets om jóú geeft?' Ze lachte onheilspellend en schudde haar hoofd. 'Moet je jezelf zien! Je ziet er geweldig uit, en dat is het enige wat hem interesseert.'

'Je kent hem helemaal niet. Je kent míj niet eens echt.' Gemma keek haar boos aan. 'Je hebt het verkeerde meisje uitgekozen. Ik zorg zelf wel dat ik die stomme vloek ongedaan maak. Ik bevrijd mezelf wel.'

'Wat ben jij een ondankbaar nest, zeg.' Penn schudde haar lange haren naar achter. 'Je noemt het een stomme vloek, maar eigenlijk heb je je er je hele leven naar verlangd. Ik heb je gezien, Gemma. Jij hoort de roep van het water al zo lang.' Ze ging vlak voor Gemma staan. 'Ik heb je iets gegeven waar je al je hele leven naar snakt. Je zou me dankbaar moeten zijn.'

'Ik heb hier niet om gevraagd,' wierp Gemma tegen. 'Ik wil het helemaal niet.'

'Jammer dan.' Penn draaide zich om en liep terug naar de kei. 'Maar je komt er nooit meer van af. Je blijft een sirene tot aan je dood. Weet je waarom? Omdat je van het toverdrankje hebt gedronken.'

'Toverdrankje?' herhaalde Gemma. 'Wat zat erin dan?'

'Het bloed van een sirene, het bloed van een sterveling en het bloed van de zee,' somde Gemma op.

'Het bloed van de zee?'

'Dat is gewoon zeewater,' antwoordde Penn. 'Demeter had een groot gevoel voor drama, vooral als het om de regels van de vloek ging.'

'En wat is het bloed van een sterveling?' vroeg Gemma. 'Zijn dat tranen of zoiets?'

Penn keek haar aan alsof ze achterlijk was. 'Nee, bloed. Het was het bloed van Aglaope en mensenbloed.'

'Heb ik bloed gedronken?' Gemma's maag trok samen en ze legde haar handen op haar buik. 'Je hebt me bloed laten drinken zonder dat ik het wist? Wat ben jij voor akelig monster?'

'Ik ben een sirene, weet je nog wel?' Penn rolde met haar ogen. 'En jij bent veel dommer dan ik had gedacht. Misschien heb ik me in je vergist. Misschien heb je gelijk en moet ik je niet tegenhouden als je zo graag dood wilt.'

'Van wie was dat bloed?' vroeg Gemma, die bij de gedachte alleen al bijna moest kokhalzen.

'Van Aglaope. Dat zei ik toch al.'

'Ik bedoel het mensenbloed.'

'O, dat maakt toch niet uit,' zei Penn schouderophalend. 'Van zomaar iemand.'

'Hoe kwam je eraan?'

'Jee, wat een gezeur.' Ze staarde hoofdschuddend naar de lucht. 'Ik heb er een hekel aan om nieuwe sirenen in te wijden. Vooral als ze zo ondankbaar zijn als jij. Ik sta mijn tijd te verdoen.'

'Als je het zo erg vindt, waarom doe je het dan?' vroeg Gemma.

'Ik heb geen keus. We moeten er een vierde bij hebben.'

Gemma hield het niet langer. Ze boog zich voorover en kokhalsde. Penns verhaal en het idee dat ze bloed had gedronken werden haar te veel. Bovendien had ze knallende hoofdpijn van het waterlied dat aan haar bleef trekken.

'Jeetje,' verzuchtte Penn. 'Dat bloed is allang verteerd. Je bent niet voor niets in een sirene veranderd. Denk je echt dat je dat nu nog kunt uitbraken?'

'Nee, natuurlijk niet, maar ik word misselijk van het idee dat ik nu net zo ben als jij.' Gemma ging rechtop staan en veegde haar mond af.

Penn kneep haar ogen tot spleetjes. 'Je ziet het helemaal verkeerd.'

'Zeg dan hoe ik hieruit kom! Wat moet ik doen om weer mezelf te worden?'

'Dat heb ik je al gezegd,' snauwde Penn. 'Je kunt niet meer terug, tenzij je dood wilt. Punt uit. En als je nu niet ophoudt met je ondankbare gezeur, wil ik je daar graag een handje bij helpen.'

Tranen van woede sprongen in Gemma's ogen. Ze streek het haar van haar voorhoofd en staarde naar de zee. Af en toe zag ze de hoofden van Thea en Lexi boven het water uit komen.

'Vertel me dan wat ik moet doen.' Gemma haalde diep adem en keek Penn aan. 'Jullie hebben een vierde sirene nodig en ik wil niet dood. Wat moet ik doen?'

'Om te beginnen zou ik me maar eens anders gedragen, als ik jou was. Vervolgens moet je je leven hier vaarwel zeggen en met ons meegaan. Wij zullen je alles leren.'

'Waarom moet ik hier weg?' vroeg Gemma.

'Omdat we beter niet te lang op één plek kunnen blijven,' zei Penn. 'Daar komen alleen maar problemen van.'

'En mijn familie dan? En Alex?'

'Wij zijn nu je familie,' zei Penn. Haar stem klonk bijna vriendelijk. 'En Alex houdt niet van je. Dat kan hij helemaal niet.'

'Maar...' Een traan rolde over Gemma's wang. Driftig veegde ze hem weg.

'Hij kan er niets aan doen en jij ook niet. Het is gewoonweg onmogelijk, Gemma. Een sterveling kan nu eenmaal geen liefde voelen voor een sirene. Het spijt me.' Penn slaakte een diepe zucht. 'Maar naarmate je ouder wordt en meer van het leven begrijpt, zal je beseffen dat mannen simpelweg niet in staat zijn om van iemand te houden. Dat zal je heel wat leed besparen.'

'Hoe kan ik je geloven?' vroeg Gemma. 'Je hebt me er al in geluisd met dat drankje. Hoe weet ik nu of je de waarheid spreekt?'

'Dat kun je niet zeker weten,' zei Penn schouderophalend.

'Maar wie moet je dan geloven? Ken je nog iemand die weet hoe het is een sirene te zijn?'

Gemma besefte dat Penn gelijk had. Ze was nu eenmaal in deze situatie beland en had geen andere keus dan te proberen er het beste van te maken. Ook al voelde ze zich door Penn in een hoek gedreven, ze troostte zich met de gedachte dat ze zelfs als sirene nog steeds de juiste keuzes kon maken.

Ineens werden ze opgeschrikt door lawaai, afkomstig uit het cipressenbosje. In de baai klonken opgewonden stemmen en het geluid van een politieradio. Gemma kon niet goed zien wat er aan de hand was, maar tussen de bomen zag ze blauwe uniformen bewegen.

'Wat is er aan de hand?' riep Thea die in het water kennelijk ook iets had opgevangen.

'Is dat de politie?' riep Lexi, die naast Thea op de golven dreef.

'We moeten gaan,' snauwde Penn en liep naar het water. 'Je kunt maar beter met ons meekomen, Gemma.'

'Eh...' Gemma aarzelde. Ze maakte haar blik los van het gedoe in het bos en keek naar Penn. 'Nee. Nog niet.'

Penn perste haar lippen op elkaar. 'Wat je wilt. Vergeet niet dat we hier nog maar een paar dagen zullen zijn. Daarna vertrekken we.'

'Kom gauw, Penn,' riep Thea. 'We moeten maken dat we wegkomen.'

'Dag, Gemma.' Lexi zwaaide.

'Dag.' Gemma stak haar hand op, maar Lexi was al onder water verdwenen. Even later ging Penn de zee in. Toen het water tot haar middel kwam, bleef ze even staan, zodat Gemma de groene, doorschijnende schubben op haar heupen zag verschijnen.

'Ik heb je de waarheid gezegd, hoor,' zei Penn. 'Voor wat het waard is.' Vervolgens dook ze het water in en zwom weg.

Gemma bleef nog even naar de golven staan kijken, maar de sirenen kwamen niet meer boven water. De geluiden in het bos werden bijna overstemd door het waterlied.

Ten slotte wist ze zich los te rukken van de lokroep van de zee en liep terug naar huis. Nog steeds wist ze niet wat ze moest doen, sterven of met de sirenen meegaan. Geen van beide opties klonk acceptabel.

Toen ze net thuis was, stopte er plotseling een politieauto voor de deur. Haar hart begon te bonzen en met grote ogen keek ze toe hoe een agent uitstapte en het achterportier openmaakte. Tot haar stomme verbazing stapten Harper en Alex uit.

Alex zag lijkbleek en Harper had haar arm om zijn schouder geslagen.

Gemma rende naar hen toe. 'Wat is er gebeurd?'

'We hebben Luke gevonden,' zei Harper zacht.

'Hij is dood.' Alex maakte zich los van Harper en sloeg zijn armen om Gemma heen, die zijn tranen op haar schouder voelde druppelen.

20

Doorgaan

Harper leunde tegen het aanrecht en staarde door het keukenraam naar het huis van de buren. Ze maakte zich zorgen om Alex. Hij was compleet van slag geweest nadat ze gisteren de lijken hadden gevonden.

Gemma was bijna voortdurend bij hem gebleven. Zelfs Brian was het er mee eens dat ze, ondanks haar huisarrest, nu bij Alex moest zijn. Hij had haar nodig.

'Gaat het een beetje?' vroeg Brian, die achter haar aan de keukentafel koffie zat te drinken.

'Goed, hoor,' loog Harper. De afgelopen nacht was ze drie keer uit een nachtmerrie wakker geschrokken. Daarna had ze niet eens meer geprobeerd om de slaap te vatten. Om iets te doen te hebben had ze de was gedaan en de keukenkastjes opnieuw ingedeeld totdat Brian om acht uur naar beneden was gekomen.

'Echt?' vroeg Brian.

'Ja.' Ze keek haar vader aan en probeerde geruststellend te glimlachen. 'Zo goed heb ik Luke niet gekend.'

'Dat hoeft toch niet. Zoiets kan je behoorlijk aangrijpen.'

'Het komt wel goed, hoor.' Ze trok een stoel naar achter en ging tegenover hem zitten.

Zoals altijd op zaterdagochtend had Brian de krant op tafel

uitgespreid, maar toen hij de foto van de lijken op de voorpagina zag, had hij dat deel van de krant snel opgevouwen en weggegooid.

Over tafel trok Harper de krant naar zich toe om de kruiswoordpuzzel te maken. Brian begon er altijd aan, maar gaf het meestal vrij snel op.

Brian schoof de pen naar haar toe en nam een slok van zijn koffie. 'Gaan we nu doen alsof er niets gebeurd is?' vroeg hij.

'Ik doe helemaal niet alsof.' Harper trok haar knie op tot haar borst. 'Er is iets vreselijks gebeurd, maar verder kan ik er eigenlijk niet zoveel over zeggen.' Ze hield haar blik op de puzzel gericht.

'Heb ik je wel eens verteld hoe Terry Connelly aan zijn eind is gekomen?' vroeg Brian.

Ze dacht even na. 'Weet ik niet. Ik was toen een jaar of vijf, zes. Was er toen niet een ongeluk bij de havens gebeurd?'

'Ja,' beaamde Brian. 'Er was een pallet van een paar honderd kilo van de heftruck op hem terechtgekomen. Ik stond naast hem toen het gebeurde. Hij leefde nog en ik ben bij hem gebleven tot de ambulance kwam.'

'Dat wist ik niet.' Harper liet haar kin op haar knie rusten.

'We waren niet bevriend, maar we werkten wel al jaren samen. Ik kon hem daar niet alleen laten liggen,' zei Brian. 'Toen de hulpverleners eindelijk ter plekke waren, moesten ze eerst de pallet van hem aftillen. Al zijn organen waren platgedrukt en puilden uit zijn zij. Als een dode worm bungelde een stuk darm aan de onderkant van de pallet.

'Jee, pap,' zei Harper geschokt. 'Waarom vertel je me dit?'

'In elk geval niet om je te choqueren,' verzekerde hij haar. 'Ik wil je alleen duidelijk maken dat het een vreselijke ervaring was. Met de pallet boven op hem leefde hij nog, maar zodra die eraf was, overleed hij.'

'Wat erg,' zei ze.

'Ik heb er nog wekenlang nachtmerries van gehad. Ik weet niet of je moeder het zich kan herinneren, maar anders moet je het haar maar vragen.' Hij leunde met zijn ellebogen op tafel en boog zich naar haar toe. 'Toen het gebeurde, was ik een volwassen vent en het was gewoon een stom ongeluk. Er was geen sprake van moord of van lijken die lagen te rotten in de bossen. Toch heb ik er een tijdje flink last van gehad.'

'Pap,' verzuchtte ze. Ze leunde achterover in haar stoel.

'Ik weet natuurlijk niet precies waar je last van hebt, lieverd,' zei Brian zacht, 'maar het kan niet anders dan dat het je heeft aangegrepen. Dat mag je best zeggen, hoor. Het is helemaal niet erg om toe te geven dat je angstig of verdrietig bent.'

'Dat weet ik, maar ik heb nergens last van.'

'Ik snap dat je het niet makkelijk vindt om met mij te praten, maar hopelijk kun je wel bij iemand anders terecht.' Hij nam een slok koffie. 'Ga je vandaag nog bij Alex langs?'

Ze schudde haar hoofd. 'Gemma is al bij hem.'

'Nou en? Hij is toch ook jouw vriend? Als Gemma bij hem is, hoef jij niet weg te blijven, hoor.'

'Ja, maar...' Ze haalde haar schouders op.

'Je kunt gewoon met hem blijven omgaan, ook al heeft hij een vriendinnetje.' Brian zweeg even. 'Is het nu officieel, tussen Gemma en hem?'

'Ik geloof het wel.'

'Hm.' Hij fronste zijn voorhoofd. 'Nou ja, Alex is de kwaadste niet, toch?'

'Nee,' zei ze.

'En jij?'

'Hoezo?'

'Heb jij iemand?'

'Toe, pap.' Harper kreunde en stond op van tafel.

'Harper,' kreunde Brian terug.

'Waarom is iedereen ineens zo geïnteresseerd in mijn liefdesleven?' Ze haalde een pak sinaasappelsap uit de koelkast. 'Niet dat er iets aan de hand is, hoor, want er is niemand.' Terwijl ze een glas inschonk, mompelde ze: 'Trouwens, ik vind niemand leuk.'

'Wat zeg je? Is iedereen geïnteresseerd in je liefdesleven? Wie is iedereen?'

'Weet ik veel. Jij en Alex.' Ineens wist ze zich geen raad meer en dronk in één teug haar glas leeg zodat ze niets terug hoefde te zeggen. 'Ik ga vandaag niet bij mama op bezoek, denk ik.'

'Oké.'

'Gemma heeft het druk vandaag maar misschien wil ze morgen bij haar langs.' Harper wierp een blik op Alex' huis. 'Of misschien ook niet. Hoe dan ook, ik ga waarschijnlijk morgen.'

Brian knikte. 'Prima. Het zal je goeddoen je moeder weer te zien.'

'Misschien zou het jou ook goeddoen haar eens te bezoeken,' zei Harper voorzichtig. Ze zag hem verstijven.

Op dat moment maakte de bel een einde aan het ongemakkelijke gesprek. Ze vonden het allebei vervelend om over Nathalie te praten, vooral met elkaar, want zodra haar naam ter sprake kwam, liep het meestal op een vervelende discussie uit.

'Ik ga wel,' zei Harper, hoewel ze nog steeds haar pyjama aanhad en Brian al aangekleed was. Ze dacht dat het de politie zou zijn. Ze zouden nog langskomen om haar een paar vragen te stellen.

In plaats van de politie stond Daniel voor de deur. Hij keek haar glimlachend aan en de eerste ogenblikken kon Harper hem alleen maar met een verraste blik aankijken.

'Sorry. Heb ik je wakker gemaakt?' vroeg hij. 'Als het niet uitkomt, ga ik...'

'Nee, hoor,' antwoordde ze, en terwijl ze het zei, besefte ze dat ze alleen maar een topje en een meisjesboxershort droeg. Ze sloeg haar armen over elkaar. 'Ik was al wakker.'

'Oké.' Hij krabde op zijn arm en keek haar aan. 'Mag ik binnenkomen?'

'Ja, ja, natuurlijk. Kom binnen.' Ze stapte achteruit zodat hij erlangs kon. 'Wat kom je eigenlijk doen?' flapte ze eruit.

'O... eh... ik hoorde wat er met je vriend is gebeurd,' zei hij terwijl hij naar binnen kwam. 'Ik wilde je graag condoleren.' In zijn lichtbruine ogen lag een meelevende blik.

'Dank je.' Ze glimlachte flauwtjes.

'Ik ben ook al bij de bibliotheek langsgegaan,' verklaarde hij. 'Je was laatst zo van streek over die vermissingszaak, dus ik wilde even horen hoe het gaat.'

'Op zaterdag werk ik niet,' zei Harper.

'Ja, dat zei je collega die achter de balie stond. Een nors meisje met een sluike pony.' Hij hield zijn hand tegen zijn wenkbrauwen om aan te geven hoe lang de pony was.

'O ja, dat is Marcy.'

'Is dat die collega die je niet alleen kunt laten?'

'Klopt.' Ze lachte een beetje, verrast dat Daniel dat had onthouden.

'Ze vertelde me waar je woont en nu hoop ik maar dat je het niet gek vindt dat ik langskom. Als je wilt, ga ik weer, hoor.' Hij gebaarde naar de deur achter hem.

'Nee, nee,' zei ze. 'Helemaal niet. Ik weet toch ook waar jij woont, dus nu staan we quitte.'

'Oké.' Hij keek haar opgelucht aan. 'Hoe gaat 't nu?'

Ze schokschouderde. 'Goed.'

'Harper?' Brian kwam uit de keuken. 'Wie is er aan de deur?'

'Pap,' zei ze. 'Dit is... eh... Daniel. En Daniel, dit is mijn vader.'

'Dag, meneer.' Daniel stak zijn hand uit.

Brian schudde zijn hand en keek hem intussen onderzoekend aan. 'Je komt me bekend voor,' zei hij. 'Ken ik je niet ergens van?'

'U hebt me misschien wel eens op mijn boot gezien,' zei Daniel terwijl hij zijn handen in zijn achterzakken stopte. *De Flierefluiter*. Hij ligt in de jachthaven.'

'O.' Brian staarde hem aan en probeerde hem te plaatsen. 'Heette jouw grootvader soms Darryl Morgan?'

'Ja, dat was mijn opa.'

'Toen hij nog leefde, was hij mijn voorman in de haven,' zei Brian. 'Een goeie vent. We missen hem nog steeds.'

'Wij ook,' stemde Daniel in.

'Kwam jij vroeger niet vaak met je opa mee? Je was toen niet groter dan...' Brian hield zijn hand op heuphoogte om aan te geven hoe klein Daniel destijds was. 'En nu ben je een volwassen kerel geworden,' zei hij, 'en kom je bij mijn dochter op bezoek.'

'Pap,' siste Harper. Ze wierp hem een veelbetekenende blik toe.

'Nou, leuk om je weer eens gezien te hebben,' zei Brian. 'Ik ga nu naar de garage om Gemma's auto te repareren.' Hij liep langs hen heen naar de deur, maar voor hij verdween, bleef hij staan en zei: 'Als het nodig is, Harper, dan weet je me te vinden. Ik heb zwaar gereedschap bij de hand.'

'Alsjeblieft, pap,' snauwde Harper.

'Veel plezier, jongens.' Met die woorden ging Brian de deur uit.

'Sorry, hoor,' zei Harper toen haar vader weg was.

'Geeft niet.' Daniel grijnsde. 'Ik neem aan dat er niet vaak bewonderaars voor je aan de deur komen.'

'Bedoel je dat jíj een bewonderaar bent?' Ze keek hem met opgetrokken wenkbrauwen aan.

'Ik bedoel helemaal niks,' zei hij, maar hij glimlachte zodanig dat ze haar blik snel afwendde.

'Wil je iets drinken?' vroeg ze terwijl ze naar de keuken liep. 'Ik heb net koffiegezet.'

'Ja, koffie is prima.' Daniel was ook de keuken in gelopen.

Harper haalde twee mokken uit de kast, schonk de koffie in en zette een mok op tafel, waar Daniel was aangeschoven. Zelf bleef ze leunend tegen het aanrecht staan.

'Lekkere koffie is dit,' zei Daniel nadat hij een slokje had genomen.

'Dank je.'

Hij zette zijn mok op tafel. 'Nu heb je me nog steeds niet verteld hoe het met je gaat.'

'O, goed. Dat heb ik je toch al gezegd?'

'Ja, maar dat was gelogen.' Hij hield zijn hoofd een beetje scheef en keek haar aan. 'Hoe gaat het écht met je?'

Met een nerveuze glimlach wendde Harper haar blik af. 'Waarom zou ik liegen?' Ze schudde haar hoofd. 'Waarom zou het niet goed met me kunnen gaan? Ik kende een van die jongens een beetje en die andere helemaal niet.'

'Wat kun jij goed liegen, zeg,' zei Daniel. 'Zo bont heb ik het nog nooit meegemaakt. Telkens wanneer je iets zegt wat niet waar is, kijk je de andere kant op en begin je snel over iets anders.'

'Ik... eh...' hakkelde ze.

'Waarom zeg je niet gewoon eerlijk hoe je je voelt?' vroeg Daniel.

'Dat wil ik best.' Ze staarde in haar beker. 'Alleen... vind ik niet dat ik het recht heb om me rot te voelen.'

'Hoe bedoel je? Je bent vrij om te voelen wat je wilt.'

'Nee,' zei ze. Ze kon ineens wel huilen. 'Luke was... Ik kende hem amper. Zijn ouders hebben een zoon verloren. Alex heeft zijn vriend verloren. Ze hielden van hem. Ze zijn iemand kwijt. Zij hebben het recht om zich rot te voelen.' Even keek ze peinzend voor zich uit, alsof ze eigenlijk iets heel anders had willen zeggen. 'Ik heb ooit een paar keer met hem gezoend. Heel klunzig allemaal. Daarna heb ik hem gedumpt.' Ze beet op haar onderlip. 'Ik vond hem best aardig, hoor, maar ik voelde niet op die manier iets voor hem.'

'En nu vind je eigenlijk dat je je niet rot mag voelen omdat je hem gedumpt hebt?' vroeg Daniel.

'Zoiets. Ik weet het niet.'

'Vergeet even wat je wel of niet zou moeten voelen en probeer me precies te vertellen wat je op dit moment denkt.'

'Eh...' Harper had Daniels vraag het liefst van tafel geveegd. Ze slikte moeizaam en zei toen: 'Ik moet steeds aan zijn gezicht denken toen we hem vonden. Er liep een made over zijn lippen.' Onwillekeurig bracht ze haar hand naar haar eigen mond. 'Dezelfde lippen die ik heb gekust.' Ze zuchtte.

'En ik ruik nog steeds de stank die van de lijken opsteeg,' vervolgde ze. 'Hoe vaak ik me ook douch of hoeveel parfum ik opdoe, ik krijg die stank niet weg.' Haar stem klonk schor en er welden tranen op in haar ogen. 'Het is eigenlijk vreemd dat ik zijn lippen en gezicht alsmaar voor me zie, want zijn bovenlijf zag er helemaal niet uit. Dat was helemaal opengereten.' Ze gebaarde naar haar eigen romp. 'Van boven tot onder... Hij moet gek van angst geweest zijn.' De tranen rolden nu over haar wangen. 'Ze moeten allebei gek van angst zijn geweest.'

Daniel stond op, liep naar haar toe en bleef vlak voor haar staan. Toen hij zijn hand op haar arm legde, keek ze niet op. Huilend bleef ze naar een punt op de grond staren.

'We hebben hem nog gezien,' zei ze. 'Op de dag dat hij verdween. Hij was bij de picknick. Als ik hem had gevraagd of hij bij ons was gebleven, had hij waarschijnlijk nog geleefd. Maar toen ik hem zag, raakte ik helemaal van slag, want er hangt altijd een beetje een ongemakkelijke sfeer tussen ons. Hij was echt heel aardig. Had ik maar...' De rest van haar zin werd gesmoord in luid gesnik.

Daniel pakte de koffiemok uit haar handen en zette hem op het aanrecht achter haar. Vervolgens legde hij heel voorzichtig zijn armen om haar heen.

'Het is jouw schuld niet,' zei hij terwijl ze snikkend tegen zijn schouder lag. 'Je kunt niet iedereen tegen alles beschermen, Harper.'

'Waarom niet?' vroeg ze op gedempte toon.

'Zo zit de wereld niet in elkaar.'

Harper snikte nog wat na. Ze was dankbaar maar ook een beetje beschaamd dat Daniel haar vasthield. Toen ze was gekalmeerd, maakte ze zich los uit zijn omhelzing en veegde de tranen uit haar ogen. Hij liet zijn armen langs zijn lijf hangen maar bleef vlak voor haar staan, voor het geval ze hem weer nodig had.

'Het spijt me,' zei ze terwijl ze haar handpalmen tegen haar wangen drukte om de tranen te drogen.

'Geeft niet. Ik heb in elk geval nergens spijt van.'

'Jij hoeft je niet te verontschuldigen. Ik wel. Ik maak me compleet belachelijk.'

'Welnee.' Hij streek een haarlok van haar voorhoofd en zij liet hem begaan, zonder naar hem op te kijken.

'Je hebt gelijk. Dat weet ik wel. Ik weet dat het mijn schuld niet is.' Ze snifte even. 'Maar ik moet steeds aan de dag van de picknick denken. Ik bedoel, we hebben hem 's middags nog gezien en 's avonds was hij verdwenen. Als ik had gevraagd of hij bij ons was gebleven, was hij niet met dat meisje meegegaan...'

'Maak je daar nou maar niet druk om,' zei Daniel. 'Je kon toch niet weten wat er zou gebeuren?'

'Jawel.' Ineens drong er iets tot haar door en ze sperde haar ogen open. 'De laatste keer dat ik Luke levend heb gezien, was toen hij met Lexi meeging.'

'Wie is Lexi?'

'Een van die superknappe, griezelige meisjes.'

'Dus hij is met ene Lexi van de picknick weggegaan en daarna spoorloos verdwenen?' vroeg Daniel. 'Heb je dat tegen de politie gezegd?'

'Nee. Ik bedoel, ja.' Ze schudde haar hoofd. 'Ik heb gezegd wat ik wist, maar op dat moment leek het niet erg belangrijk. Hij is na de picknick naar huis gegaan en heeft met zijn ouders gegeten. Daarna is hij weer weggegaan en niet meer teruggekomen. Tussendoor moet hij een tijdje in het gezelschap van Lexi zijn geweest.'

'Denk je dat Lexi, Penn en dat andere meisje iets met de moorden te maken hebben?'

'Ik weet het niet,' zei Harper. Ineens bedacht ze zich. 'Of toch wel,' zei ze. 'Ja, ik denk wel dat ze er iets mee te maken hebben.'

'Op het gevaar af dat je me een seksist vindt... eh... Het zijn maar meisjes, hoor.' Hij zette een stap naar achter, alsof hij een klap van haar kon verwachten. 'Ja, ik weet het wel. Het is 2012 en vrouwen hebben gelijke rechten en meisjes kunnen net zo goed seriemoordenaar zijn als jongens. Maar die drie meiden lijken me niet sterk genoeg om de ingewanden uit iemands lijf te rukken.'

'Weet ik, maar...' Ze fronste haar voorhoofd. 'Ze zijn gewoon door en door slecht en ik ben ervan overtuigd dat ze er iets mee te maken hebben, maar ik weet alleen niet hoe.'

Daniel keek haar even nadenkend aan. 'Ik geloof je,' zei hij. 'En nu?'

Ze zuchtte. 'Ik weet het niet, maar ik moet Gemma uit hun buurt houden. Desnoods bind ik haar vast aan haar bed.'

'Is dat niet wat overdreven?'

'Nood breekt wet.'

'Waar is Gemma trouwens?'

'Bij Alex.' Harper gebaarde naar het huis van de buren. 'Ze is hem aan het troosten.'

'Is ze nu veilig en onder toezicht?' vroeg hij. Toen ze knikte, vervolgde hij: 'Mooi. Laten we nu dan iets doen waar jij zin in hebt.'

'Zoals?'

'Weet ik niet. Waar heb je zin in?'

'Eh...' Haar maag knorde. Van huilen kreeg ze altijd honger. 'Zullen we gaan ontbijten?'

Daniel grijnsde. 'Waarom ook niet? Ik ben een kei in brood roosteren.'

'Dat komt dan goed uit.'

Samen maakten Harper en Daniel het ontbijt klaar. Toen Brian de etensgeuren rook, kwam hij de keuken binnen. Gedrieën gingen ze aan tafel. Dat had ongemakkelijk kunnen zijn, maar dat was het niet. Daniel was beleefd en grappig, en Brian leek hem graag te mogen.

Harper wist dat haar vader haar straks het hemd van het lijf zou vragen over de aard van hun relatie, maar dat was van later zorg. Nu genoot ze van het gezellige ontbijt.

21

Het eiland

Het was lang geleden dat ze een bezoek hadden gebracht aan Bernie McAllister, dus toen Brian aan Harper vroeg of ze die middag zin had om mee te gaan naar het eiland, nam ze de uitnodiging graag aan.

Op het eiland lagen vele jeugdherinneringen. Het was jammer dat Gemma, die nog steeds bij Alex was, er niet bij was, want juist zij was altijd dol op Bernie geweest. Ze had het in elk geval altijd fantastisch gevonden om op het eiland te zijn.

Brian had een boot van een vriend geleend. Hij maakte hem vast aan de steiger, die tussen de hoge cipressen aan de waterkant verscholen lag. Een smal pad leidde naar het boothuis, maar voor de rest was het eiland begroeid met cipressen en dennenbomen, die in veel gevallen langer waren dan het eiland breed was.

'Schip ahoi!' hoorden ze Bernie roepen.

Harper schermde haar ogen af tegen het felle zonlicht dat door het bladerdek scheen, maar ze kon Bernie niet zien.

'Bernie?' riep Brian. Hij ging als eerste van de boot en hielp vervolgens zijn dochter op de steiger.

'Ik dacht al dat jullie het waren,' zei Bernie.

Pas toen zag Harper hem zwaaiend het pad af komen.

'Wat een verrassing dat jullie er zijn,' riep hij. 'Ik verwachtte vandaag eigenlijk geen bezoek.'

'Ik heb je geprobeerd te bellen,' zei Brian, 'maar ik kreeg geen verbinding. Heb je nog wel telefoon?'

'Nee, die heb ik weggegooid. Met die stormen hier werkt zo'n ding niet.'

'Komen we wel gelegen?' vroeg Harper terwijl ze met haar vader naar hem toe liep. 'We willen je uiteraard niet storen.'

'Storen? Ha,' zei Bernie met zijn Britse accent. 'Een mooi meisje zoals jij stoort me niet zo gauw.' Hij knipoogde, waarop Harper in de lach schoot. 'En je vader trouwens ook niet.'

'Hoe gaat het met je, Bernie?' vroeg Brian.

'Ik mag niet mopperen, toch?' Even gebaarde Bernie naar de bomen om zich heen en begon voor hen uit de steiger af te lopen. 'Kom, dan zal ik jullie het eiland laten zien. Er is veel veranderd sinds jullie hier voor het laatst waren.'

Harper liep achter hem aan over het pad naar zijn huis. Terwijl ze om zich heen keek, had ze niet het idee dat er veel veranderd was op het eiland. Net zoals vroeger rook het er nog steeds naar dennennaalden en hondsdraf. Terwijl Bernie en Brian bespraken wat ze het afgelopen jaar hadden gedaan, liep Harper wat langzamer achter hen aan, genietend van de plek waaraan ze zoveel mooie herinneringen had.

Van haar negende tot haar twaalfde was het eiland haar tweede thuis geweest. Daarna durfde haar vader haar steeds vaker met Gemma alleen thuis te laten en gingen ze steeds minder vaak naar Bernie.

Ze was er zeker van dat de hut er nog stond, die ze samen met Gemma achter zijn huis had gebouwd van takken en oude planken. Ze hadden hem met spijkers in elkaar getimmerd en Bernie had beloofd hem nooit te zullen afbreken.

De blokhut waarin Bernie woonde was oud en vervallen. De zijkanten waren begroeid met klimop, die hij alleen rondom de ramen wegknipte. Pas toen ze om het huis heen waren gelopen, zagen ze wat er veranderd was. Bernie had een moestuin aangelegd. In het midden stond een reusachtige rozenstruik met lila bloemen, die zijn vrouw vlak voordat ze overleed had geplant en die door Bernie zorgvuldig was opgekweekt.

'Wauw!' zei Brian. Vol bewondering keek hij naar de tomaten, groene paprika's, komkommers, worteltjes, radijsjes en sla die Bernie had geteeld. De moestuin was ongeveer even groot als de woonoppervlakte van de blokhut.

'Veel, hè?' Bernie glimlachte trots. 'Ik verkoop de groente op de boerenmarkt. Zo vul ik mijn pensioen een beetje aan. Ik moet natuurlijk wel op grote voet kunnen blijven leven.'

'Jij? Ik geloof er niks van,' zei Brian. 'Maar als je ooit krap bij kas zit, dan...'

Bernie hief zijn hand op. 'Geen sprake van. Jij hebt twee dochters die je moet onderhouden en bovendien heb ik nog nooit van mijn leven mijn hand hoeven ophouden.'

'Dat weet ik,' zei Brian. 'Maar mocht je ooit iets nodig hebben, dan kun je altijd bij me aankloppen.'

Bernie schudde zijn hoofd en liep handenwrijvend zijn tuin in. 'Zal ik jullie wat koolraap meegeven?'

Terwijl Brian en Bernie bespraken welke groente ze mee naar huis zouden nemen, liep Harper naar de plek tussen de bomen waar de hut zou moeten zijn. Ze had hier altijd het gevoel alsof ze een toverwoud betrad.

Vroeger had ze met Gemma tussen de bomen door gerend. Dan deden ze alsof ze door een of ander sprookjesmonster achterna werden gezeten. Dat waren haar mooiste jeugdherinneringen. Bijna altijd was Gemma degene die op een zeker moment bleef staan om het monster tegemoet te treden.

Harper verzon de spelletjes. Ze verzon dat het monster hen allebei wilde pakken om brood van hen te maken. Tot in detail beschreef ze aan Gemma hoe griezelig het beest eruitzag.

Maar Gemma wist het monster altijd te overmeesteren. Ze sloeg er met een stok naar, die eigenlijk een toverzwaard was. Of ze gooide met stenen naar het monster.

Terwijl Harper tussen de bomen door liep, stak er een bries op die naar de zee en dennennaalden geurde. Een onder de bomen verdwaalde veer werd omhooggeblazen. Harper bukte zich om hem op te rapen.

Het was een verbazingwekkend grote veer, ongeveer zes centimeter breed en ruim zestig centimeter lang. Hij was diepzwart, inclusief de schacht in het midden.

'Aha, je hebt een veer gevonden,' zei Bernie.

Harper draaide zich om. 'Waar is die van?' vroeg ze.

'Van een enorm grote vogel.' Voorzichtig liep hij tussen de groente naar haar toe. 'Laatst vloog hij boven mijn huis. Ik had zoiets nog niet eerder gezien.'

'Wat denk je dat het is?' vroeg Harper.

'Ik weet het niet,' antwoordde hij. 'Ik dacht eerst dat het een vliegtuig was, maar de vleugels fladderden en er viel een veer omlaag.'

'Ik wist niet dat er hier van die grote vogels waren,' zei Brian. 'Zou het een condor zijn geweest?'

'Mijn ogen zijn niet meer zo goed als vroeger,' zei Bernie, 'maar ook de geluiden die het beest maakte waren vreemd. Die geluiden hoor ik wel vaker op het eiland. Een eigenaardig gesnater. Eerst dacht ik dat de meeuwen hadden geleerd hoe ze moesten lachen, maar ik begreep al snel dat dat niet klopte.'

'Wie weet heb je een nieuwe vogelsoort ontdekt,' zei Brian met een glimlach. 'Dan noemen we hem Bernie. Naar jou.'

Bernie lachte. 'Dat zou me wat zijn.' Hij liep zijn tuin weer in en ging, geholpen door Harper, verder met het oogsten van zijn groente. Toen ze klaar waren, hadden ze een kruiwagen vol, die hij op de boerenmarkt kon verkopen.

Brian en Harper bleven nog een tijdje bij Bernie in de achtertuin zitten en haalden herinneringen op aan vroeger. Toen Bernie tekenen van vermoeidheid begon te vertonen, namen ze afscheid. Hij liep met hen mee naar de steiger en toen hun boot zich in beweging zette, bleef hij hen nog lang nawuiven.

22

Bekentenissen

Zodra Gemma van Alex hoorde dat Luke dood was, wist ze dat de sirenen er iets mee te maken moesten hebben. En ze besefte dat het bloed dat ze gedronken had van Luke moest zijn geweest. Het was het bloed van een sterveling dat Penn had gebruikt voor het drankje dat Gemma had moeten drinken om een sirene te worden. Ze moest bijna kokhalzen bij de gedachte.

Haar vermoeden werd bevestigd toen Alex haar vertelde waar ze het lijk hadden gevonden. Daarom was Thea meteen op de vlucht geslagen toen de politie bezig was het cipressenbos bij de baai uit te kammen.

Alex wist niets van haar vermoedens. Hij had geen idee wat er precies was gebeurd en begreep niet hoe iemand een ander zoiets vreselijks kon aandoen. 'Ik snap het echt niet,' bleef hij maar uitroepen.

Gemma wist niet hoe ze daarop moest reageren. Ze kon moeilijk zeggen dat deze gruwelijke daad niet door een mens maar door een monster was gepleegd. Wat een sirene precies was, wist ze nog steeds niet maar dat ze intens slecht waren, was haar nu wel duidelijk.

Omdat ze Alex moest troosten, had ze geen tijd om aan zichzelf te denken of zich af te vragen of ze zelf ook een slechte sirene was. Dat was het enige positieve punt. Het belangrijkste was dat Alex zich beter voelde. Daar stak ze al haar energie in.

Alex huilde niet. Hij zat met een strak gezicht voor zich uit te kijken. Zijn blik was afwezig.

Gemma bleef die vrijdag tot laat in de avond bij hem.

Zaterdagochtend ging ze meteen weer naar hem toe. Hij voelde zich nog steeds beroerd. Aan het eind van de middag legde hij zijn hoofd op haar schoot terwijl zij zijn rug masseerde. 'Telkens als ik mijn ogen sluit, zie ik het weer voor me. Het beeld gaat niet weg.'

'Wat zie je dan?' vroeg Gemma.

Behalve dat hij de lijken had gevonden had hij er verder weinig over losgelaten. Hij wilde haar niet lastigvallen met de details. 'Het was te gruwelijk voor woorden,' zei hij. Zijn stem klonk gespannen. 'Ik kan het niet eens beschrijven, zo akelig was het.' Even keek hij haar onderzoekend aan. Hij streek een haarlok van haar voorhoofd en glimlachte flauwtjes. 'Het is beter dat je het niet weet,' zei hij. 'Ik wil niet dat het beeld ook op jouw netvlies gebrand staat. Daar ben je veel te lief en onschuldig voor.'

'Dat ben ik helemaal niet.'

'Jawel,' hield hij vol. 'En dat is voor een deel ook de reden...' Hij likte zijn lippen en keek haar recht in de ogen. '... dat ik verliefd op je ben.'

Gemma boog haar hoofd om haar tranen te verbergen. Toen kuste ze hem. Dit was precies wat ze had gehoopt en wat ze had gewild. Maar nu kon het niet meer. Ze verdiende het niet.

Ze maakte deel uit van het kwaad. Misschien nog niet helemaal, maar langzaam zou ze voor altijd in een monster veranderen.

Een paar keer had ze overwogen om Alex en Harper te vertellen over de sirenen en de vreemde dingen die haar waren overkomen. Maar nu ze wist dat ze op de een of andere manier met de sirenen verbonden was en sinds de moorden durfde ze er met niemand over te praten.

Misschien was er toch iemand met wie ze haar zorgen kon delen. Iemand die zo ver buiten de werkelijkheid leefde dat ze haar verhaal niet in twijfel zou trekken. Nathalie. Haar moeder.

'Hoe gaat het met Alex?' vroeg Harper terwijl ze die zondagochtend naar Briar Ridge reden om hun moeder te bezoeken.

'Hoe bedoel je? Tussen hem en mij? Of hoe hij zich over het algemeen houdt?' Gemma zat onderuitgezakt in de passagiersstoel en staarde door haar grote zonnebrilglazen uit het raampje.

'Eh... allebei.' Harper keek haar zijdelings aan, alsof ze verbaasd was dat haar zus überhaupt iets had gezegd. Tot nu toe had ze de hele rit geen woord uitgebracht, hoewel Harper een paar keer had geprobeerd een gesprek te beginnen. En nu ze bijna bij de woongemeenschap waren, kwam er zowaar een hele zin uit.

'Goed, gezien de omstandigheden.' Gemma legde haar handen op haar oren om het geluid van het waterlied te dempen. Wat ze ook probeerde, het klonk steeds harder. Ze werd er gek van.

'Het was vast moeilijk voor je om Alex alleen te laten,' zei Harper, 'maar ik vind het heel fijn dat je vandaag toch mee naar mama gaat.'

'O ja, voor ik het vergeet te zeggen,' zei Gemma toen Harper voor de boerderij parkeerde. 'Ik wil mama vandaag even alleen spreken.'

'Hoe bedoel je?' Harper zette de motor uit en keek haar vragend aan.

'Ik wil haar onder vier ogen spreken.'

'Waarover?'

'Tja, als ik dat zou zeggen, hoefde ik haar natuurlijk niet alleen te spreken,' verklaarde Gemma.

Harper zuchtte en staarde voor zich uit. 'Waarom zeg je dat nu pas? Waarom ben je dan niet in je eentje gegaan?'

'Mijn auto is kapot en bovendien zou je me nooit alleen hebben laten gaan,' zei Gemma. 'Tenminste, niet met jouw auto. Het verbaast me trouwens dat je me helemaal alleen naar Alex' huis laat lopen.'

'Toe, Gemma,' zei Harper. 'Je doet net alsof het allemaal mijn schuld is. Toevallig ben jij degene die 's avonds door de stad zwerft en God weet wat uitspookt met die vreselijke meiden. Het is je eigen schuld dat we je niet vertrouwen.'

Gemma kreunde zachtjes en leunde met haar hoofd tegen de hoofdsteun van de passagiersstoel. 'Ik heb nooit gezegd dat het niet mijn schuld is.'

'Je gedraagt je de laatste tijd als een idioot,' vervolgde Harper, alsof ze niet één woord van Gemma had gehoord. 'En bovendien loopt er ook nog een seriemoordenaar vrij rond. Wat moet ik dan doen? Jou gewoon je gang laten gaan?'

'Jee, Harper! Je bent mijn moeder niet,' snauwde Gemma.

'Zij wel?' Harper wees naar de woongemeenschap.

Gemma keek haar aan alsof ze niet goed wijs was. 'Eh... ja, zij wel.'

'Vroeger wel misschien. Ze kan er niets aan doen dat ze geen moeder meer voor je kan zijn. Wie heeft jou de afgelopen negen jaar opgevoed? Wie helpt je met je huiswerk? Wie is er doodongerust als je 's nachts niet thuiskomt? Wie zorgt er voor je als je te veel gedronken hebt en als een wrak op het strand ligt?' wilde Harper weten.

'Dat hoef je allemaal niet te doen, hoor!' schreeuwde Gemma. 'Ik heb je nooit gevraagd om voor me te zorgen.'

'Dat weet ik ook wel,' schreeuwde Harper boos terug. Het was een zinloze discussie, besefte ze. Ze slaakte een zucht en vervolgde met zachtere stem: 'Waarom kun je haar wel vertellen wat er met je aan de hand is en mij niet?'

Gemma staarde naar haar schoot en frunnikte aan de rafels van haar afgeknipte jeans. Ze zei niets. Die vraag kon ze onmogelijk beantwoorden. Ze kon Harper niet vertellen wat ze was geworden.

'Oké.' Harper leunde achterover in haar stoel en draaide het sleuteltje in het contact om zodat ze de radio aan kon zetten. 'Ga maar. Doe de groeten aan mama. Ik wacht hier wel op je.'

'Dank je,' zei Gemma kalm. Ze stapte uit.

Meestal kwam Nathalie al naar buiten gerend om hen te begroeten, maar deze keer niet. Dat was waarschijnlijk een slecht teken. Hoe dan ook, Gemma moest haar geheim met iemand delen, en haar moeder was de enige die het zou begrijpen.

Toen ze bij de voordeur kwam, kon ze haar al horen schreeuwen. Ze vermande zich, belde aan en wachtte.

'Je laat me nooit iets zelf doen!' hoorde ze haar moeder op de achtergrond roepen toen een van de personeelsleden de deur openmaakte. 'Het lijkt hier wel een gevangenis!'

'Hé, hallo Gemma.' Becky glimlachte flauwtjes. Becky was misschien een paar jaar ouder dan Harper. Ze werkte al twee jaar in de woongroep, dus ze kende de meisjes en hun moeder redelijk goed.

'Hoe is ze vandaag?' vroeg Gemma, hoewel ze haar moeder in een andere ruimte kon horen vloeken en met iets tegen de muur hoorde slaan.

'Niet zo best. Misschien kun jij haar een beetje opvrolijken.' Becky deed een stap opzij zodat Gemma binnen kon komen. 'Nathalie, je dochter is er. Doe eens een beetje kalm aan, dan kun je met haar praten.'

'Ik wil helemaal niet met haar praten,' snauwde Nathalie.

Even huiverde Gemma, maar weer vermande ze zich; ze zette haar zonnebril af en liep naar de eetkamer, waar Nathalie was. Ze stond naast de tafel en staarde met een boze blik naar een van de groepsleiders. Ze stond wijdbeens en had een woeste blik in haar ogen, als een dier dat klaarstond om aan te vallen.

'Nathalie,' zei Becky op sussende toon. 'Je dochter heeft dat hele eind gereden om jou te zien. Je kunt haar op z'n minst even begroeten.'

'Hallo mam.' Gemma stak haar hand op toen haar moeder naar haar keek.

'Gemma, haal me hier weg,' zei Nathalie. Ze greep een stoel vast en schoof hem met veel lawaai over de vloer. 'Haal me hier weg!'

'Nathalie!' Becky liep naar haar toe en strekte haar handen naar haar uit. 'Als je bezoek van je dochter wilt hebben, wil ik dat je eerst kalmeert. Je weet goed dat we dit gedrag niet kunnen tolereren.'

Nathalie zette een stap achteruit en deed haar armen over elkaar. Terwijl ze nadacht over haar volgende stap, schoten haar ogen van de ene naar de andere kant van de kamer. 'Oké,' zei ze ten slotte met een kort knikje. 'Laten we naar mijn kamer gaan, Gemma.'

Nathalie rende bijna naar haar kamer, op de voet gevolgd door Gemma. Becky riep haar nog na dat haar dochter zou moeten vertrekken als ze zich niet volgens de regels gedroeg. Zodra ze op haar kamer waren, gooide Nathalie de deur met een klap dicht. 'Kreng,' mompelde ze.

Meestal was Nathalies kamer redelijk opgeruimd, niet omdat ze een ordelijk type was, maar omdat het personeel haar erop aansprak als het uit de hand liep. Vandaag was haar kamer een drama. Overal lagen kleren, cd's en sieraden. Haar stereo was in een hoek gekwakt en haar geliefde poster van Justin Bieber in tweeën gescheurd.

'Wat is er vandaag toch met je aan de hand?' vroeg Gemma.

'Je moet me hier weghalen.' Tussen de rommel op de vloer haalde Nathalie een roze rugzak tevoorschijn en begon hem te vullen met kleren en allerlei andere spullen. 'Je hebt toch een auto, hè?'

'Die is kapot.' Gemma speelde met de zonnebril in haar handen en keek toe hoe haar moeder een sneaker in haar al uitpuilende tas probeerde te proppen. 'Ik kan je hier niet weghalen, mam.'

Meteen stopte Nathalie met wat ze aan het doen was. Ze zakte op haar knieën op de grond, met in de ene hand een schoen en in de andere haar tas. 'Waarom ben je dan gekomen als je me toch niet meeneemt? Om me dat nog eens in te wrijven soms?'

'Wat in te wrijven?' Gemma schudde haar hoofd. 'Mam, ik kom elke week op bezoek. Ik kom heel graag bij je, want ik mis je en ik hou van je. Meestal komen we op zaterdag, maar deze keer niet omdat er de laatste tijd van alles aan de hand is.'

'Dus ik moet hier blijven?' Nathalie kwam overeind en liet de tas en de schoen op de grond vallen. 'Hoe lang nog?'

'Weet ik niet. Je woont hier.'

'Maar ik mag hier niks!' jammerde Nathalie.

'Elk huis heeft zijn eigen regels,' probeerde Gemma uit te leggen. 'Je kunt nergens zomaar alles doen wat je wilt. Dat geldt voor iedereen.'

'Nou, daar ben ik mooi klaar mee.' Ze keek vol weerzin om zich heen en schopte tegen een teddybeer die Gemma haar voor Moederdag had gegeven.

'Kan ik even met je praten, mam?' vroeg Gemma.

Nathalie zuchtte en ging op haar bed zitten. 'Welja, als ik hier toch niet weg mag, kunnen we net zo goed praten.'

'Fijn.' Gemma ging naast haar zitten. 'Ik heb je raad nodig.'

'Waarover?' Ze keek haar dochter nieuwsgierig aan. Dat iemand haar raad nodig had, vond ze vreemd.

'Er gebeuren momenteel heel bizarre dingen. Ik snap er soms niks meer van.' Gemma beet op haar onderlip en keek haar moeder aan. 'Geloof jij in monsters?'

'Echte monsters bedoel je?' Ze sperde haar ogen open en boog zich dichter naar Gemma toe. 'Ja, natuurlijk geloof ik daarin. Hoezo? Heb je er een gezien? Hoe was dat?'

'Dat weet ik eigenlijk niet,' zei Gemma. 'Eigenlijk wel... eh... spannend, maar ik weet dat het eigenlijk niet deugt.'

'Hoe zag dat monster eruit?' vroeg Nathalie. Ze ging in kleermakerszit zitten, met haar gezicht naar Gemma toe.

'Als een soort zeemeermin.'

'Een zeemeermin?' Nathalies ogen werden nog groter van verbazing. 'Jeetje, Gemma. Wat fantastisch!'

'Ja, maar...' Ze haalde haar schouders op. 'Nu willen ze dat ik ook een zeemeermin word en met ze meega.'

'Dat moet je natuurlijk doen!' riep Nathalie uit. 'Een zeemeermin worden! Iets mooiers bestaat er toch niet? Dan mag je altijd en eeuwig zwemmen. Niemand zegt je wat je moet doen.'

'Maar...' Ze slikte moeizaam en staarde naar de zonnebril in haar hand. 'Maar ik ben bang dat ze verkeerde dingen doen. Ze doen mensen pijn.'

'Waarom zouden zeemeerminnen mensen pijn doen?' vroeg Nathalie.

'Weet ik niet. Zo zijn ze gewoon. Ze zijn gewelddadig.'

'Hm.' Nathalie beet op de nagel van haar duim en keek nadenkend voor zich uit.

'Ik ben bang dat ik ook mensen pijn moet doen als ik ervoor kies om met ze mee te gaan.' Gemma probeerde haar tranen weg te slikken.

'Ga dan niet. Je wilt toch niemand pijn doen of wel?'

'Nee,' gaf Gemma toe, 'maar... er is... eh... een jongen...'

'Een jongen?' herhaalde Nathalie met een glimlach. Ze pakte haar dochter bij de arm. 'Is hij leuk? Heb je met hem gezoend? Lijkt hij op Justin?'

'Hij is heel leuk.' Toen ze het opgetogen gezicht van haar moeder zag, glimlachte ze onwillekeurig. 'En ja, we hebben gezoend.'

Nathalie slaakte een kreet van opwinding.

'En,' vervolgde Gemma, 'het is wederzijds.'

'Wat super voor je!' Nathalie klapte in haar handen.

'Ja, maar als ik met de zeemeerminnen meega, moet ik hem achterlaten. Dan zie ik hem nooit meer. Want als ik ga, is het voor altijd.'

Nathalie fronste haar voorhoofd. 'O, en wat gebeurt er als je niet met ze meegaat?'

'Dat weet ik niet precies, maar ik denk...' Gemma haalde diep adem. Ze kon niet antwoorden dat ze dan zou sterven, want ze had geen idee hoe haar moeder daarop zou reageren. 'Dan gebeurt er iets ergs met me.'

'Dus...' Nathalie kauwde op een haarlok terwijl ze probeerde te begrijpen wat haar dochter zei. 'Dus als je met ze meegaat, kun je voor altijd blijven rondzwemmen maar dan krijg je mij nooit meer te zien en moet je misschien nare dingen doen.'

'Juist.'

'Als je niet met ze meegaat, gaat er iets ergs met je gebeuren.'

Gemma knikte.

'Kun je dan nog wel bij mij op bezoek komen en die jongen blijven zien?'

'Dat weet ik niet,' zei Gemma. 'Ik denk het niet.'

'Nou, dan is het toch duidelijk wat je moet doen.'

'O ja?'

Nathalie knikte. 'Als ik jou was, zou ik met ze meegaan.'

'Maar dan moet ik misschien iemand iets aandoen,' hielp Gemma haar herinneren.

Nathalie haalde haar schouders op. 'Ach, zolang je zelf maar ongedeerd blijft. Waar je ook voor kiest, je zult in beide gevallen mij en je vriendje niet meer zien. Of je wordt een zeemeermin of er gebeurt iets ergs met je... Tja, het is kiezen of delen.'

'Ik weet het niet.' Gemma wendde haar blik af. 'Ik denk niet dat ik iemand iets aan kan doen.'

'Luister naar me, Gemma. Ik ben je moeder.' Nathalie pakte haar hand en gaf er een meelevend kneepje in. 'Ik kan niet meer voor je zorgen. Ik wou dat ik het kon, maar die tijd is helaas voorbij. Je bent nu op jezelf aangewezen.'

Gemma haalde diep adem. 'Oké. Dus als ik niet meer bij je op bezoek kom, weet je wat de reden is.'

'Dus je doet het? Je wordt een zeemeermin?'

'Yep.' Gemma slikte haar tranen weg en gaf haar moeder een knuffel. Waarschijnlijk was dit de laatste keer dat ze haar zag. 'Ik hou van je, mam.'

'En ik van jou.' Nathalie sloeg haar armen om haar dochter heen, heel eventjes maar, want ze kon niet zo lang achter elkaar stilzitten.

Toen Gemma was vertrokken, vertelde Nathalie aan alle groepsleiders dat haar dochter een zeemeermin zou worden en nooit meer zou terugkomen.

23

Vrede

Als dit haar laatste avond thuis was, wilde Gemma er iets leuks van maken. Ze had nog steeds geen definitief besluit genomen, maar dat ze hier niet langer kon blijven, stond voor haar vast.

Hoewel ze zich niet zo voelde, deed ze haar best om vrolijk en opgewekt te zijn. Ze bracht de hele middag bij haar vader in de garage door en hielp hem met de reparatie van haar auto. Ze kregen hem niet aan de praat, maar dat was niet belangrijk. Ze vond het gewoon fijn om bij hem te zijn.

Terwijl Brian zich opfriste, ging Gemma naar de keuken om Harper te helpen met koken.

Dat verbaasde Harper. Eerst vertrouwde ze het niet, want Gemma hielp haar nooit in de keuken, maar toen ze zag dat ze het niet deed om extra vrije tijd los te peuteren, vond ze het ook wel heel fijn.

Even later gingen ze aan tafel. Het leek of het de eerste gezinsmaaltijd sinds tijden was. Alle drie kletsten ze honderduit. Er werd niet gesproken over Gemma's slechte gedrag van de laatste tijd of over de seriemoordenaar die een spoor van lijken had achtergelaten. Natuurlijk hingen die dingen wel als een donkere wolk boven hun hoofden, maar die avond hadden ze het er niet over.

'Harper, laat mij dat maar doen,' bood Gemma aan, toen haar zus de vaatwasser begon in te laden.

Nagenietend van de heerlijke maaltijd, bestaande uit gekruide kippenpootjes en aardappels uit de oven, was Brian naar de woonkamer gegaan terwijl Harper de tafel afruimde en Gemma de restjes in een plastic bakje deed.

'Nee, laat mij maar.' Harper spoelde een bord onder de kraan af voordat ze hem in de vaatwasser zette. Ze keek Gemma verbaasd aan. 'Wat is er toch aan de hand met jou?'

'Hoezo?'

Harper maakte een wuivend gebaar met haar natte hand, waarbij per ongeluk een paar druppels water op Gemma terechtkwamen. 'De afgelopen week heb ik je alleen maar horen mopperen en vandaag ben je ineens vrolijk en behulpzaam.'

'Ik ben meestal wel vrolijk, toch?' Gemma zette het plastic bakje in de koelkast. 'En ook wel vaker behulpzaam. Ik was de laatste tijd gewoon niet helemaal mezelf, maar nu ben ik weer normaal.'

'Oké.' Harper trok haar wenkbrauwen op alsof ze haar niet helemaal geloofde. 'Hoe komt dat?'

Gemma haalde haar schouders op en griste een nat vaatdoekje van het aanrecht. Ze liep naar de keukentafel en haalde het doekje eroverheen.

'Heeft mama soms iets gezegd?' drong Harper aan toen Gemma niet reageerde.

'Niet echt.' Gemma nam even de tijd om de juiste woorden te zoeken. 'Ik denk dat ik besef dat ik blij moet zijn met wat ik heb.'

'Hm-hm.' Harper zette de vaatwasser aan en draaide zich om naar haar zus. 'Wat heb je dan?'

'Hoe bedoel je?' Gemma had de tafel schoongemaakt en liep terug naar het aanrecht.

'Je zei dat je blij moet zijn met wat je hebt. Wat heb je dan precies?'

'Nou, om te beginnen heb ik allebei mijn ouders nog,' zei Gemma, leunend tegen het aanrecht. 'Ze zijn over het algemeen gezond en dat kan niet iedereen zeggen. Ik weet dat ze veel van me houden. Papa is zelfs bereid om zijn vrije dagen aan dat oude wrak van mij te besteden. Zonder resultaat, trouwens.'

'Papa is een geweldige vent. En wat vind je van je zus?' vroeg Harper met een schalkse glimlach.

'Mijn zus is een bazige, beweterige controlfreak,' zei Gemma met een twinkeling in haar ogen. 'Maar ze houdt heel veel van me, te veel misschien wel, en ze doet alleen maar zo omdat ze me wil beschermen.'

'Dat klopt,' gaf Harper toe en ze wierp Gemma een veelbetekenende blik toe.

'Soms word ik er knettergek van, maar diep vanbinnen weet ik dat ik blij moet zijn dat er iemand zoveel om me geeft.' Gemma sloeg haar ogen neer en vervolgde: 'Ik mag mijn handjes dichtknijpen met zoveel mensen die van me houden en met zoveel dingen om blij mee te zijn.' Ze schudde haar hoofd en glimlachte. 'Ik vind je geweldig, Harper. Ik wil dat je dat weet.'

Ze keken elkaar zwijgend aan. Harpers ogen waren vochtig en even was Gemma bang dat ze zou gaan huilen. En als Harper huilde, zou zij ook gaan huilen en dan zou het een groot tranendal worden, en dat wilde ze niet.

'Nou ja,' zei Gemma. Ze pakte het vaatdoekje en begon het aanrecht opnieuw af te nemen.

'Wat doe je toch raar,' zei Harper nadat ze zich een beetje had hersteld.

'Ik doe helemaal niet raar,' wierp Gemma tegen. Ze had zo hard op het aanrechtblad geboend dat het glom. Tenminste, voor zover oud, gebarsten multiplex kon glimmen. En ze ging ermee door, want dan hoefde ze Harper niet aan te kijken.

'Komt het door wat er met Luke is gebeurd?' vroeg Harper.

Gemma verstijfde. 'Daar wil ik liever niet over praten. Vanavond in elk geval niet.' Ze slikte haar tranen weg, gooide het vaatdoekje in de gootsteen en draaide zich om.

'Oké.' Harper deed haar armen over elkaar. 'Waar wil je het dan over hebben?'

'Papa vertelde dat Daniel hier gisteren heeft ontbeten.'

Harper bloosde en boog haar hoord, in de hoop dat haar donkere haar voor haar gezicht zou vallen en haar blos zou verbergen. Tevergeefs, want Gemma begon te lachen.

'Hij kwam gewoon even langs en toevallig moesten we nog ontbijten,' zei Harper. 'Het had niets te betekenen.'

'Niets?' Gemma trok haar wenkbrauwen op. 'Sinds wanneer komt Daniel bij ons langs? Trouwens, ik dacht dat je hem niet leuk vond.'

'Dat is ook zo,' hield Harper vol, maar nog steeds durfde ze haar zus niet aan te kijken. 'Waarom zou ik? Ik ken hem niet eens. Bovendien woont hij op een boot en hij heeft niet eens een fatsoenlijke baan. Ik heb nog nauwelijks met hem gesproken.'

'Jee, Harper.' Gemma rolde met haar ogen. 'Je vindt hem wel leuk en als ik zie wat hij allemaal van je pikt, is het wederzijds. Waarom draai je er toch zo omheen?'

'Ik draai nergens omheen.' Harper kon wel door de grond zakken onder Gemma's blik. 'Oké, het is best een leuke jongen, maar ik ga straks studeren, dus...'

'Dat is pas over twee maanden,' viel Gemma haar in de rede. 'Niemand zegt dat je met hem moet trouwen. Je kunt toch gewoon voor de lol met hem omgaan? Een zomerliefde. Je leeft maar één keer, hoor.'

'Sorry, maar ik zie er het nut niet van in om een paar weken met een jongen aan te rommelen. Het zou iets anders zijn als ik niet zou gaan studeren.'

'Niet waar,' corrigeerde Gemma haar. 'Hiervoor wilde je geen verkering omdat je voor mij moest zorgen of je huiswerk moest maken. Nu zeg je dat je gaat studeren, en als je straks studeert, wil je geen relatie omdat je eerst je studie wil afmaken. Vervolgens moet je een baan zoeken en dan is er wel weer iets anders.'

'Tja...' Harper draaide de ring aan haar vingers om en om. 'Zo gaat het nu eenmaal.'

'Nee, zo hoeft het helemaal niet te gaan. Zoveel mensen hebben naast hun studie ook nog een leven,' zei Gemma. 'Je verzint steeds een andere smoes.'

'Het is juist heel verstandig om je eerst op je studie te concentreren,' wierp Harper tegen. 'Bovendien hadden we helemaal geen geld voor de universiteit en als ik me niet te pletter had gewerkt voor die beurs, had ik niet eens kunnen studeren.'

'Dat klopt,' zei Gemma. Ze zuchtte. 'Maar je gebruikt zowel mij als je studie als een schild om mensen op afstand te houden. Stel dat ik het huis uitga, dan kun je mij niet meer als excuus gebruiken. Op een dag zal je je toch moeten openstellen voor mensen, anders blijf je nog alleen.'

'Wauw,' zei Harper met een somber lachje. 'Je doet net alsof ik een oude vrijster ben.'

'Dat ben je niet. Zo denk ik ook niet over je, maar... Ik bedoel alleen maar dat het misschien goed voor je is om deze zomer met Daniel op te trekken.'

Pas toen ze het had gezegd, besefte Gemma waar ze mee bezig was. Ze voelde zich verantwoordelijk voor Harper. Stel dat ze vanavond vertrok, dan wilde ze er zeker van zijn dat haar zus niet alleen was, dat ze iemand had die haar kon helpen. Harper dacht misschien dat ze niemand nodig had, maar zo was het niet. Kennelijk was Daniel daar ook achter gekomen.

In een opwelling sloeg Gemma haar armen om haar zus heen.

Even bleef Harper verstijfd staan, maar vervolgens beantwoordde ze de knuffel. 'Ik weet niet wat jou mankeert,' zei Harper, 'maar het bevalt me wel.'

Nadat de keuken was opgeruimd, ging Harper, zoals altijd na het eten, naar boven om te lezen. Gemma bleef samen met Brian beneden televisie kijken. Toen hij naar bed ging, omhelsde Gemma hem en zei dat ze van hem hield.

Meestal bleef Harper nog lang lezen. Pas als ze sliep, zou Gemma kunnen vertrekken, dus ging ze eerst maar naar bed, hoewel ze helemaal niet moe was. 's Nachts leek het waterlied altijd veel harder te klinken. Het had haar de vorige avond ook al wakker gehouden.

Ze liet haar slaapkamerdeur open, zodat ze kon zien wanneer Harper het licht op haar kamer uitdeed. Toen dat gebeurde, bleef ze voor de zekerheid nog een uur in bed liggen.

Zonder het licht op haar kamer aan te doen sloop ze door haar kamer. Ze pakte haar rugzak die aan de deur van de kast hing en hoewel ze het moeilijk vond om te kiezen, stopte ze er uiteindelijk toch enkele persoonlijke bezittingen in.

Ze wist nog steeds niet zeker of ze met de sirenen mee zou gaan, maar thuisblijven was helemaal geen optie. Als ze ervoor koos om te sterven, hoefde haar familie daar geen getuige van te zijn. Ze konden maar beter denken dat ze was weggelopen en nog in leven was. Dan hadden ze tenminste nog hoop. Dat was het enige wat ze haar familie kon geven.

Uiteindelijk stopte ze nog een paar kleren en een ingelijste foto van haarzelf, Harper en hun moeder, die op haar nachtkastje stond, in haar rugzak.

Ze bleef even aarzelend in de deuropening staan en overwoog om een briefje achter te laten. Maar wat moest ze in hemelsnaam schrijven?

Zachtjes sloop ze het huis uit. Even wierp ze een blik op het huis van de buren. In Alex' slaapkamer brandde licht. Het raam stond open en vaag hoorde ze het geluid van de muziek waar hij naar luisterde.

De hele dag was ze bezig geweest met de voorbereiding voor haar vertrek, maar Alex had ze opzettelijk gemeden. Ze vond het al moeilijk genoeg om haar vader en zus achter te laten.

Met gebogen hoofd liep ze over het gazon. De kortste weg naar de baai was via de achtertuin van de buren. Buiten was de lokroep van het waterlied nog sterker. Ze móést zwemmen.

'Gemma,' klonk ineens Alex' stem achter haar.

Gemma hoorde een hordeur dichtslaan, maar ze liep gewoon door.

'Gemma!' riep Alex. Hij rende achter haar aan.

'Sst!' Ze draaide zich met een ruk om. 'Wat doe jij hier?'

'Ik zag je door het raam.' Hij bleef vlak voor haar staan. 'Wat doe jíj hier?'

'Sorry, ik heb haast.'

'Je moet 's avonds niet alleen op pad gaan. Je weet toch dat er een moordenaar rondloopt?' Hij zette een stap in de richting van zijn huis. 'Wacht even. Ik haal mijn schoenen en ga met je mee.'

'Nee, Alex. Ik ga weg. Voorgoed.'

'Wat?'

In het flauwe maanlicht kon ze zien dat hij schrok.

'Waar ga je naartoe?'

'Dat weet ik niet, maar je kunt niet met me mee.'

Hij zette weer een stap naar haar toe, waarop zij een stap terug deed.

'Alex, ik kan het niet.'

'Wat kun je niet?'

'Afscheid van je nemen.' Ze slikte haar tranen weg en probeerde de pijn in haar hart te negeren.

'Doe het dan niet,' zei hij simpelweg. 'Blijf hier. Bij mij.'

'Nee, dat kan niet.' Ze liep verder en toen hij achter haar aan kwam, zei ze: 'Nee, Alex. Je kunt niet met me mee. Ik wil niet dat je meegaat.'

'Wat is er dan? Misschien kan ik je helpen.'

'Nee.' Ze schudde resoluut haar hoofd en besefte dat er niets anders op zat dan hem te kwetsen. 'Je snapt het niet, Alex. Ik wíl niet dat je meegaat. Ik vind je niet eens leuk. Je bent saai en duf. Ik had je alleen maar nodig omdat je een auto hebt, maar... eh... nu hoef ik je niet meer.'

Zijn mond viel open van verbazing. 'Dat kun je niet menen.'

'Jawel,' hield ze vol. 'Laat me alsjeblieft met rust. Ik wil je nooit meer zien.' Ze draaide zich om en rende zo hard als ze kon van hem weg.

Haar gebroken hart bonsde tegen haar ribben en door de tranen kon ze moeilijk zien waar ze naartoe ging. Maar dat was ook niet nodig, want de lokstem van de zee vertelde haar precies waar ze naartoe moest.

24

Monsters

Pas toen Gemma het water in dook en in een zeemeermin veranderde, verstomde het waterlied. Ze ademde diep in en sloot haar ogen. Ze kon de sirenen niet horen, maar ze voelde dat ze er waren. Ze werd naar ze toe getrokken, net zoals het water haar lokte.

Als dat niet zo was, had ze de sirenen nooit kunnen terugvinden. Want hoewel ze eigenlijk naar de inham had willen gaan, voelde ze dat ze op de een of andere manier in de richting van Bernies Eiland werd getrokken.

Nog voor ze boven water kwam, hoorde ze keiharde muziek over het eiland schallen. Het was Ke$ha. Ze kon zich niet voorstellen dat Bernie van dat soort muziek hield.

Gemma hees zich op de steiger. Dat was nog best lastig met die onhandige staart. Vanaf de steiger zag ze Bernies blokhut door de bomen oplichten als een vuurtoren.

Toen ze weer gewone benen had, zocht ze in haar rugzak naar haar kleren. Ze waren kletsnat, maar alles was beter dan in haar blootje over het eiland te moeten lopen.

Ze nam het slingerpaadje naar Bernies huis. De ramen stonden wijd open. De muziek galmde naar buiten. Gemma wist zeker dat de sirenen binnen waren. Voordat ze het huis inging, besloot ze eerst stiekem door het raam te kijken wat ze aan het doen waren.

De hele woonkamer van Bernie was overhoopgehaald. Lexi stond te springen op de bank. Ze deed een of ander idioot dansje en haar lippen bewogen geluidloos op de tekst van het lied.

Achter haar stond Thea spullen uit een kast te trekken en lukraak om zich heen te gooien, maar of ze naar iets op zoek was, was niet duidelijk.

Penn en Bernie waren er niet, dus daarom sloop Gemma om het huis heen om door een ander raam te kijken, in de hoop dat ze daar zouden zijn.

'Fijn dat je toch met ons meegaat,' klonk ineens de stem van Penn achter haar.

Gemma had haar totaal niet horen aankomen, maar ze liet niet merken dat ze geschrokken was, want het laatste wat ze wilde was dat Penn wist hoe bang ze voor haar was.

Penn keek haar glimlachend aan.

'Ik heb nog geen besluit genomen, hoor,' antwoordde Gemma koeltjes, waarop Penns glimlach nog breder werd.

'O!' klonk Lexi opgewonden vanuit de blokhut. 'Is Gemma daar?' De muziek werd afgezet, zodat alleen nog maar het geluid van de zee en de wind door de bomen te horen was.

'Kom binnen.' Penn zette een stap terug, draaide zich om en liep vervolgens het huis in.

Gemma vermande zich en liep achter haar aan.

Lexi was van de bank afgekomen, maar Thea was nog steeds bezig het huis te doorzoeken. Ze liep naar de keuken en hurkte voor het aanrechtkastje, waaruit ze een fles chloor en een fles ontstoppingsmiddel haalde.

'Thea, ik denk niet dat je in het aanrechtkastje iets waardevols zult vinden,' zei Penn terwijl ze behoedzaam over alle spullen heen stapte die Thea op de keukenvloer had gegooid.

'Dit is sowieso tijdverspilling,' verzuchtte Thea. Ze kwam overeind. 'Zullen we maar gaan?'

Penn keek Gemma aan. 'Ik weet het niet. Gemma weet nog niet of ze met ons meegaat.'

Thea kreunde en rolde met haar ogen. 'Pff, nee hè.'

'Waar is Bernie?' vroeg Gemma.

'Wie?' zei Lexi.

'Bernie.' Gemma liep langs hen heen naar de slaapkamer. Toen ze de deur openduwde, bleek Bernies slaapkamer nog erger overhoop te zijn gehaald dan de rest van de blokhut. 'Bernie!' riep ze. 'Meneer McAllister!'

Toen ze niks hoorde, ging ze terug naar de sirenen. Thea frunnikte aan haar haren en staarde naar de grond. De andere twee keken Gemma vragend aan.

'Waar is hij?' vroeg Gemma. 'Wat is er met hem gebeurd? Jullie hebben hem toch niets aangedaan?'

'We mochten de blokhut van hem hebben,' zei Penn. 'Je kent onze overtuigingskracht.'

'Waar is hij?' herhaalde Gemma met luide stem. 'Hebben jullie hem vermoord net als die andere twee jongens?'

'Die ouwe kerel kun je toch moeilijk een jongen noemen,' zei Penn op plagende toon.

'Hou op!' schreeuwde Gemma, waarop Lexi ineenkromp. 'Je zei dat je me de waarheid had verteld, maar dat is niet zo. Jullie hebben die moorden gepleegd en dat hebben jullie voor me verzwegen.'

'Ik heb er ook niet over gelogen,' merkte Penn spottend op. 'Ik heb nooit tegen je gezegd dat wij géén moordenaars zijn, Gemma.'

Haar maag trok samen. 'Dus je geeft het toe?'

'Ja.' Penn kwam vlak voor Gemma staan. Ze glimlachte en met haar hoofd een beetje schuin zei ze op mierzoete toon: 'Het spijt me dat ik je dat niet heb verteld, maar zo belangrijk is het nu ook weer niet.'

'Niet zo belangrijk!' Gemma zette een stap achteruit. 'Jullie zijn moordenaars!'

'We zijn geen moordenaars,' verdedigde Lexi zich. 'Dan zou je jagers ook moordenaars moeten noemen, of iedereen die wel eens een hamburger eet. Wat we doen, is noodzakelijk om te kunnen leven.'

Gemma's mond viel open van verbazing. 'Zijn jullie kannibalen?' Ze zette nog een paar stappen terug en struikelde bijna over een boek.

'Kannibalisme gaat ons zelfs iets te ver,' zei Penn alsof het de gewoonste zaak van de wereld was. 'We hebben de eeuwige jeugd en een ongeëvenaarde schoonheid. We kunnen de gedaante van magische, mythische wezens aannemen. We leven van mensenbloed. Dat is toch helemaal niet zo erg als we er zoveel voor terug krijgen?'

'Niet zo erg?' herhaalde Gemma. 'Jullie zijn monsters!'

'Zeg dat niet.' Penn perste haar lippen op elkaar en schudde haar hoofd. 'Ik heb een hekel aan dat woord.'

Gemma keek haar recht in de ogen. 'Ik zeg wat ik wil en wat ik op dit moment voor me zie staan is een monster.'

'Gemma,' zei Lexi. Haar stem trilde een beetje. 'Daag haar niet uit.'

'Je hebt geen idee waar je mee bezig bent,' viel Thea haar bij.

'Laat maar,' zei Penn. Ze hief een hand omhoog naar Thea en Lexi, terwijl haar blik strak op Gemma gericht bleef. 'Ze kent haar plaats niet. Ze is vergeten dat ze nu een van ons is.'

'Ik zal nooit een van jullie zijn.' Gemma schudde haar hoofd. 'Ik ga liever zelf dood dan dat ik iemand moet ombrengen.'

'Dat wil ik met plezier voor je in orde maken.'

'Ga je gang.' Gemma stak haar kin uitdagend omhoog. 'Als ik niet met jullie meega, ga ik dood. En ik wil niet met jullie mee, dus...' Ze keek naar Penn, die haar kaken op elkaar klemde. Ineens leek er iets te bewegen onder de huid van Penns gezicht. De kleur van haar ogen veranderde van donkerbruin naar geelgroen.

Plotseling stopte het en kregen haar ogen hun normale zielloze kleur terug. Toen ze haar mond opende om iets te zeggen, zagen haar tanden er spitser en scherper uit.

'Je laat me geen andere keuze. Ik moet je nu wel laten zien wie je bent.' Penn keek over haar schouder naar Thea en Lexi. 'Roep hem.'

'Wie?' vroeg Lexi.

'De eerste de beste die reageert,' antwoordde Penn.

Lexi keek eerst Gemma en vervolgens Thea onzeker aan. Thea zuchtte maar begon te zingen. Haar stem klonk schor maar mooi, maar pas toen Lexi inviel, voelde Gemma de volle kracht van hun betoverende muziek.

Ze zongen het lied dat Gemma al eerder had gehoord, het lied dat ze zelf in de douche had gezongen. Ze kende de tekst en moest zich bedwingen om niet mee te zingen.

Thea en Lexi liepen naar de deur en bleven in de deuropening hun sirenenlied staan zingen. Ze lokten iemand naar het eiland toe.

25

Arme reiziger

'Harper!' riep Alex.

Harper drukte haar gezicht nog dieper in het kussen. 'Harper!'

'Wat?' mompelde ze verdwaasd, maar toen ze de paniek in zijn stem hoorde, was ze klaarwakker. Ze ging rechtop zitten en keek om zich heen in de donkere slaapkamer. 'Alex?'

'Ik ben buiten!' riep Alex.

Toen ze uit het raam keek, zag ze hem staan. 'Wat doe je daar?'

'Gemma is weggelopen. Ik heb geprobeerd haar tegen te houden...' Zijn stem stierf weg. Hij wilde liever niet uitleggen waarom hij haar had moeten laten gaan. 'Ik denk dat ze naar de baai is, maar ik weet het niet zeker.'

'Shit.' Harper sprong uit bed en zocht op de tast haar kleren bij elkaar. Buiten bleef Alex maar doorpraten, maar na zijn mededeling dat Gemma was verdwenen, hoorde ze eigenlijk niet meer wat hij zei. Ze schoot in haar kleren en terwijl Alex nog steeds onder haar slaapkamerraam stond te praten, rende ze naar de voordeur.

Harper rende om het huis heen en toen ze hem zag staan, zei ze: 'Kom mee.' Ze maakte een gebaar dat hij mee moest komen en liep naar haar auto, die op de oprit stond. Ze stapte in en Alex volgde haar voorbeeld. 'Weet je zeker dat ze naar de baai is?'

'Nee,' gaf hij toe. 'Ze wilde niet zeggen waar ze naartoe ging. Haar kennende kan het niet anders dan dat ze is gaan zwemmen.'

Harper zette de auto in zijn achteruit en reed plankgas de oprit af. Alex zei niets, maar maakte haastig zijn veiligheidsgordel vast.

'Heeft ze gezegd waarom ze wilde weglopen? Misschien is ze alleen maar een eind gaan zwemmen.'

'Nee,' antwoordde Alex. 'Ik wilde met haar meegaan omdat ik vond dat ze 's avonds niet alleen over straat moest gaan nu die moordenaar hier ergens rondzwerft. Maar ik mocht niet mee van haar.' Hij hield zijn hand tegen het portier gedrukt terwijl Harper in volle vaart een bocht omvloog.

'Verdomme.' Harper gaf een mep op het stuur. 'Ik vond al dat ze zo raar deed vandaag. Ik wist het, maar ik heb niets...' Ze schudde haar hoofd toen haar te binnen schoot wat Gemma allemaal had gezegd. 'Nu snap ik het. Ze was vandaag eigenlijk afscheid aan het nemen.'

'Waarom?' vroeg Alex. 'Waarom zou ze weg willen?'

'Ik weet het niet. Gemma is niet het type dat een confrontatie uit de weg gaat. Als ze op de vlucht slaat, moet er wel iets heel ernstigs aan de hand zijn.'

In een recordtijd reed Harper naar de haven. Vlak voor de houten aanlegsteigers remde ze abrupt af. Ze stapte uit en riep Daniel.

'Wie is Daniel?' vroeg Alex die ook was uitgestapt.

'Hij heeft een boot,' legde ze haastig uit.

De kades waren zwak verlicht, waardoor ze *De Flierefluiter* niet kon zien. Even sloeg de angst haar om het hart toen ze bedacht dat hij misschien was vertrokken. Daniel woonde per slot van rekening op een boot. Hij kon elk moment vertrekken.

Ineens werd er op een boot een lamp aangestoken. Harper herkende *De Flierefluiter* en rende ernaartoe. Toen ze niemand aan dek zag, sloeg ze met haar hand tegen de romp. 'Daniel,' schreeuwde ze.

'Hé!' zei Daniel. In zijn ogen wrijvend kwam hij de kajuit uit. 'Eerst word ik wakker van een auto en nu ben je tegen mijn boot aan het slaan. Wat is er aan de hand?' Kennelijk was hij net in zijn jeans geschoten, want hij had hem nog niet dichtgeknoopt.

'Gemma is weg.' Ze pakte de reling vast. 'Waarschijnlijk is ze gaan zwemmen. Je moet me helpen.'

'Weg?' vroeg Daniel verdwaasd. 'Waarom?'

'Dat weten we niet, maar er is iets heel erg mis.' Ze keek hem smekend aan. 'Alsjeblieft, Daniel. Wil je me helpen?'

'Natuurlijk,' zei hij zonder enige aarzeling. 'Maar hoe dan?'

'Gemma zwemt het liefst in de baai. Als ze daar is, kan ze nog niet ver weg zijn en met jouw boot kunnen we haar misschien opsporen.'

'*De Flierefluiter* is niet meer zo snel als vroeger, maar we kunnen het proberen.' Hij stak zijn hand over de reling en hielp Harper aan boord. Vervolgens wees hij op Alex. 'Wie is dat?'

'O, dat is Alex,' zei ze. 'Het vriendje van Gemma.'

'O.' Daniel stak zijn hand naar hem uit en hielp ook hem aan boord. 'Aangenaam,' zei hij. 'Ik ben Daniel.'

'Eh... ook aangenaam,' reageerde Alex.

'Wil je me even helpen om de boot los te maken?' Daniel wees naar de touwen waarmee *De Flierefluiter* aan de kade was vastgemaakt.

'Tuurlijk.' Alex liep haastig achter Daniel aan.

Intussen liep Harper naar de voorkant van de boot. Om zich te beschermen tegen de koude wind sloeg ze haar armen om zich heen. Ze keek uit over het water en hoopte maar dat haar zus ongedeerd was.

'Wil je dat ik dwars door de baai vaar?' vroeg Daniel, die inmiddels zijn broek had dichtgemaakt en een T-shirt had aangetrokken.

'Dat lijkt me het beste.'

'En de inham dan?' opperde Alex. 'Als ze niet meer terug naar huis wil, dan moet ze toch ergens kamperen. In de inham zit ze beschut.'

Daniel keek Harper afwachtend aan en toen ze knikte, ging hij naar het achterdek om de motor te starten. Alex hing over de reling en keek uit over het donkere water. Even overwoog Harper om hem gezelschap te houden, maar het leek haar toch beter om bij Daniel aan het roer te staan.

De motor pruttelde even en sloeg vervolgens af. Harper keek Daniel vragend aan.

'Ze heeft al een hele tijd niet meer gevaren,' verontschuldigde hij zich.

'Waarom heb je dan een boot als je er niet mee vaart?' vroeg ze. Het klonk snibbiger dan de bedoeling was.

'Ik moet toch een dak boven mijn hoofd hebben? Benzine is duur en bovendien zou ik niet weten waar ik naartoe moest.' Hij draaide het contactsleuteltje nog eens om en eindelijk sloeg de motor aan. 'Daar gaan we.'

Terwijl ze de haven achter zich lieten en in de richting van de inham koersten, gleed de ergste spanning van Harper af. Nu ondernamen ze tenminste iets. Ze hadden een doel. Dat gaf haar rust.

'Dank je.' Ze glimlachte even naar Daniel.

'Geen dank. Inmiddels raak ik eraan gewend om door jou gewekt te worden. Ik kan steeds beter zonder slaap.' Hij glimlachte terug, waarop ze haar ogen neersloeg.

'Sorry dat ik je steeds lastigval. Ik ben je inmiddels heel wat verschuldigd. Maar ik wist niet naar wie ik anders toe moest gaan.'

'Geeft niet, hoor.' Even legde hij zijn hand op haar arm.

'Ik hoop maar dat we haar vinden,' verzuchtte Harper.

'De zee is onrustig,' merkte Daniel op terwijl de boot over de golven deinde en Alex de reling stevig moest vastgrijpen om niet op het dek uit te glijden.

'Kan *De Flierefluiter* dat wel aan?' vroeg Harper.

'Jawel, maar er staat een behoorlijke wind.' Vanuit zijn ooghoek keek hij haar aan. 'En het is koud. Weet je zeker dat Gemma naar de baai is gegaan?'

Ze knikte. 'Ik weet dat het gek klinkt en misschien ben ik overdreven bezorgd, maar ik voel gewoon dat er iets aan de hand is.' Ze drukte haar hand op haar maag. 'Ik voel het. Gemma zit in de problemen en heeft mijn hulp nodig.'

'Ik geloof je.'

'Dank je.' Harper tuurde voor zich uit in het donker. De inham kwam steeds dichterbij. 'Kan dat ding niet een beetje harder?'

'Ik doe mijn best,' zei Daniel.

Toen ze zo dichtbij waren dat de inham in het donker te onderscheiden was, deed Daniel de lamp op de boot aan. Nu was ook de grot duidelijk te zien. Daniel remde de boot af om te voorkomen dat hij tegen de rotsen sloeg. De grot was leeg.

'Hoe kan dat nou?' riep Harper uit. 'Ze móét hier zijn.'

'Zal ik nog dichterbij proberen te komen?' vroeg Daniel.

'Ja, alsjeblieft.'

Daniel manoeuvreerde de boot zo dicht mogelijk langs de rotskust zodat hij hem kon vastleggen aan een cipres. Alex pakte de loopplank, die maar net tussen de boot en de rotsen paste. Alex liep er als eerste over, op de voet gevolgd door Harper.

Daniel richtte de schijnwerper op de grot, maar die was op een cirkel stenen na, die als stookplaats diende, inderdaad leeg. Voetstappen in het zand. Dat was alles.

'Ik heb iets!' riep Alex ineens. Hij hield een tas omhoog.

Harper rende naar hem toe. 'Wat zit erin?' Ze rukte de tas uit zijn handen, maar toen ze er een paar sletterige topjes en strings uit haalde, wist ze meteen van wie de spullen waren. Maar omdat de tas het enige was wat ze had, hield ze hem tegen zich aan geklemd en staarde afwezig voor zich uit.

'Hij is niet van Gemma, hè?' vroeg Alex, die een rode string uit Harpers handen zag vallen.

'Wat hebben jullie gevonden?' vroeg Daniel die na hen van de boot was gekomen.

'Een tas,' zei Harper. 'Ik denk dat hij van die vreselijke meiden is.' Ze hield de tas omhoog. 'Ik ben bang dat ze Gemma iets hebben aangedaan.'

'Hoe weet je dat zo zeker?' probeerde Daniel haar gerust te stellen. Hij nam de tas van haar aan. 'Alleen omdat er hier iemand heeft geslapen, wil niet zeggen dat ze iets met hen aan het doen is.'

'Maar waar is ze dan?' vroeg Harper met tranen in haar ogen. 'Hier is ze niet. Waar kan ze dan zijn?'

Voor Alex bleef er nog maar één ding over. Hij klom op een rots en schreeuwde: 'Gemma!'

'Misschien hebben we haar ingehaald,' opperde Daniel. 'We hebben best hard gevaren.'

'Denk je?' Harper keek hem met een koortsachtige blik aan.

Hij schokschouderde. 'Wie weet. Waar kan ze anders naartoe zijn?'

'Ik weet het niet, maar...' Harpers stem stierf weg. Ze hoorde iets. Ze hield haar hoofd een beetje schuin en luisterde ingespannen. Toen Daniel iets wilde zeggen, legde ze haar hand op zijn borst om hem tot stilte te manen. 'Hoor je dat?'

'Wat?' vroeg Daniel, maar hij hoorde het zelf ook al.

De wind droeg flarden muziek naar de inham, eerst zachtjes maar daarna steeds harder. Harper had een dergelijk lied nog nooit gehoord, maar Alex kende het maar al te goed.

'Dat is Gemma,' fluisterde hij.

'Meen je dat?' vroeg Harper. Haar stem klonk minder paniekerig en de spanning gleed van haar gezicht om plaats te maken voor een vreemde serene uitdrukking.

'Harper?' vroeg Daniel. Toen hij haar naar Alex op de rots zag lopen, hield hij haar tegen. 'Wat is er met je? Voel je je wel goed?'

'Maak je geen zorgen,' zei ze. Even fronste ze haar voorhoofd, alsof ze besefte dat ze iets zei wat niet klopte. Ze keek hem aan. 'Waar zochten we ook alweer naar?'

'Je zus.' Daniel pakte haar beide armen beet en keek haar recht in de ogen. 'Wat is er met je aan de hand?'

'Ze roept me,' zei Alex tegen niemand in het bijzonder. Het volgende moment dook hij in het water en zwom weg van de kust. 'Alex!' riep Daniel. 'Alex! Wat doe je nou? We kunnen de boot toch nemen!' Hij rende naar de rots waar Alex van af was gesprongen, maar was niet van plan hem na te springen. 'Alex! Kom terug!' riep hij nogmaals.

'Er is vast iets ernstigs gebeurd,' jammerde Harper. Het kostte haar moeite om niet in tranen uit te barsten.

'Dat kun je wel zeggen, ja,' zei Daniel. 'Weet je waarom hij in het water is gesprongen?'

'Nee.' Ze streek een hand door haar haren. 'Gemma is verdwenen en ik...' Ze schudde haar hoofd en stak haar vingers in haar oren. 'Hoor je dat lied, Daniel? Het probeert me haar te laten vergeten, maar dat zal niet gebeuren.'

Hoewel Daniel het lied ook hoorde, begreep hij niet waar ze het over had.

'Hoor je dat dan niet?' vroeg ze. Omdat ze haar vingers in haar oren had, schreeuwde ze bijna.

'Ja, maar verder doet het niks met mij,' verzekerde hij haar.

'Waar het lied vandaan komt, daar is Gemma,' zei Harper. 'We moeten naar haar toe.'

Daniel wilde haar tegenspreken, maar voelde tegelijkertijd dat er iets heel bizars gebeurde en dat ze geen tijd te verliezen hadden. Hij pakte haar bij de hand en trok haar mee naar de boot. Ze moesten zo snel mogelijk naar Gemma toe.

Het lied zweefde alsmaar door de lucht: *Kom, vermoeide reiziger. Ik leid je door de golven. Wees niet bang, arme reiziger, want mijn stem wijst je de weg.*

26

Ware gedaante

'Wat doe je?' vroeg Gemma, die nog steeds weerstand probeerde te bieden aan de drang om met Lexi en Thea mee te zingen.

'Je dwingt me ertoe,' antwoordde Penn. 'Het moet gebeuren. Ik heb geprobeerd op een redelijke manier met je te praten en je alles gegeven wat je wilde. Maar nog steeds begrijp je het niet. Dus nu moet je het maar voelen.'

'Ik snap er niks van.' Gemma wierp een blik op de twee andere sirenen die bij de deur stonden te zingen. 'Wat moet ik voelen? Waarom kun je me niet gewoon laten gaan?'

'Omdat we voor het vollemaan is een nieuwe sirene moeten hebben gevonden. Zo niet, dan gaan we allemaal dood. Jij mag dan de handschoen in de ring willen gooien, ik geef het niet zo snel op. Ik heb de afgelopen millennia niet overleefd om me door een verwend kreng als jij te laten ombrengen.'

'Je hebt helemaal gelijk,' viel Gemma haar bij. 'Ik ben een verschrikkelijk kreng. Ik begrijp niet wat jullie van me willen. Laat me gaan en kies iemand anders.'

'Was het maar zo simpel,' zei Penn. Het klonk alsof ze het echt meende. 'Het drankje slaat niet altijd aan. Jij bent het derde meisje waarbij we het proberen en het eerste dat in een sirene is veranderd.'

'Wat bedoel je met aanslaan?' vroeg Gemma.

'Als je het drankje hebt ingenomen, kunnen er twee dingen gebeuren. Of je wordt een sirene, zoals jij, of je gaat dood.'

'Hoe kan het dat ik wel een sirene ben geworden en de andere meisjes niet?'

'Dat weten we niet precies. Een sirene moet niet alleen sterk en mooi zijn, maar zich ook verbonden voelen met het water.' Penn haalde haar schouders op. 'De andere meisjes die we hadden gekozen waren niet sterk genoeg.'

'Maar jullie tijd is bijna verstreken... Als ik doodga, sterven jullie ook, toch?' Gemma kneep haar ogen tot spleetjes en keek Penn doordringend aan. 'Dan kan ik mezelf net zo goed van kant maken.'

'Hoe wou je dat aanpakken? Sirenen zijn onsterfelijk. Je kunt jezelf niet verdrinken of van een flat afspringen,' zei Penn. 'En bovendien komt er zo meteen iemand aan.'

Voordat Gemma kon reageren, klonk Lexi's stem vanaf de veranda: 'Hij komt eraan! Ik zie hem. Hij is al op de steiger.'

'Mooi,' zei Penn met een glimlach. 'Hou dan maar op met zingen, want anders komen er nog meer mannen deze kant op.' Zodra Penn een stap opzij zette, rende Gemma door de geopende deur naar buiten. Ze had geen idee voor wie hun lokroep bedoeld was en wat ze met hem van plan waren. Maar wie het ook was, het kon niet veel goeds opleveren. Ze moest hem wegsturen voordat de sirenen hun tanden in hem zouden zetten.

Toen ze hem op het pad bijna slaapwandelend zag aankomen, bleef ze stokstijf staan. Het was nog erger dan ze had verwacht.

'Alex.'

Op het moment dat zijn naam aan haar lippen ontsnapte, was Lexi bij hem. Ze sloeg een arm om zijn schouder en nam hem mee over het pad. Thea greep Gemma's armen vast en hield ze op haar rug, zodat ze niet kon tegenstribbelen.

'Alex!' riep Gemma, maar hij gunde haar nauwelijks een blik waardig. Hij werd totaal in beslag genomen door Lexi, die een lied in zijn oor neuriede. 'Alex! Maak dat je wegkomt hier. Ren voor je leven. Het is een hinderlaag. Ze gaan je vermoorden.'

'Hou je mond,' gromde Thea en sleurde haar mee over het pad terug naar de blokhut. 'Als jij gewoon met ons was meegegaan, had dit helemaal niet hoeven te gebeuren. Het is jouw schuld dat alles misloopt.'

'Alsjeblieft,' smeekte Gemma. 'Laat hem gaan. Alsjeblieft.'

Penn stond te lachen in de deuropening. Gemma probeerde zich los te rukken uit Thea's greep, maar het was vechten tegen de bierkaai. Thea was tenslotte een drieduizend jaar oude half-godin en dat was aan haar kracht te merken.

Gehoorzaam liep Alex achter Lexi aan naar het midden van de kamer. Hij kon zijn ogen niet van haar afhouden. Ze draaide langzaam om hem heen terwijl zijn hoofd met haar meedraaide. Toen ze ineens voor hem bleef staan en zijn wangen streelde, boog hij zich naar haar toe om haar te kussen.

'Alex!' riep Gemma, maar hij bleef proberen om Lexi te kussen. Als ze haar hoofd niet had weggedraaid, was het hem nog gelukt ook. 'Wat hebben jullie met hem gedaan?' riep ze wanhopig uit.

'Dat heb je zélf gedaan, hoor,' zei Penn vanaf de andere kant van de kamer. In haar blik lag intense voldoening toen ze zag hoe ongelukkig Gemma met de situatie was. 'Hij zou hier nooit zo snel geweest kunnen zijn als jij hem niet al eerder in de ban van de sirenen had gebracht.'

'Waar heb je het over?' vroeg Gemma. 'Ik heb hem nooit iets aangedaan.'

'O jawel.' Penn glimlachte. 'Je hebt hem geroepen met je zang. Daardoor is hij ontvankelijker geworden voor onze charmes. Hij kan minder goed weerstand bieden aan onze lokroep.'

'Het komt door ons lied,' legde Lexi uit. Ze bleef vlak voor Alex staan, die zijn armen om haar heen had geslagen en haar bewon-derend aanstaarde. Tot nu toe had ze al zijn pogingen om haar te zoenen weerstaan. 'We brengen mannen in trance, zodat ze ons begeren en precies doen wat we zeggen. Op vrouwen kan onze lokroep hetzelfde effect hebben, maar nooit zo krachtig als op mannen.'

Gemma had willen zeggen dat ze Alex nooit in trance had willen brengen, maar ineens schoot haar te binnen dat ze vlak nadat ze in een sirene was veranderd in de douche had staan zingen. Toen was Alex langsgekomen en hadden ze best heftig liggen vrijen, wat ze naderhand allebei niet goed konden verklaren.

'Het is inderdaad allemaal mijn schuld,' mompelde Gemma.

'Geeft niet,' zei Lexi. Haar stem klonk iets te opgewekt gezien de omstandigheden. 'We maken allemaal wel eens een fout. Van fouten kun je leren.'

'Daar heeft Lexi helemaal gelijk in,' zei Penn. Ze liep naar Gemma toe en bleef vlak voor haar staan. Thea hield haar nog steeds vast maar ze spartelde niet meer tegen. 'En of je het nu leuk vindt of niet, vandaag zullen we je een lesje leren.'

'Doe het niet, Penn,' zei Gemma. 'Doe het alsjeblieft niet.'

'Lexi, laat eens zien wat voor vlees we in de kuip hebben,' zei Penn onverstoorbaar. Ze bleef Gemma aankijken.

Lexi pakte de zoom van Alex' natte T-shirt vast en trok het met een soepele beweging over zijn hoofd uit, zodat hij met ontbloot bovenlijf midden in de kamer stond.

'Dat is beter.' Lexi glimlachte en keek bewonderend naar zijn gespierde borst. 'Hij ziet er goed uit, Gemma. Op je smaak valt niets aan te merken.'

'Wat heeft dit te betekenen?' vroeg Gemma. 'Waarom doen jullie dit?'

'Jij denkt toch dat hij van je houdt?' vroeg Penn. 'Nou, vergeet het maar. Hij houdt niet van je. Hij staat op het punt om zich aan Lexi te vergrijpen.' Ze keek hem aan. 'Ja toch, Alex?'

'Ze is het mooiste meisje dat ik ooit heb gezien,' zei Alex. Zijn stem klonk vlak en afwezig. Toen Lexi een stap achteruitzette, wilde hij haar direct volgen, maar ze hield haar hand omhoog om hem tegen te houden.

'Ze heeft hem betoverd,' zei Gemma. 'Hij heeft geen controle meer over zichzelf. Anders zou hij zich zo echt niet gedragen.'

'Maar als hij echt van je hield, zou zijn liefde sterker zijn dan de betovering,' zei Penn. 'Dan zou hij weten dat hij van je houdt. Maar hij weet het niet meer. Hij kan het niet.' Ze kwam iets dichter naar Gemma toe. 'Stervelingen zijn niet tot liefde in staat.'

Gemma's maag kromp ineen toen ze naar Alex keek. Hij kon de charmes van Lexi nauwelijks weerstaan. Gemma was niet jaloers. Ze wist dat hij door Lexi was betoverd en dat het hem ook pijn deed.

'Oké, het is me duidelijk.' Gemma probeerde zich uit Thea's greep los te trekken. 'Hij kan niet van me houden. Het is onmogelijk. Laat hem nu dan los.'

'Snap je het nu?' Penn deed haar armen over elkaar en keek Gemma aan. 'Alles wat hij je heeft verteld, was gelogen. Alles wat hij heeft gedaan was om jou te misleiden. Hij wil alleen maar met je naar bed, net als alle mannen. Hij heeft nooit iets om je gegeven. Hij is alleen maar met zichzelf bezig.'

Gemma haalde diep adem. Ze besefte dat Penn wel eens gelijk kon hebben, ook al deed het haar ontzettend pijn. Alex had haar nog geen blik waardig gegund sinds hij op het eiland was. Zij was nu toch ook een sirene? Misschien voelde hij inderdaad niet zoveel voor haar.

Maar hij was nog wel dezelfde jongen op wie ze verliefd was geworden. Hoewel zijn haar kletsnat was, stond de pluk op zijn hoofd toch een beetje overeind. Diep vanbinnen was Gemma ervan overtuigd dat hij deugde en haar liefde dubbel en dwars waard was.

'Dat kan me niets schelen,' reageerde Gemma boos. 'Ik hou namelijk wel van hém.'

Penn kneep haar ogen tot spleetjes. Even bewoog er weer iets onder de huid van haar gezicht, maar net zo plotseling als het begon hield het weer op.

'Laat haar los,' zei Penn tegen Thea.

Zodra Thea's greep verslapte, rende Gemma naar Alex. Ze ging vlak voor hem staan, maar hij probeerde langs haar heen te kijken omdat hij zijn blik niet van Lexi kon afhouden.

'Alex,' zei Gemma. Ze legde haar hand op zijn wang en dwong hem haar aan te kijken. Even probeerde hij zich te verzetten, maar ineens veranderde er iets in zijn blik.

De mist in zijn bruine ogen begon op te trekken en zijn pupillen werden groter. Hij knipperde een paar keer met zijn ogen, alsof hij net wakker werd. Hij stak zijn hand uit en streelde Gemma's gezicht.

Zijn hand voelde koel en nat aan. Gemma kreeg er kippenvel van.

'Gemma?' zei Alex verdwaasd. 'O mijn hemel, Gemma. Wat heb ik gedaan?'

'Het geeft niet.' Ze lachte even, maar de tranen stonden in haar ogen. 'Ik hou van je.'

Ze ging op haar tenen staan en kuste hem. Een warm gevoel verspreidde zich door haar lichaam. Zijn koele lippen voelden heerlijk aan. Wat de sirenen ook beweerden, de kus was echt en gemeend.

'Hou daarmee op!' brulde Penn. Ze greep Alex vast en smeet hem tegen de muur achter hen. Bewusteloos zakte hij in elkaar op de grond. Toen Gemma naar hem toe wilde rennen, hield ze haar tegen. Ze had zo'n woedende blik in haar ogen dat Gemma niet tegen haar wil durfde in te gaan.

'Je hebt de sirenen pas op twee manieren leren kennen,' zei Penn. 'Nu wordt het tijd dat je kennismaakt met onze ware gedaantes.'

Eerst begonnen haar armen langer te worden. Haar vingers groeiden enkele centimeters en kregen scherpe, gekromde klauwen. Op de gladde, bruine huid van haar benen verschenen grijze schubben. Pas toen haar voeten in vogelpoten veranderden, drong het tot Gemma door dat het de poten van een emoe waren.

Penn kromde haar rug en slaakte een kreet die eerder afkomstig leek van een stervende vogel dan van een mens. Terwijl haar schouderbladen in twee vleugels uiteenbarstten, vulde de kamer zich met het monsterlijke geluid van vlees dat uit elkaar scheurde en het ruisen van veren. Uitgeklapt waren de vleugels bijna net zo breed als de kamer lang was. De enorme, zwarte veren glinsterden in het licht.

Toen Penn klapwiekte, veroorzaakte ze een windstoot die Gemma omverblies. Ze kroop verder naar de muur om daar de transformatie gade te slaan die alsmaar gruwelijker werd.

In Penns gezicht gebeurde nog steeds van alles. De kleur van haar ogen veranderde van zwart in goudgeel, als de ogen van een adelaar. Haar volle lippen werden uiteengetrokken tot een lange bloedrode streep. Haar tanden werden groter en vermenigvuldigden zich van één enkele rij tot meerdere rijen vlijmscherpe tanden. Haar mond leek op die van een zeeduivel.

Ook haar schedel begon uit te zetten. Haar glanzende, zwarte haar golfde als een zwarte krans om haar hoofd, maar omdat haar hoofd zo groot werd, werd het haar dunner en stugger.

Het enige wat min of meer hetzelfde bleef was haar borst. Hoewel ze wel langer en dunner werd en haar ribben en ruggengraat te zien waren, behielden haar borsten hun menselijke vorm.

Kennelijk was de transformatie volbracht, want Penn liep met haar hybride lichaam naar Gemma toe. Ze leek wel half mens, half vogel. Haar hoofd bewoog op en neer. 'Zo,' zei ze terwijl ze Gemma aankeek. 'Nu begint de échte les pas.'

27

Hulpeloos

Terwijl Daniel de boot losmaakte, stond Harper op de voorsteven te kijken in de richting waaruit het lied kwam. Ze hield haar handen tegen haar oren uit angst voor wat er zou gebeuren als ze het hoorde.

Haar handen dempten het geluid uiteraard niet helemaal, dus er kwamen wel wat flarden muziek binnen. Het gevoel dat het lied bij haar teweegbracht was niet te beschrijven. Het leek haar te verdoven.

Zodra ze de muziek hoorde, verdwenen haar zorgen om Gemma's verdwijning of om Alex' duik in de onstuimige golven. Als Daniel er niet was geweest om haar bij de les te houden, was ze misschien voor altijd in de grot gebleven, of in elk geval zolang als het lied duurde.

'O shit,' zei Daniel hard genoeg voor Harper om het te kunnen horen.

Ze draaide zich om en keek hem aan. Hij stond aan het roer en keek somber. 'Nee hè, kom op. Start alsjeblieft.'

'Daniel? Wat is er?'

'Hij start niet,' zei hij met een vertrokken gezicht.

'Hoe kan dat nou?' vroeg ze. Haar stem klonk schril van angst. 'Waarom heb je hem dan ook uitgezet?'

'Om brandstof te sparen. Maar maak je geen zorgen. Ik moet hem gewoon met geduld behandelen.' Hij sprong op en liep naar de achtersteven.

Harper volgde hem. Ze vroeg zich af of ze, net als Alex, maar gewoon in het water moest springen. Ze zag dat hij de kap over de motor opentrok en hoorde hem een paar keer ergens tegenaan slaan. Aan zijn gevloek te horen ging het waarschijnlijk niet helemaal naar wens. 'Daniel,' riep ze, nog steeds met haar handen tegen haar oren. 'Ik denk dat ik Alex achternaga. Ik kan niet langer wachten. Gemma heeft me nodig.'

'Niet doen, Harper,' zei Daniel, om zich heen kijkend.

'Nee. Ik moet...'

'Harper, luister.' Hij hief zijn hand op, die besmeurd was met olie. 'Ik hoor het lied niet meer.'

Ze liet haar handen zakken. Het enige wat ze hoorde was het ruisen van de zee. 'Hoe kan dat? Zou Alex er iets mee te maken hebben?'

'Dat weet ik niet.' Daniel deed de kap over de motor en stond op. 'Maar hopelijk heb ik het probleem opgelost.' Hij veegde zijn handen aan zijn jeans af en liep naar voren om nog een poging te wagen. Harper volgde hem. Weer hoorden ze alleen maar een pruttelend geluid toen hij de starter gebruikte.

'Daniel...' begon Harper, maar ze zweeg toen hij zijn hand opstak.

'Toe nou,' mompelde hij tegen de boot. 'Start alsjeblieft. Doe het voor mij.' Ineens klonk er geratel. De motor sloeg aan. 'Yes!' riep hij. Terwijl ze de inham uit tuften, keek hij haar aan en zei: 'Ik zei toch dat hij zou starten?'

'Daar heb ik ook geen seconde aan getwijfeld,' loog Harper.

Ze voeren in dezelfde richting als waarin Alex was verdwenen. Meer houvast hadden ze niet.

Harper tuurde over het water naar de horizon. 'Verderop ligt het eiland van meneer McAllister. Voor de rest is er niets.'

'Bedoel je Bernies Eiland?' vroeg Daniel. Hij wees naar iets donkers in de verte.

'Ja,' zei ze. 'Het lied kwam uit die richting, dacht ik.'

'Klopt.'

'Laten we daar dan naartoe gaan.' Ze deed haar armen over elkaar en staarde voor zich uit. 'Vreemd dat het lied Alex en mij zo aangreep en jou niet.'

'Aangreep? Het leek wel of jullie betoverd waren of zo.'

Harper slaakte een zucht. 'Laten we hopen dat het niet weer gebeurt.'

Toen ze het eiland naderden, deed Daniel op aanraden van Harper de schijnwerper uit. Ze hadden geen idee wat er zich op het eiland afspeelde, maar allebei waren ze van mening dat hun komst beter een verrassing kon blijven.

Daniel koerste *De Flierefluiter* naar de aanlegsteiger en nog voordat de boot helemaal tot stilstand was gekomen, probeerde Harper al over de reling te springen.

'Niet doen,' fluisterde Daniel terwijl hij haar bij de arm pakte. 'Ik laat je niet alleen het eiland op gaan.' Omdat hij bang was dat ze niet zou wachten totdat hij aangemeerd was, gooide hij alleen het anker uit, stapte uit de boot en hielp vervolgens Harper aan wal.

Net toen haar voeten het plankier raakten, hoorde ze Gemma roepen. Ze kon niet goed horen wat ze zei, maar het leek of ze om Alex riep. Harper wilde direct naar de blokhut rennen, maar Daniel hield haar tegen om te voorkomen dat ze zich in het gevaar zou storten.

Ze liepen haastig de steiger af, maar bij het pad bleven ze even staan. Alle lampen in de blokhut waren aan. Ze konden Penn en Gemma horen praten.

De voordeur stond wagenwijd open. Om niet gezien te worden gingen Harper en Daniel niet over het pad, maar slopen ze door het struikgewas dichter naar de blokhut.

Plotseling gleed Daniel uit en viel in een plas. Toen hij overeind kwam, zag hij dat er iets aan zijn hand kleefde. Het leek op een dode worm, maar dan iets dikker. Hij keek omlaag. Op de grond lag een lijk. Geschokt sprong hij opzij.

Toen zag Harper het ook. Het was Bernie McAllister.

Hij lag op zijn rug. Zijn buik was opengereten en zijn ingewanden hingen eruit.

Voordat Harper een kreet van afgrijzen kon slaken, legde Daniel zijn hand op haar mond. Hij duwde haar tegen de stam van een grote eik.

'Niet schreeuwen,' fluisterde hij. Toen Harper knikte, trok hij zijn hand weg.

Harper had niet eens willen schreeuwen. Ze had willen huilen. Ze had naar Bernie toe willen gaan. Bernie, de man die gedurende de moeilijkste periode in haar jeugd voor haar had gezorgd. Hij was altijd lief voor haar geweest en nu lag hij daar als een opengesneden vis.

Ze was blij dat het donker was en dat Daniel voor haar stond, zodat ze Bernie niet heel goed kon bekijken. In de blokhut verderop klonk luid kabaal en geschreeuw. Harper herkende Gemma's stem onmiddellijk. Dat hielp haar om de trieste dood van Bernie uit haar gedachten te zetten en zich te richten op het redden van haar zusje. Ze wilde het op een rennen zetten, maar Daniel hield haar nog steeds tegen de boom gedrukt.

'We moeten naar Gemma toe. Nu!' zei ze.

'Ik zal ervoor zorgen dat haar niets overkomt. Dat beloof ik je. Maar we kunnen daar niet zomaar naar binnen stormen. Ze hebben een volwassen man aan stukken gereten. We moeten ons wapenen.'

Harper wilde protesteren, maar ze wist dat hij gelijk had. Ook zij besefte waartoe de meisjes in staat waren. Als ze onvoorbereid de blokhut binnengingen, kon ze er zeker van zijn dat Gemma, Daniel, Alex en zijzelf vermoord zouden worden.

Ze liepen langs het boothuis. Omdat Bernie alleen op het eiland woonde, sloot hij de deur nooit af. Daniel maakte de deur open. Het was stikdonker binnen en er was geen licht. Op de tast zocht hij naar iets wat hij als wapen kon gebruiken.

Hij vond een hooivork, die hij aan Harper gaf. Vervolgens zocht hij iets voor zichzelf. Ineens begon Gemma te krijsen en hield Harper het niet langer uit. Ze stormde naar de blokhut, op de voet gevolgd door Daniel.

28

Pact

Penn deed een stap terug en Gemma haalde heel even opgelucht adem. Toen keerde Penn Gemma, die nog steeds op
haar hurken zat, de rug toe. Ze kon net zien dat Alex aan de andere kant van de kamer nog steeds bewusteloos op de grond lag.
Maar het volgende moment spreidde Penn haar vleugels en werd
Gemma's zicht geblokkeerd.

'Laat hem met rust!' riep Gemma terwijl ze overeind kwam.
Ze haalde uit naar Penn, maar die gaf haar zo'n harde klap met
haar vleugel dat Gemma tegen de muur sloeg. Penn was zo sterk
dat ze haar moeiteloos kon uitschakelen en zolang Gemma een
menselijke gedaante had, kon ze niet tegen haar op.

Weer krabbelde Gemma overeind. Ze wilde niets liever dan
zelf ook in een vogelmonster veranderen, maar dat lukte haar
niet. Hoezeer ze haar vuisten ook balde of haar spieren aanspan-
de, er gebeurde niets.

'Je moet je leven als sterveling achter je laten,' zei Penn. Ze had
zich omgedraaid en met haar hoofd een beetje schuin keek ze
Gemma aan. Haar boven- en ondertanden sloten niet mooi op
elkaar aan. Daar waren ze te onregelmatig voor.

'Ik ben bereid alles achter te laten,' zei Gemma. 'Zolang je hem
maar geen pijn doet.'

'Helaas is dat nu net onze specialiteit. Daarvoor zijn we sirenen.' Met een van haar lange klauwen wees ze naar Alex. 'En omdat je hem niet wilt opgeven, is er maar een manier om je te leren hoe je een sirene moet zijn. Namelijk door hem op te eten.'

'Zo erg is dat niet, hoor,' merkte Lexi op. Ze stond naast Thea aan de zijkant toe te kijken, allebei nog in hun menselijke gedaante. 'Het klinkt misschien ranzig, maar als je eenmaal bezig bent, is het heerlijk.'

'Het is geen kwestie van ranzig of niet. Alex is een mens,' zei Gemma die haar uiterste best deed om kalm te blijven. 'Je kunt hem niet zomaar vermoorden.'

'Dat kunnen we toevallig wel,' zei Thea droogjes. 'Sterker, we moeten wel.'

'Het is niet anders,' zei Lexi met een verdrietig gezicht, alsof het om een mislukt kapsel ging in plaats van om de morele onaanvaardbaarheid van moord. 'Maar mensen gaan aan de lopende band dood. Ze zijn zo kwetsbaar dat wij ze eigenlijk een dienst bewijzen. Als we ze doodmaken, lijden ze geen pijn meer. De dood is een verlossing. En Penn heeft gelijk. De meeste jongens zijn sukkels en ze vragen er gewoon om.'

'Alex vraagt nergens om. Hij heeft nog nooit een vlieg kwaad gedaan.' Gemma moest haar tranen bedwingen, maar ze begon langzaam te beseffen dat het zinloos was om met de sirenen in discussie te gaan. 'Oké, jullie hebben gewonnen.'

Penn wisselde een veelbetekenende blik met Thea en keek Gemma vervolgens verbaasd aan. 'We hebben allang gewonnen, Gemma,' zei ze.

'Oké, je hebt gelijk.' Gemma deed een stap vooruit en keek recht in haar adelaarsogen. 'Ik weet niet hoe ik mezelf of jullie moet ombrengen. Nog niet. Maar als je een klauw naar hem durft uit te steken of hem op een andere manier pijn doet, zal ik niet rusten voordat we allemaal dood zijn.'

Penn kneep haar ogen tot spleetjes en liet een diep gegrom horen.

'Maar als jullie hem met rust laten, ga ik uit vrije wil met jullie mee,' beloofde Gemma. 'Ik zal alles doen wat jullie zeggen. Voor eeuwig en altijd. Ik zal jullie slaaf zijn. Als jullie hem maar met rust laten.'

'Ik zou het wel fijn vinden om een slaaf te hebben,' zei Thea. 'Toevallig hebben we net al gegeten, dus erg veel honger heb ik niet.'

Penn slaakte een diepe zucht en sloot haar ogen 'Oké dan.'

'Shit!' klonk het ineens achter hen.

Gemma draaide zich om en zag haar zus in de deuropening staan.

Harper had een hooivork in haar hand, alsof ze degene die haar zus iets zou aandoen wilde aanvallen. Maar toen ze het vogelmonster zag, verstijfde ze van schrik. Ook Daniel, die achter haar met open mond naar de vogel staarde, bleef roerloos staan.

Toen Penn haar mond opende en een snerpende kreet uitstootte, kwam Daniel in actie. Hij greep de hooivork uit Harpers hand en rende langs haar heen. Lexi stormde naar hem toe maar voordat ze hem kon vloeren, joeg hij het handvat van de hooivork in haar maag. Ze viel achterover.

Daarna rende hij naar Penn toe, maar zij was zo snel als het licht. In een flits had ze de hooivork te pakken en trok hem uit zijn handen. Met haar andere klauw sloeg ze hem in zijn gezicht.

Met drie flinke japen in zijn wang viel Daniel achterover. Penn hief de hooivork op, klaar om hem ermee te doorboren.

'Niet doen, Penn!' schreeuwde Gemma. Ze vloog naar voren en ging tussen Daniel en de hooivork staan. 'Ik ga met jullie mee. Laten we hier weggaan. Jullie hebben lang genoeg in deze stad rondgehangen. Kom mee.'

'Gemma, nee!' Harper wilde naar haar zus toe, maar Thea gaf haar een elleboogstoot in haar maag toen ze langs haar rende. Hoestend en met haar handen naar haar buik grijpend stortte Harper op de grond neer.

'Ze heeft gelijk,' zei Thea tegen Penn. 'We zijn onze tijd aan het verdoen. De zon komt op en de politie is het gebied al aan het uitkammen op zoek naar meer lijken. We kunnen maar beter gaan.'

Lexi was inmiddels opgestaan en schopte Daniel nog snel even tegen zijn arm. 'Klootzak,' zei ze.

'Kom mee, Lexi.' Thea liep achterwaarts de kamer uit en nadat Lexi Daniel nog een laatste minachtende blik toewierp, volgde ze Thea naar de deur. Daar bleven ze wachten op Penn en Gemma.

Penn rolde met haar ogen en brak vervolgens de hooivork met haar klauw in tweeën. Beide helften gooide ze dwars door het raam naar buiten, waardoor het glas brak en in duizenden stukjes op de vloer viel.

Na die actie nam ze haar menselijke gedaante weer aan. Haar vleugels vouwden zich terug in haar rug en haar benen en armen werden korter. Ten slotte veranderde haar gezicht en was ze weer net zo aantrekkelijk als altijd.

Als aan de grond genageld hadden Harper en Daniel de gedaanteverandering gadegeslagen. Als ze het niet met eigen ogen hadden gezien, hadden ze het nooit geloofd.

Penns nek kraakte nog een beetje na en ze verschikte wat aan haar bikinitopje, maar voor de rest was er niets vreemds meer aan haar te zien.

'Ik heb je familie in leven gelaten,' zei Penn tegen Gemma. 'Dus je staat behoorlijk bij me in het krijt.'

'Weet ik,' gaf Gemma toe.

'Kom, we gaan.' Ze pakte Gemma bij haar arm, voor het geval ze van gedachten zou veranderen, en trok haar mee naar de deur.

'Blijf hier, Gemma.' Harper krabbelde overeind, nog steeds met haar handen tegen haar maag gedrukt, en keek haar zus smekend aan. 'Ga niet met ze mee. We kunnen ze wel aan.'

Gemma draaide zich om. 'Sorry, Harper,' zei ze. 'Wil je iets voor me doen? Zorg voor Alex. Oké?'

Thea en Lexi renden al voor hen uit over het pad.

Harper zette een stap naar voren en riep de naam van haar zus, maar Gemma schudde haar hoofd en draaide zich om.

Samen met Penn holde Gemma het pad af, op de voet gevolgd door Harper. Maar Gemma was snel. Sneller dan ze ooit was geweest.

'Harper!' riep Daniel. Ook hij was opgekrabbeld en rende naar buiten om te voorkomen dat Harper iets stoms zou doen.

Toen Harper bij de aanlegplaats aankwam, stonden Penn en Gemma al aan het einde van de steiger. Gemma draaide zich om, wierp een laatste blik op haar zus en dook in het water.

De zon kwam al op en wierp een bleek, roze licht over het water. In de verte zwommen Lexi en Thea, die al waren getransformeerd. Vlak voordat ze de diepte in doken, klapten ze nog een keer met hun staarten boven het water.

Net toen Harper op de rand van de steiger klaarstond om Gemma na te duiken, voelde ze plotseling Daniels armen om haar heen. 'Gemma!' riep ze terwijl ze zich tevergeefs uit Daniels greep probeerde los te maken.

Nog één keer kwam Gemma naar de oppervlakte, maar ze keek niet meer om. Alleen haar hoofd was te zien en heel even schitterden de doorschijnende schubben van haar staart in de zon. Het volgende moment verdween ze voorgoed onder water.

'Harper, je blijft hier,' klonk Daniels stem resoluut in haar oor. 'Ze komt niet terug en bovendien kun je toch niet achter haar aan.'

'Waarom niet?' Harper stribbelde niet langer tegen. 'Waarom kan ik niet achter haar aan?'

'Omdat je niet onder water kunt ademen en omdat je niet weet met welke krachten je te maken hebt.'

De spanning gleed uit haar lichaam en ze hing slap tegen hem aan. Zachtjes liet ze zich door Daniel op het plankier zakken en staarde ze over het water.

Met zijn armen nog steeds om haar heen knielde Daniel achter haar neer.

'Wat waren dat in godsnaam voor dingen?' vroeg ze.

'Geen idee. Ik heb nog nooit zoiets gezien.'

'Ik kan haar toch niet zomaar met die griezels laten meegaan?'

Ze draaide zich om zodat ze hem kon aankijken.

'Er zit nu even niets anders op,' zei hij. 'Eerst moeten we er-achter komen wat voor wezens dat waren en hoe we ze kunnen uitschakelen. Pas dan kunnen we iets voor Gemma doen.'

'Maar wat gaat er nu met haar gebeuren? Stel je voor dat ze haar iets aandoen. Hoe kunnen we ervoor zorgen dat haar niets overkomt?'

'Harper,' zei Daniel geduldig. 'Je zag haar toch met ze weg-zwemmen? Ze zag eruit als een zeemeermin. Ze is een van hen.'

'Dat is niet waar, Daniel! Gemma zou nooit iemand kwaad kunnen doen. Ze is niet zoals zij.'

'Dat weet ik natuurlijk ook wel, maar ze kan wel voor een van hen doorgaan. En dat is nu alleen maar in haar voordeel. Het be-schermt haar.'

Harpers ogen vulden zich met tranen, die ze met een woest gebaar wegveegde. Haastig draaide ze zich om en keek naar het water.

'Hé! Is daar iemand?' riep Alex vanuit de blokhut. 'Gemma? Waar ben je?' Hij strompelde naar buiten.

'Gaat 't weer een beetje?' vroeg Daniel aan Harper. Hij keek haar onderzoekend aan. 'Kan ik je heel even alleen laten? Dan ga ik even kijken hoe het met Alex is.'

Ze knikte. 'Ja, hoor.' Toen hij opstond, zei ze: 'Breng hem zo snel mogelijk naar de boot. Hoe eerder we vertrekken, hoe eerder we kunnen uitzoeken hoe we die krengen kunnen aanpakken.'

Daniel glimlachte zwakjes. 'Oké,' zei hij, en hij liep de steiger af naar het pad.

Harper bleef zitten waar ze zat en staarde over het water. Ze hoorde Daniel aan Alex vragen hoe hij zich voelde. Ze hoorde Alex vragen wat er allemaal precies was gebeurd. Maar eigenlijk had ze helemaal geen aandacht voor wat die twee bespraken. Ze was druk bezig een plan te bedenken. Ze moest en zou haar zusje uit de handen van die wezens redden, al was het het laatste wat ze deed.

Benieuwd hoe dit verdergaat? Lees dan het vervolg in *Slaaplied*, het tweede deel in de *Watersong*-reeks (verschijnt zomer 2013).

Op de volgende pagina's een voorproefje:

I

Nasleep

Harper werd tegen het ochtendgloren wakker en keek met half samengeknepen ogen naar het gedempte oranje licht dat door de gordijnen haar slaapkamer binnenviel. Heel even – één kort, zalig moment lang – vergat ze wat er de avond ervoor was gebeurd, de avond dat haar zusje was aangevallen en in een soort zeemeermin was veranderd, waarna ze in zee was verdwenen.

Toen kwam alles weer terug. Haar hoofd deed pijn als ze eraan dacht en ze kneep haar ogen stijf dicht.

Nadat Gemma was weggezwommen en Harper alleen had achtergelaten op de aanlegsteiger bij Bernies Eiland, had Daniel zich over Alex ontfermd. Toen ze bij de blokhut waren aangekomen, had Alex bewusteloos op de grond gelegen. Harper had niet gezien wat er was gebeurd, maar het kostte haar weinig moeite zich er een voorstelling van te maken.

Een afgrijselijk vogelmonster stond over hem heen gebogen. Het beest had een bek vol vlijmscherpe tanden en reusachtige, zwarte vleugels. Voor ze besefte wat er gebeurde, was het beest van gedaante veranderd en had het de vorm aangenomen van een heel ander monster: de mooie Penn.

Harper had nauwelijks kunnen bevatten wat ze had gezien.

Toen Alex weer bij bewustzijn was, was hij ervan overtuigd dat hij het bizarre voorval had gedroomd doordat hij een hersenschudding had opgelopen. Maar Harper en Daniel hadden hem moeten vertellen dat het geen droom was geweest. De monsters bestonden echt, en Gemma was weg.

Daarna had er voor Harper niets anders op gezeten dan naar huis te gaan en haar vader te vertellen dat Gemma verdwenen was. Niet dat ze zelf begreep wat ze had gezien, laat staan dat ze hem de waarheid kon vertellen; geen enkel weldenkend mens zou het geloven als hij het niet met eigen ogen had gezien.

En dus had Harper tegen Brian gezegd dat Gemma met Penn en haar vriendinnen was weggelopen. Dat kwam aardig in de buurt van de waarheid, maar zelfs dat had hij nauwelijks kunnen geloven. Harper was de hele ochtend opgebleven om haar vader ervan te overtuigen dat Gemma niet thuis zou komen, en dat was een van de moeilijkste dingen die ze ooit had moeten doen.

Harper wist echter dat ze het nog veel moeilijker zou krijgen. Ze had geen flauw idee wat Penn en de andere meisjes voor wezens waren, laat staan hoe ze hen kon stoppen of Gemma kon bevrijden.

Maar met de hele dag in bed blijven liggen bereikte ze niets. Ze rolde op haar zij en pakte haar mobieltje van het nachtkastje. Ze wilde kijken hoe laat het was, maar zag toen dat ze twee gemiste oproepen had van een nummer dat ze niet herkende. Gemma had haar mobiele telefoon thuis laten liggen, dus als ze had gebeld, moest dat met een onbekend nummer zijn geweest.

Ineens schrok Harper wakker. Ze was zo moe geweest dat ze door de ringtone van haar telefoon heen geslapen was. Snel luisterde ze haar voicemail af.

'U hebt één nieuw bericht,' zei de automatische stem. Harper vloekte zacht. Ze zou het zichzelf nooit vergeven als ze Gemma's telefoontje had gemist.

'Hee, Harper, met Daniel,' klonk een diepe stem aan de andere kant van de lijn.

'Daniel,' mompelde Harper opgelucht. Met haar hand tegen haar voorhoofd luisterde ze het bericht af.

'Die zuurpruim in de bieb heeft me je nummer gegeven. Ik wou even weten of je goed bent thuisgekomen en hoe het met je gaat na... eh, nou ja, na wat er vannacht is gebeurd. Ik heb mijn ogen opengehouden, zoals je had gevraagd. Ik ben er met de boot op uitgegaan om Gemma te zoeken, maar tevergeefs. Ik blijf kijken en laat je weten als ik nieuws heb. Oké. Zou je me straks even terug willen bellen? Ik hoop dat het goed met je gaat.'

Harper hield de telefoon nog even tegen haar oor gedrukt hoewel de automatische stem meedeelde dat ze geen andere berichten had.

Ze vond het heel attent van Daniel dat hij haar had gebeld om te vragen hoe het met haar ging, maar het leek haar verstandiger dat ze hem niet terugbelde. Ze moest hun vreemde avontuurtje uit haar hoofd zetten. Als hij iets over Gemma te weten zou komen, zou hij contact met haar opnemen. Alleen dan zou ze met hem praten. Gemma ging voor. Pas als haar zus gered was kon ze aan andere dingen denken.

Harper was in slaap gevallen in de kleren van de vorige dag, die naar zweet en zee roken. Ze griste een schone outfit uit de kast en sloop over de gang naar de badkamer, voor het geval haar vader nog thuis was. Ze had niets toe te voegen aan Gemma's verdwijning, maar wist dat Brian erover zou doorgaan totdat hij het begreep.

Ze waste zich snel en kleedde zich aan. Toen ze terugsloop naar haar kamer, wierp ze in het voorbijgaan een blik in Gemma's slaapkamer. Iets aan de verduisterde kamer brak haar hart. Harper bleef bij de deuropening staan en vroeg zich af of Gemma ooit nog naar haar kamer zou terugkeren.

Harper slikte de brok in haar keel weg en schudde haar hoofd, in een poging het nare gevoel te verdrijven. Natuurlijk kwam Gemma weer thuis. Ze zou net zo lang blijven zoeken totdat ze haar zus had gevonden.

Toen ze bij haar eigen kamer aankwam, slaakte ze bijna een gil van schrik. Op haar bed zat Alex, die met een treurige blik naar de grond staarde.

'Alex?' wist Harper uit te brengen toen ze van de schrik bekomen was. 'Wat doe jij hier?' Ze liep haar kamer binnen.

'O, sorry.' Hij hief zijn hoofd op en gebaarde in de richting van de trap. 'Je vader heeft me binnengelaten. Ik moet met je praten.'

Harper wierp een blik over haar schouder omdat ze min of meer verwachtte dat Brian in de gang stond mee te luisteren, dus sloot ze de slaapkamerdeur.

'Hoe ging het met mijn vader?' vroeg ze. Toen pas zag ze de snee in Alex' voorhoofd. Ze vermoedde dat hij die had overgehouden aan de klap waardoor hij de avond ervoor buiten westen was geraakt, of wat dat ook geweest mocht zijn.

'Wel redelijk, geloof ik.' Alex haalde zijn schouders op. 'Beetje verdrietig en in de war. Hij vroeg naar Gemma, maar ik heb gezegd dat ik niet weet waar ze is.'

Harper had Alex willen bellen om hun antwoorden op elkaar af te stemmen. Het probleem was echter dat ze niet wisten waar Gemma was, dus zijn antwoord was zo goed als elk ander antwoord.

'Maar wat was dat nou allemaal gisteravond?' viel Alex met de deur in huis.

'Geen flauw idee,' zei Harper hoofdschuddend. Ze ging in de stoel voor haar bureau zitten. 'Ik weet zelfs niet wat die... wat dat voor dingen waren.'

'Ik kan me amper meer herinneren hoe ze eruitzagen,' zei Alex met een frons. 'Het is één grote waas in mijn hoofd.'

'Waarschijnlijk omdat je een hersenschudding hebt opgelopen,' zei Harper.

Alex dacht even na en zei toen: 'Nee, dat is het niet. Ik herinner me alles heel duidelijk tot het moment dat we in die grot kwamen en dat lied hoorden.'

Harper had niet meer aan het lied gedacht. Ze herinnerde zich de woorden niet meer, maar de melodie kwam terug, als een half-vergeten droom.

Van de tijd in de grot was ze ook een paar minuten kwijt. Ze wist niet meer precies wat er gebeurd was, alleen dat ze zich tot het mysterieuze lied aangetrokken had gevoeld. Daniel had haar tegengehouden toen ze in zee had willen duiken om Alex achterna te zwemmen, maar tot aan het moment dat ze weer aan boord waren gegaan herinnerde ze zich niets.

'Ben je naar het eiland gezwommen?' vroeg Harper. Ze besefte nu pas dat het zo moest zijn gegaan.

'Dat denk ik wel.' Hij fronste weer. 'Ik kan me er niet zoveel meer van herinneren. Ik hoorde een lied en het volgende moment zwom ik in zee, en weer even later was ik op het eiland. Die mooie meiden waren daar, en... en Gemma. Ze kuste me...' Hij slikte moeizaam.

'Herinner je je dat wezen ook?' vroeg Harper.

'Die vogel?' vroeg Alex. 'Ja toch? Het was toch een grote vogel?'

'Eerder een vogelmonster,' probeerde Harper hem duidelijk te maken. 'Maar toen veranderde het monster ineens van gedaante en werd het Penn.'

'Bedoel je dat die mooie meiden van gedaante kunnen veranderen?' vroeg Alex. 'Omdat ze in vissen veranderden? Gemma en die meiden zijn eerst in vissen veranderd en toen weggezwommen?'

'In zeemeerminnen,' verbeterde Harper hem.

'Krankzinnig gewoon,' mompelde Alex, bijna in zichzelf. Hij sloeg zijn donkerbruine ogen weer op en keek Harper ernstig aan. 'Een stomme vraag misschien, maar ik moet het vragen. Gemma is toch niet, eh... altijd al een zeemeermin geweest? Ik bedoel, er is toch geen sprake van een familievloek of zo, zoals in *Teen Wolf*?'

'Nee.' Harper moest ongewild glimlachen en schudde haar hoofd. 'Nee. We hebben geen zeemeerminnen of andere mytho-logische wezens in onze familie.'

'Oké. Goed,' zei Alex. Maar toen bedacht hij zich en schudde hij zijn hoofd. 'Nee, niet goed. Als we wisten wat er aan de hand was, zouden we weten wat we eraan konden doen.'

'Dat is waar,' beaamde ze.

'Dus je hebt geen idee wat Gemma, Penn of die andere meiden voor wezens zijn?' vroeg Alex.

'Nee,' moest Harper tot haar spijt toegeven.

'En je weet ook niet waar ze naartoe zijn gegaan?'

'Ook dat niet.'

'Oké. Hoe moeten we Gemma dan bevrijden?' vroeg Alex.

'Nou...' Harper haalde diep adem. 'We gaan uitzoeken wat het voor wezens zijn en hoe we ze kunnen stoppen. Dan gaan we ze zoeken en nemen Gemma mee terug naar huis.'

2

Metamorfosen

Harper zat in de bibliotheek achter de balie en hoorde Marcy tegen haar praten, maar ze was er niet met haar gedachten bij. Ze staarde in het niets en piekerde zich suf over wat ze kon doen.

De avond ervoor had ze met Alex afgesproken dat ze verder zouden gaan met hun leven alsof er niets was gebeurd totdat ze Gemma hadden gevonden. Vandaar dat ze die ochtend gewoon naar haar werk was gegaan, ook al was ze liever thuisgebleven om het internet af te speuren naar aanwijzingen over Gemma's gedaanteverandering.

Ze had heel wat sites bezocht die zeiden deskundig te zijn op het gebied van bigfoot en de Chupacabra, maar niemand had iets gehoord over een bizar vogelmonster dat in een vis-mens-hybride of een beeldschoon tienermeisje kon veranderen.

Tegen de tijd dat Harper die nacht naar bed was gegaan, had ze bijna geloofd dat ze zich het hele voorval had verbeeld. Het moest wel een of andere hallucinatie zijn geweest. Dat gebeurde soms bij mensen met stress. Een andere logische verklaring voor wat ze had gezien was er niet.

'Maar je kunt toch geen bontjas van bassets maken?' zei Marcy. 'Ik ben Cruella de Vil niet.'

Harper schrok op uit haar mijmeringen. 'Natuurlijk niet,' zei ze afwezig.

Marcy snoof en tuurde naar haar over de rand van haar donkere bril. 'Harper! Je hebt helemaal niet geluisterd.'

'Je bent Cruella de Vil niet.' Harper keek haar collega aan en dwong zichzelf een glimlach op te zetten.

Marcy rolde met haar ogen. 'Goed gegokt.'

'Hoezo, goed gegokt?' zei Harper.

Op dat moment ging de voordeurbel en zwaaide de deur van de bibliotheek open. Harper wendde haar blik af van Marcy's geërgerde gezicht en zag Alex in grote passen naar de balie komen lopen. Hij had een brede grijns op zijn gezicht, wat een hemelsbreed verschil was met de grimmige uitdrukking van de avond ervoor.

'Heb je iets van haar gehoord?' viel Harper Marcy in de rede, die nog midden in een zin over bassets was.

'Nee.' Alex glimlach verflauwde en hij leunde op de balie voor haar. 'Maar ik heb wel goed nieuws.'

'En dat is?' Harper boog zich naar hem toe.

'Ik weet hoe het zit.' Hij begon weer te stralen. 'Sirenen.'

'Sirenen?' Harper fronste niet-begrijpend. 'Politiesirenen, bedoel je?'

'Gaat het over Gemma?' vroeg Marcy, die er voor de afwisseling in slaagde bezorgd te klinken. 'Heeft de politie haar gevonden?'

'Nee,' zei Alex. 'Waar staat hier de afdeling mythologie?'

'Mythologie?' zei Harper.

'Ja, Griekse mythologie, om precies te zijn,' verduidelijkte Alex. Hij deed een stap achteruit van de balie.

'Achter in de hoek, voorbij de kinderboeken,' zei Harper, en ze gebaarde naar de andere kant van de bibliotheek.

'Mooi.' Hij grijnsde weer van oor tot oor en nog voordat ze hem kon uithoren, stoof hij weg in de richting die ze had aangewezen.

'Alex,' riep Harper terwijl ze opstond, maar hij was al tussen de boekenkasten verdwenen. 'Marcy, wil jij het even van me overnemen? Ik wil weten wat hij uitspookt.'

'Eh, ja, natuurlijk,' zei Marcy, die al net zo verbluft leek als Harper. 'Als het met Gemma te maken heeft, moet je er de tijd voor nemen, hoor. Ook al snap ik niet wat mythologie met haar vermissing te maken heeft.'

'Ik ook niet,' mompelde Harper.

Ze liep naar de andere kant van de bibliotheek waar ze Alex naartoe had verwezen. Toen ze zich bij hem voegde, stond hij al voor de kast met mythologieboeken in een exemplaar van Ovidius' *Metamorfosen* te bladeren. Ze begreep nu wat hij met sirenen bedoelde, maar de puzzelstukjes vielen nog altijd niet in elkaar.

'Denk je echt dat het om sirenen gaat?' vroeg Harper sceptisch.

'Ja.' Alex knikte zonder uit het boek op te kijken.

'Ik weet het niet, hoor. Dat kan toch helemaal niet?'

'Waarom niet?' Hij keek haar aan. 'Het gezang? Daar staan sirenen bekend om. Om nog maar te zwijgen van dat zeemeerminnengedoe.'

'Dat is waar,' beaamde Harper. 'Maar dat vogelmonster dan?'

'Dat valt ook met sirenen te verklaren.' Hij sloeg het boek open en begon aandachtig te lezen. Toen glimlachte hij weer en hield hij haar het boek voor. 'Lees zelf maar.'

'Waar?' vroeg Harper.

Alex tikte met een vinger op een alinea.

Ze begon hardop te lezen: '*Maar die knappe zangeressen, de sirenen, waarom hebben zij veren en vogelpoten bij hun meisjesgezichten?*'

'Zie je wel?' zei Alex zelfgenoegzaam.

'Jij herinnert je het misschien niet, maar Penns gezicht was allesbehalve knap toen ze in dat vogelmonster veranderde,' wierp Harper tegen.

'Kennelijk klopt het niet helemaal,' zei Alex, die zich niet van de wijs liet brengen. 'In het ene boek staat dat er maar twee sirenen waren, in het andere dat het er zeker vier waren. De ene keer worden ze omschreven als zeemeerminnen, de andere keer als vogels. In geen van de boeken staat het goed, maar dat komt misschien omdat ze telkens weer een andere gedaante aannemen.'

Harper keek hem met half samengeknepen ogen aan. 'Hoe bedoel je?'

'Misschien heeft Ovidius ze in hun vogelgedaante gezien.' Alex wees op het boek in Harpers handen. 'Maar anderen hebben ze blijkbaar als zeemeerminnen gezien. Jij hebt toch gezien dat die meiden van gedaante kunnen veranderen? Het enige wat overal wordt genoemd is hun gezang. En dat hebben we gehoord.'

Harper beet op haar lip en staarde naar het boek in haar handen. Wat Alex zei klonk logisch. Althans, het had logisch kunnen klinken als het waar had kunnen zijn.

'Dit is mythologie, Alex,' zei ze hoofdschuddend. Ze gaf hem het boek terug. 'Geen werkelijkheid.'

Alex kreunde. 'Kom nou toch, Harper. Je hebt hetzelfde gezien als ik. Dit is zo echt als maar zijn kan. Dat weet je net zo goed als ik.'

'Oké.' Harper sloeg haar armen over elkaar. 'Stel dat je gelijk hebt. Stel dat het... dat het sirenen waren. Is Gemma nu dan ook een sirene? En hoe is ze dat dan geworden?'

'Geen idee. Ik heb de hele nacht op internet zitten zoeken, maar er is veel tegenstrijdige informatie.' Hij gebaarde naar de plank met boeken achter zich. 'Ik had gehoopt dat deze boeken hier wat meer duidelijkheid zouden verschaffen.'

'Hoe zijn de sirenen eigenlijk sirenen geworden?' vroeg Harper.

'Het heeft iets te maken met de wraak van een of andere god.' Alex richtte zijn aandacht weer op de boeken en liet zijn vinger over de ruggen glijden, op zoek naar een titel.

'Welk boek zoek je?' vroeg Harper. Ze deed een stap naar hem toe om hem te helpen.

'Ik heb een passage op internet gelezen, maar hoe heet dat boek ook alweer... De *Argonautica* of zoiets.'

'Hier.' Harper reikte voor hem langs en pakte een versleten boek van de bovenste plank. Vervolgens trok ze een encyclopedie over Griekse mythologie uit de kast en begon ze alle boeken te verzamelen die informatie zouden kunnen bevatten over sirenen, waaronder *Mythologie voor Dummies*. Ze gaf de boeken door aan Alex.

Zodra Alex een stapeltje in handen had, ging hij tussen de kasten op de grond zitten en spreidde de boeken voor zich uit.

'We kunnen ook aan een tafel gaan zitten, hoor,' zei Harper. 'We hebben zelfs een comfortabele bank.'

'Ik zit hier prima,' zei Alex, die al door een boek aan het bladeren was.

Harper haalde haar schouders op en ging in kleermakerszit tegenover hem zitten.

'Oké,' zei ze, en ze leunde met haar armen op haar knieën voorover. 'Vertel me eerst wat je al weet.'

'Ik weet niet wat ik al "weet". Daarvoor is er te veel onjuiste informatie in omloop,' zei Alex.

'Maar ze werden dus sirenen omdat ze zich de woede van de goden op de hals hadden gehaald?' vervolgde Harper. Toen hij knikte, vervolgde ze: 'Maar dat heeft Gemma niet gedaan.' Ze zweeg even en dacht na. 'Tenminste, voor zover ik weet niet.'

'Dat denk ik ook niet,' beaamde Alex. 'Dus misschien is Gemma toch niet in een sirene veranderd.'

Harper dacht terug aan het moment dat ze haar zusje in het bleke, roze ochtendlicht had zien verdwijnen in zee. Ze twijfelde er niet aan dat Gemma toen een staart had en de gedaante van een zeemeermin had aangenomen.

'Jawel,' zei Harper vastberaden. 'Maar het doet er eigenlijk niet toe hoe dat kan, of waarom. Ik wil eerst weten hoe we haar terug kunnen krijgen.'

'Dat is nu net het probleem,' zei Alex, en zijn gezicht betrok. 'Ik heb nergens gelezen hoe de vloek ongedaan kan worden gemaakt. Alleen hoe je een sirene kunt doden.'

'Tja, daar hebben we niks aan. Hoewel, die andere drie zou ik graag een kopje kleiner maken,' zei Harper. De wraakzucht in haar eigen stem verbaasde haar. 'Hoe moeten we dit dan aanpakken?'

'Dat weet ik niet precies. Het schijnt dat ze gedoemd zijn te sterven als een sterveling weerstand biedt aan hun gezang,' zei Alex schaapachtig.

'Maar jij hebt hen horen zingen, en ik ook, en toch hebben we aan hun gezang kunnen ontsnappen,' zei Harper. 'En zij zijn niet dood.'

'Dat is wat ik er tot nu toe over heb gelezen,' zei Alex. 'Maar als ik de *Odyssee* van Homerus moet geloven, zouden de sirenen allang dood moeten zijn.'

'Verdorie,' mopperde Harper. 'Je bedoelt dus eigenlijk te zeggen dat je net zo weinig weet als ik.'

'Daar komt het wel op neer,' zei hij. 'Maar we weten nu wel dat het sirenen zijn.'

'Dat is een begin,' gaf Harper schoorvoetend toe. Ze raapte een boek van de grond.

Bij gebrek aan een beter plan besloten Harper en Alex zo veel mogelijk te weten te komen over sirenen. Terwijl ze de boeken doornamen, wisselden ze nauwelijks een woord met elkaar, zozeer werden ze in beslag genomen door de vraag hoe ze Gemma konden redden.

Harper wist niet precies hoe lang ze daar zo hadden zitten lezen, maar ze moest nodig van houding veranderen omdat haar benen begonnen te slapen. Ze ging met haar rug tegen de boekenkast zitten en sloeg het boek *Argonautica* open op haar knieën.

Zelfs Alex was, vermoedelijk om dezelfde reden, van houding veranderd. Hij lag op zijn buik te lezen in een boek dat voor hem op de grond lag en woelde met zijn handen door zijn donkere haar. Zijn mooie gezicht stond strak van concentratie.

Harper wierp een zijdelingse blik op hem. Iets aan de intense uitdrukking op zijn gezicht ontroerde haar. Hij was bijna net zo fanatiek bezig met het vinden van Gemma als zij, en dat deed haar goed. Ze stond er niet alleen voor.

'Wat zijn jullie aan het doen?'

Harper keek op en zag Marcy aan het begin van het gangpad met gekruiste armen naar hen staan kijken.

'Eh...' Harper zocht Alex' blik, in de hoop dat hij haar te hulp zou schieten, maar ook hij zat met zijn mond vol tanden.

'Was je vandaag nog van plan om aan het werk te gaan?' zei Marcy. 'Of blijf je je hier de rest van de dag verstoppen?'

'Eh...' Harper ging iets rechterop zitten. Ze wist dat ze weer aan het werk moest, maar wilde liever doorlezen. Gemma vinden was belangrijker dan het scannen van te laat ingeleverde bibliotheekboeken.

'Als je niet kunt werken omdat Gemma is weggelopen, had je dat ook wel gewoon kunnen zeggen,' vervolgde Marcy. 'Dan had je je er niet met een smoesje vanaf hoeven maken.'

'Het was geen smoesje,' zei Harper snel.

Marcy kneep haar ogen samen. Kennelijk was het verwijt in Harpers stem haar niet ontgaan. 'Wat zijn jullie aan het doen?'

'We, eh...' Harper keek weer naar Alex.

'We, eh, lezen... boeken,' verzon hij snel, maar het klonk zwak.

Harper keek hem aan met een blik alsof hij niet goed wijs was, waarop Alex hoofdschuddend zijn schouders ophaalde.

'Wat lezen jullie dan?' vroeg Marcy. Toen ze geen antwoord kreeg, pakte ze het dichtstbijgelegen boek van de grond, dat toevallig *Sirenen: dienstmaagden van de zee* heette. 'Bedoelde je dit met sirenen?'

'Eh, ja,' zei Alex.

'Hmm, die mooie griezels van meiden,' zei Marcy, die de stukjes snel in elkaar paste, 'zijn dat volgens jullie sirenen?'

'Nou...' Harper slikte en besloot eerlijk antwoord te geven. 'Zoiets, ja.'

'Hebben ze Gemma soms meegenomen? Of zijn zij de reden

dat Gemma is weggelopen?' vroeg Marcy. Haar stem klonk monotoon als altijd, zonder spoortje scepsis of overtuiging.

'Ja,' gaf Alex toe. 'Dat vermoeden we.'

Marcy keek even nadenkend, knikte toen alsof het de normaalste zaak van de wereld was en ging op de grond zitten.

'Hebben jullie al enig idee hoe jullie haar gaan bevrijden?' vroeg Marcy.

'Nog niet,' zei Harper voorzichtig. 'We zijn ons nog aan het inlezen.'

Marcy hield het *Sirenen*-boek omhoog. 'Hebben jullie hier al in gekeken? Of willen jullie dat ik dat doe?'

'Als je dat zou willen doen,' zei Harper.

'Ja, super,' reageerde Alex met meer enthousiasme dan Harper, die Marcy's aanbod nog steeds niet helemaal vertrouwde. 'We hebben heel wat boeken door te nemen.'

'Gaaf,' zei Marcy. Ze sloeg het boek open en begon te lezen.

Harper wisselde een blik met Alex, maar die haalde zijn schouders op en las verder in zijn boek. Harper kon zich er niet zonder slag of stoot bij neerleggen. Niet dat ze dat niet wilde, maar ze kon nog steeds niet geloven dat sirenen echt bestonden, ook al had ze de monsters met eigen ogen gezien. Marcy leek echter zonder spoortje bewijs in het sirenenverhaal te geloven.

'O... en dat is genoeg?' zei Harper.

'Hè?' Marcy sloeg haar ogen op.

'Jij gelooft...' Harper schudde haar hoofd. Ze wist niet precies hoe ze het moest verwoorden. 'Jij gelooft dus gewoon dat sirenen bestaan?'

'Ik zou het niet weten,' zei Marcy schouderophalend. 'Maar jullie geloven er blijkbaar in, en jullie zijn toch ook niet gek? Dus er zal wel een kern van waarheid in zitten. Ik vertrouwde die meiden zelf ook al niet, en ze voldoen wel aan de omschrijving van een sirene.'

'O.' Harper glimlachte zwakjes naar haar. 'Nou, fijn dat je wilt helpen.'

'Geen probleem.' Marcy glimlachte terug en schoof haar bril hoger op haar neus. 'Mijn oom heeft het monster van Loch Ness gezien. Ik sta meer open voor dat soort dingen dan jij.'

Harper knipperde met haar ogen. 'Oké.'

'Niet dat ik niet blij ben met jullie hulp,' zei Alex ineens, alsof hem iets te binnen schoot. 'Maar moet er niet iemand achter de balie zitten? Stel dat een klant hulp nodig heeft?'

'Er staat een bel op de balie,' zei Marcy. 'En dit is toch zeker belangrijker?'

Harper, die haar werk doorgaans heel serieus nam, kon niet anders dan Marcy gelijk geven. Ze had het akelige vermoeden dat ze moesten opschieten als ze Gemma wilden helpen. Anders was het te laat.

3

Bekendmakingen

Ondanks het feit dat ze gedrieën de rest van de dag mythologieboeken hadden doorgespit, waren ze niet veel
wijzer geworden over hoe ze Gemma konden helpen. Maar toen
Harper thuiskwam van haar werk, voelde ze zich voor het eerst
sinds Gemma's verdwijning weer iets beter.

Het was een geruststellend idee dat Alex en Marcy haar wilden
helpen, ook al had ze niet zoveel aan Marcy's hulp gehad. Ze
stond er niet alleen voor, en dat vergrootte de kans dat ze Gemma
zouden vinden.

Haar hoop vervloog echter toen ze de voordeur opende en
haar vader zag staan.

Brian stond met een verdwaasd gezicht midden in de woonkamer, alsof hij de kamer in was gelopen en was vergeten wat hij
daar wilde gaan doen en waarom, en toen maar was blijven staan.
Hij had zich die ochtend niet geschoren en zijn huid zag asgrauw,
om nog maar te zwijgen van de wallen onder zijn ogen.

'Hoi, pap,' zei Harper. Ze sloot de voordeur zacht achter zich.

Hij draaide zijn hoofd naar haar toe. Om zijn mond lag een
flauwe glimlach. 'Dag, lieverd.'

'Ben je vandaag niet naar je werk geweest?' vroeg Harper.

Toen ze die ochtend de deur uit was gegaan, was haar vader nog thuis geweest. Ze had echter gehoopt dat hij alsnog naar zijn werk was gegaan. Hij had geen verlofdagen meer en hun gezin zou in grote problemen komen als hij zijn baan verloor. Hij was niet alleen kostwinner, maar van zijn ziektekostenverzekering werd ook het verblijf van Harpers moeder in de woongroep betaald.

'Ik dacht dat Gemma wel weer thuis zou zijn,' zei Brian. Zijn anders zo warme stem klonk hees van vermoeidheid en verdriet.

'Heb je vandaag al iets gegeten?' vroeg Harper. Ze liep langs haar vader naar de keuken. 'Ik maak wel even iets voor je klaar.'

'Ik heb geen honger,' zei Brian.

'Kom op, pap. Ik maak iets te eten voor je.'

Harper liep de keuken in, opende de koelkast en haalde er koud vlees en een pot mayonaise uit. Tegen de tijd dat ze zijn boterham aan het smeren was, kwam Brian de keuken binnensjokken en ging aan de tafel zitten.

'Heb je al iets van haar gehoord?' vroeg hij.

'Nee,' zei Harper, zonder hem aan te kijken. Ze smeerde een dikke laag mayonaise op het vlees. 'Dan had ik het je wel verteld.'

'Ik begrijp niet waarom ze is weggelopen,' zei hij met de gefrustreerde toon in zijn stem die ze inmiddels van hem gewend was. 'Ze wilde nog zoveel doen. Ze was zelfs met Alex aan het daten. Waarom zou ze weg willen? Ook al was ze kwaad op mij?'

'Ze was niet kwaad op jou,' verzekerde Harper hem. Ze legde de boterham op een bord, dat ze voor haar vader op de tafel zette. Ze ontweek nog steeds zijn blik. 'Je weet best dat het niets met jou te maken heeft.'

'Maar ik begrijp het niet!' hield Brian vol. 'Ik heb vandaag met haar zwemcoach gebeld. Hij vertelde dat ze de laatste tijd het ene record na het andere zwom. Daar werkte ze zo hard voor. Waarom zou ze dat opgeven om met een paar domme meiden weg te lopen?'

'Ze is zestien, pap.' Om wat om handen te hebben, liep Harper naar het aanrecht en begon de kleine vaat af te spoelen die in een hoekje stond. 'Tieners zijn onvoorspelbaar.'

'Maar dat waren jullie nooit,' zei Brian. Hij sprak met stemverheffing om boven het geluid van het stromende water uit te komen. 'Ik weet dat Gemma een sterke eigen wil heeft, maar ik wist bij haar altijd waar ik aan toe was. Tot afgelopen week, toen ze zich ineens anders ging gedragen.'

Harper liet per ongeluk een bord uit haar handen vallen, dat met veel lawaai in de gootsteen kletterde.

'En ze had geen slechter moment kunnen kiezen,' vervolgde Brian. 'Net nu er een moordenaar rondloopt die het op tieners heeft voorzien.' Hij ademde diep in. 'Er is haar iets overkomen, Harper.'

'Die tieners waren allemaal jongens,' zei Harper, in een poging zijn op hol geslagen gedachten af te remmen. 'En ik heb Gemma nog gezien voordat ze vertrok. Ze zei dat ze van huis wilde weglopen. Er is niets aan de hand.'

'Ik geloof er niks van!' schreeuwde Brian.

Harper leunde tegen het aanrecht en sloot haar ogen. Ze moest diep inademen om haar zelfbeheersing niet te verliezen. Haar handen trilden en de tranen brandden in haar ogen. Ze moest haar vader ervan zien te overtuigen dat er niets aan de hand was, hoewel ze zelf geen idee had hoe het met Gemma ging en of ze haar ooit nog terug zouden zien.

'Ik ben vandaag bij het politiebureau geweest,' zei Brian. Hij klonk weer even mat als voor zijn uitbarsting.

'En?' zei Harper behoedzaam. 'Wat zeiden ze?'

'Ze hebben een zoekactie opgezet,' zei Brian. 'Weggelopen tieners hebben geen prioriteit, maar omdat er de laatste tijd zoveel is gebeurd, doen ze wat ze kunnen.'

'Gelukkig.' Harper was klaar met afspoelen, maar ze liet de kraan lopen om de stilte en de spanning in de keuken te overstemmen.

'Harper, zet die kraan uit,' zei Brian. 'Ik moet je iets vertellen.'

Ze draaide de kraan dicht, maar pakte vervolgens een vaatdoekje en begon het aanrecht af te nemen. Ze moest zichzelf bezig zien te houden.

'Harper, ga zitten. Ik moet met je praten.'

'Een ogenblikje, pap,' zei ze, en ze wreef verwoed over een denkbeeldige vlek op het aanrechtblad.

'Harper,' zei Brian streng.

Harper kromp ineen. Snel hing ze het doekje over de rand van de gootsteen en ging tegenover haar vader aan de tafel zitten. Ze hield haar blik neergeslagen, bang voor haar eigen reactie als ze hem zou aankijken en zijn wanhopige blik zou zien. Ze was doodsbang dat ze hem alles zou opbiechten. Maar ze kon hem niet over de sirenen vertellen, laat staan wat er met Gemma was gebeurd, en niet alleen omdat hij anders zou denken dat ze haar verstand verloren had.

Maar dat zou altijd beter zijn dan dat hij haar geloofde. Als hij zou weten dat Gemma in een sirene was veranderd en met een stel vreselijke monsters was meegegaan, zou hij er alles aan doen om Harper te beschermen, en die gedachte kon ze niet verdragen.

'Ik heb slecht nieuws,' zei Brian ernstig. Hij stak zijn hand uit over de tafel om Harpers hand te pakken, maar ze trok hem schielijk terug. 'Dat heb ik op het politiebureau gehoord.'

Ze hapte naar adem en slikte het brandend maagzuur terug dat in haar slokdarm omhoogkwam. Ze vroeg zich af wat Brian in vredesnaam ontdekt kon hebben. Ze betwijfelde of ze nog meer slecht nieuws aankon.

'Ik weet niet hoe ik je dit moet vertellen, maar...' Hij zweeg, in een poging de woorden te vormen. 'Bernie McAllister is vermoord.'

En toen trok alles in één afgrijselijke film aan haar geestesoog voorbij. Ze had het gevoel dat de lucht uit haar longen werd geperst en haar maag zich letterlijk omkeerde.

Harper was erin geslaagd het voorval te vergeten. Hoewel, vergeten was niet het goede woord. Ze was het niet vergeten. De dood van iemand die zo belangrijk voor haar was geweest kon ze onmogelijk vergeten zijn.

Haar geest had de herinnering verdrongen en haar nog een

paar uur rust gegund, zodat ze niet aan zijn dood zou hoeven denken. Maar nu kwam alles weer boven: het beeld van zijn opengereten lichaam, waar de ingewanden uithingen, in het bos bij de blokhut.

Bernie was een van de aardigste mensen die ze kende, een vriendelijke oude man met een licht Brits accent. Hij had haar vader geholpen door voor Harper en Gemma te zorgen toen hun moeder na het auto-ongeluk in het ziekenhuis lag.

En nu hadden de sirenen hem vermoord. Ze hadden zijn buik opengereten en zijn ingewanden eruit gehaald, alsof hij een vis was. Ze hadden hem laten wegrotten terwijl zij dansten en zongen en zijn huis overhoophaalden, op zoek naar kostbaarheden. Het ergste van alles was dat ze alles hadden kunnen krijgen wat hun hartje begeerde: niet omdat ze sirenen waren en hem hadden betoverd, maar omdat Bernie altijd het beste met iedereen voorhad.

'Het spijt me, lieverd,' zei Brian met betraande stem. 'Ik weet hoe dol je op hem was.'

Harper sloeg haar hand voor haar mond. De tranen rolden over haar wangen. Het beeld van zijn dode lichaam brandde op haar netvlies, en ze besefte dat ze iets moest zeggen. Per slot van rekening wist haar vader niet dat ze al van Bernies dood af wist.

'Hoe...' piepte Harper. Het kostte haar moeite te praten met een brok in haar keel.

'Dat is nog niet helemaal duidelijk,' zei Brian, en hij sloeg zijn ogen neer.

Harper had het gevoel dat hij meer van de politie had gehoord dan hij haar wilde vertellen, en heel even maakte ze zich daar boos over. Brian had niet van de details op de hoogte hoeven te worden gebracht. Anderen zou dat afgrijselijke beeld zo veel mogelijk bespaard moeten blijven.

'Zijn huis is geplunderd,' vervolgde Brian. 'Ze vermoeden dat het om een uit de hand gelopen overval gaat.'

Harper vroeg zich af of dat het geval kon zijn geweest. Waren de sirenen van plan geweest hem te beroven en was hij daar slachtoffer van geworden? Of waren ze eropuit geweest hem te vermoorden en hadden ze hem daarna beroofd?

'Hij had gisteren een afspraak bij de huisarts. Omdat hij niet was komen opdagen, heeft de huisarts de politie gewaarschuwd. Ze zijn gaan kijken hoe het met hem ging,' zei Brian. 'Bij alleenstaanden van Bernies leeftijd zijn ze altijd heel alert. Maar niemand had ooit verwacht dat hij vermoord zou zijn.'

'Zijn er al verdachten opgepakt?' hoorde Harper zichzelf vragen. Haar handen trilden. Ze schoof ze onder haar knieën en kneep erin om te voorkomen dat ze nog erger gingen beven.

'Nog niet,' zei Brian. 'Maar ze doen hun best.' Hij zweeg even. 'Ze vermoedden dat de moordenaar dezelfde is als degene die die drie tienerjongens heeft vermoord.'

Harper knikte ontdaan. Ze was ervan overtuigd dat Bernie door dezelfde monsters was vermoord als zij die de dood van Luke Benfield en de andere twee jongens op hun geweten hadden.

'Gelukkig was je kortgeleden nog bij Bernie langs geweest,' zei haar vader, in een poging van onderwerp te veranderen en er een positieve draai aan te geven.

Het was nog maar een paar dagen geleden dat Harper en Brian de zaterdagmiddag op Bernies Eiland hadden doorgebracht. Ze hadden bijgepraat en zijn moestuin bewonderd. Het zou haar troost moeten bieden dat ze een laatste, mooie herinnering had aan een middag met een dierbare vriend, maar haar verdriet was te groot.

'Ik weet dat dit een enorme klap voor je is,' zei Brian. 'Kun je het aan, denk je?'

'Ja,' zei Harper zonder veel overtuiging.

Gelukkig ging op dat moment haar mobieltje over in haar broekzak en kon haar vader niet doorvragen. Ze hoopte dat het Gemma was, en met bonzend hart wurmde ze de telefoon uit haar zak. Totdat ze het nummer zag. Het was Daniel. Alweer.

Ze staarde naar het schermpje en overwoog of ze zou opnemen. Aan de ene kant wilde ze hem graag spreken. Als ze heel eerlijk tegen zichzelf was, zou ze het heerlijk vinden om zijn stem te horen, ook al had ze geen schouder nodig om op uit te huilen. Maar haar verstand won het, en ze drukte hem weg. Mogelijk was Daniel iets over Gemma te weten gekomen, maar als hij dat over de telefoon zou vertellen, zou ze zich toch niet goed kunnen houden tegenover haar vader.

Mocht hij nieuws hebben, dan zou hij vast een bericht achterlaten. Harper besloot haar voicemail af te luisteren zodra ze alleen was. En als Daniel om een andere reden had gebeld, hoefde ze in elk geval niet met hem te praten. Ze kon het zich niet veroorloven haar aandacht door hem te laten afleiden.

'Wie was dat?' vroeg Brian hoopvol. Zijn stem klaarde op bij de gedachte dat het Gemma kon zijn.

'Dat was, eh, Marcy, van mijn werk.' Harper stond snel op en stopte de telefoon terug in haar broekzak. 'Sorry, pap, maar ik voel me niet zo lekker. Ik denk dat ik even ga liggen.'

Brian zei nog iets, maar Harper was de keuken al uit en rende de trap op. In plaats van naar haar kamer, holde ze naar de wc – net op tijd om over te geven in de toiletpot.

Toen haar maag leeg was, ging ze op de koude tegels zitten en legde haar hoofd tegen de muur. Ze haalde haar telefoon uit haar broekzak en keek op het schermpje. Ze wilde zeker weten of Daniel geen bericht had achtergelaten. Snel klikte ze door naar Alex' nummer in haar adresboek.

'Hallo?' zei Alex.

'We moeten Gemma vinden,' zei Harper.

'Dat weet ik.'

'Nee.' Harper schudde haar hoofd, alsof hij haar kon zien. 'Ik bedoel, het doet er niet toe wat er met haar is gebeurd of wat die meiden voor wezens zijn. Ik heb genoeg gelezen. We moeten haar gaan zoeken.'

Alex slaakte een zucht van opluchting. 'Dat dacht ik ook net. We moeten haar vinden en terugbrengen naar huis. Niet goedschiks dan kwaadschiks.'